W
Mein I

GOLDMANN – IHRE NR. 1

Spießeridylle? Gartenzwergbiotop? Nein – der Schrebergarten ist das letzte wahre Paradies auf Erden. Das findet zumindest Wladimir Kaminer, der in Parzelle 118 der Kleingartenkolonie »Glückliche Hütten« sein persönliches Idyll findet. Samt seiner Familie geht er dort ein Jahr lang mit Spaten, Häcksler und Gartenschere zu Werk und macht dabei täglich neue Erfahrungen und Bekanntschaften – auch mit den Vorschriften des Bundeskleingartengesetzes, gegen die er innerhalb kürzester Zeit fast ausnahmslos verstößt. Aber das Leben mit und in der Natur bietet noch viele andere Abenteuer, die Wladimir Kaminer in diesem Buch festhält. Und so schreibt er von Fruchtfliegen, Rhabarber und seinem Nachbarn Günther Grass, von einem flugunfähigen Kanarienvogel und Henry David Thoreau, von Mutproben und unerwarteten Segnungen – darunter eine Tonne erntefrische Äpfel, die dringend Abnehmer sucht. Als Fazit bleibt nach einem aufregenden Jahr: »Die Erde ist ein Schrebergarten und wir sind ihre Gartenfreunde, die sich zwischen den nassen Rhabarberblättern einquartiert haben. Und darauf trinken wir noch einen.«

Mehr Informationen zum Autor
unter www.russendisko.de und www.russentext.de.

Von Wladimir Kaminer bei Goldmann lieferbar:

Russendisko. Erzählungen (54175) · Frische Goldjungs. Hrsg. Von Wladimir Kaminer. Erzählungen von Wladimir Kaminer, Falko Hennig, Jochen Schmidt u.v.a. (54162) · Militärmusik. Roman (45570) · Schönhauser Allee. Erzählungen (54168) · Die Reise nach Trulala. Erzählungen (45721) · Helden des Alltags. Erzählungen (mit Fotos von Helmut Höge, 54183) · Mein deutsches Dschungelbuch. Erzählungen (45945) · Ich mache mir Sorgen, Mama. Erzählungen (46182) · Karaoke. Erzählungen (54243) · Küche totalitär. Das Kochbuch des Sozialismus (54257) · Ich bin kein Berliner. Ein Reiseführer für faule Touristen (54240) · Mein Leben im Schrebergarten (54270) · Salve Papa! Erzählungen (gebundene Ausgabe, 54617) · Es gab keinen Sex im Sozialismus. Erzählungen (54265) · Meine russischen Nachbarn. Erzählungen (gebundene Ausgabe, 54576)

Wladimir Kaminer

Mein Leben im Schrebergarten

Mit Zeichnungen
von Vitali Konstantinov

GOLDMANN
MANHATTAN

Die Originalausgabe erschien 2007
im Manhattan Verlag

FSC
Mix
Produktgruppe aus vorbildlich
bewirtschafteten Wäldern und
anderen kontrollierten Herkünften
Zert.-Nr. SGS-COC-1940
www.fsc.org
© 1996 Forest Stewardship Council

Verlagsgruppe Random House FSC-DEU-0100
Das FSC-zertifizierte Papier *München Super* für dieses Buch
liefert Arctic Paper Mochenwangen GmbH.

1. Auflage
Taschenbuchausgabe Oktober 2009
Copyright © der Originalausgabe 2007
by Wladimir Kaminer
Copyright © dieser Ausgabe 2007
by Wilhelm Goldmann Verlag, München,
in der Verlagsgruppe Random House GmbH
Umschlaggestaltung: UNO Werbeagentur, München
Titelbild und Illustrationen im Innenteil:
Copyright © 2007 by Vitali Konstantinov,
Agentur Susanne Koppe
www.auserlesen-ausgezeichnet.de
AB · Herstellung: Str.
Druck und Bindung: GGP Media GmbH, Pößneck
Printed in Germany
ISBN 978-3-442-54270-3

www.goldmann-verlag.de

Die Sonne ist nur ein Morgenstern

H. D. Thoreau

Parzelle 118 oder
Die Russen kommen

Es mag banal klingen, ist aber wahr: Unser wertvolls-
tes Gut sind unsere Erinnerungen. Ohne sie sind wir
bloß Gemüse, unfähig zu denken und zu handeln. Der
größte Traum jedes vernünftigen Menschen ist es doch,
zweimal in denselben Fluss zu steigen, auf die gleiche
Harke zu treten, in der gleichen Pfütze zu landen. Wer
das nicht tut und nur darüber sinniert, wie sinnlos beziehungsweise unmöglich es ist, sich einem solchen
kindischen Traum hinzugeben, ist ein Angsthase.
Doch viele Erinnerungen verblassen mit der Zeit, und
die nächste Generation zweifelt sie an oder lacht sogar
über sie. Um ihnen mehr Glaubwürdigkeit zu verlei-

hen, braucht man handfeste Beweise, am besten Fotos. Schwarz-weiß ist wunderbar, das macht sie realistisch. Meine Frau und ich haben sehr viele Fotos, die wir getrennt in speziell dafür ausgewählten großen Schuhkartons aufbewahren. Zu jedem Anlass, aber auch ohne, holen wir die Kartons heraus und zeigen uns gegenseitig unsere Bilder. Auf den meisten Fotos, die meiner Frau gehören, sieht man junge, frech gekleidete Langhaarige beiderlei Geschlechts mit Bierflaschen oder Musikinstrumenten in der Hand – alles Dichter, Maler oder Schauspieler. Mit einigen von ihnen hat Olga noch immer Kontakt, aber von den meisten sind Namen und Aufenthaltsorte im Laufe der Zeit verloren gegangen. Eine typische Jugend in der schnöseligen Boheme St. Petersburgs offenbart sich auf diesen Bildern.

Einen anderen Eindruck hinterlassen Fotos, die im Haus ihrer Oma in der tschetschenischen Hauptstadt Grosny geknipst wurden: ein Haus aus Stein, kaum zu sehen hinter den Bäumen und Büschen, drumherum Beete, Weinstöcke, die sich aus der Erde ranken, und Menschen mit bronzener Haut, die lächelnd ihre Harken, Sicheln und andere mir unbekannte landwirtschaftliche Werkzeuge in die Kamera halten. Olgas inzwischen verstorbene Oma ist auch dabei – eine kräftig gebaute alte Frau, stets mit einem weißen Tuch auf dem Kopf und einem Eimer Tomaten oder Kartoffeln in der Hand. Im kaukasischen Obstgarten, zwischen Kirsch- und Aprikosenbäumen, verlief ein beträchtlicher Teil der Kindheit und Jugend meiner Frau.

Diese landwirtschaftliche Seite ihrer Biographie, die Erinnerungen an Omas Garten, ihre Wünsche und Träume, die mit diesen Erinnerungen verbunden sind, sowie meine absolute Unkenntnis in Sachen Gartenarbeit und mein grenzenloses Vertrauen in das wirtschaftliche Treiben meiner Frau innerhalb der Familie trugen dazu bei, dass wir uns eines Tages beim Bezirksverband der Kleingartenkolonie »Glückliche Hütten« anmeldeten. Unser Ziel war, einen Schrebergarten in der Nähe unseres Hauses zu ergattern. Alle Freunde und Bekannten, denen wir davon erzählten, lachten uns aus. Sie räumten uns keine Chance ein, in das letzte Bollwerk des deutschen Spießers, die Kleingartenkolonie, einzudringen.

Die »Glücklichen Hütten« sahen wie eine gut geschützte Burg aus: Die Lauben waren mit hohen Zäunen und reichlich Stacheldraht gesichert, und große Hunde hielten in den Gärten Wache. Mit ein paar Kanonen auf den Dächern konnte diese Anlage problemlos gegen jede feindliche Armee der Welt bestehen. Von Weitem schienen die Gärten leer, doch wenn man sich einem Grundstück näherte und über den Zaun schaute, sah man sofort das Hinterteil des Besitzers über den Beeten schweben. Was sie da gerade machten, woran sie arbeiteten, war schwer zu begreifen. Sie krochen über ihre Erde, sie pflanzten ein, sie pflanzten aus, gruben, harkten, bewässerten ihren Rasen oder steckten einfach wie Strauße den Kopf in die Erde, wenn sie Fremde bemerkten. Wenn man über den Zaun grüßte, grüßten sie nicht zurück, als wollten sie sagen: Ihr werdet auf euren Platz an der Sonne in dieser Kolonie lange warten müssen, nämlich mein langes Leben lang. Denn alles, was ihr hier seht, jeden Millimeter Erde, haben wir mit Schweiß, Blut und Tränen begossen und zu dem gemacht, was es heute ist – ein Buddelkasten für Erwachsene, die mit ihrer Freizeit in der Großstadt nichts anfangen können.

Ich fand diese Kleingärtnerhaltung stets lächerlich. In der Großstadt Moskau aufgewachsen, hatte ich nie die geringste Neigung zur Gartenarbeit verspürt. Auch die Vorstellung einer eigenen Ernte ließ mich kalt. Das Obst aus dem vietnamesischen Gemüseladen an der Ecke schmeckte mir gut genug. Meine Frau war aber anders gestrickt. Die Erinnerung an den ersten grünen Pfirsich, den sie vor zwanzig Jahren im Garten ihrer Oma vom Baum holte, ist in ihrem Kopf fest stecken geblieben. »Obst, das nicht aus der Kaufhalle, sondern von Bäumen kommt, blühende Kirschen, Apfelbäume, Natur«, träumte sie. Ich unterstützte sie in ihren Träumen, hoffte aber insgeheim, dass wir den Garten nicht bekämen.

Die Leiterin der Aufnahmestelle des Kleingarten-
vereins, Frau Engel, machte mir Hoffnung. Auf unsere
Frage nach den durchschnittlichen Wartezeiten sagte
sie, das könne Jahre dauern. Die »Glücklichen Hütten«
waren voll, und niemand hatte die Absicht, seinen
Buddelkasten unseretwegen aufzugeben.

»Wir werden natürlich nicht wie diese Verrückten
jedes Gräslein persönlich umgraben«, träumte meine
Frau weiter. »Wir werden uns hübsche Gartenmöbel
besorgen und eine Grillanlage im Garten aufstellen.
Dann Freunde einladen, zwischen den Rosen sitzen
und feiern. Und im August werden wir das Obst ernten und Konfitüre einkochen.«

In ihrem Traum saß sie bereits mit einem großen
Hut im Garten, drumherum summten die Hummeln,
und die Erde blühte vor ihren Füßen. Ihr Optimismus
in dieser Sache gab mir zu denken. Ich wusste aus Erfahrung: Wenn meine Frau sich etwas in den Kopf ge-
setzt hat, wurde es früher oder später Realität. Olga
hatte im *Obi*-Katalog bereits die Gartenmöbel gefunden, die zu unserem nicht existierenden Grundstück
passten. Was soll's?, dachte ich, ich weiß von Schrift-
stellern, die ihre Werke im Wald geschrieben haben,
auf einem Schiff, sogar auf einem Eisberg. Man kann
bestimmt auch in einer Schrebergartenkolonie gut leben und arbeiten. Hauptsache, es gibt dort eine Steck-
dose.

Es geschah an einem herbstlichen Nachmittag, genau genommen am 14.182sten Nachmittag meines Lebens. Ich saß gemütlich vor dem Fernseher, das ZDF brachte eine spannende Dokumentation über das Leben der Weinbergschnecken-Züchter in Frankreich, als plötzlich das Telefon klingelte. Eine unbekannte Frauenstimme verlangte von mir irgendetwas Unverständliches auf Amtsdeutsch: Es ging um den Antrag beziehungsweise Pachtvertrag beim Bezirksverband der Kleingärtner. Ob ich ihn schon gestellt hätte?

»Nein, tut mir leid, Sie haben sich verwählt«, sagte ich und legte schnell auf. Meine Frau kam aus der Küche. Sie wollte wissen, wer da gerade angerufen habe. Keine Ahnung, falsch verbunden, beruhigte ich sie. Zwei Minuten später klingelte das Telefon erneut. Diesmal nahm meine Frau ab. »Hurra!«, rief sie nach einem kurzen Telefonat, »Frau Engel hat einen Schrebergarten anzubieten! Sie lädt uns zu einem Besichtigungstermin ein, am nächsten Samstag um acht Uhr früh!« »Am Sonntag um sieben wäre noch besser«, konterte ich. Doch mein Gift konnte nichts mehr bewirken. Langsam, aber sicher steuerte unsere Familie auf die »Glücklichen Hütten« zu. Kleingärtner, aufgepasst, die Russen kommen!

Am Samstag regnete es. Im Vereinsgebäude, das wie ein DDR-Museum aussah, tranken zwei Frührentner ihren Kaffee. An der Tür hing ein Plakat – Männer, die aussahen wie Frauen. Es war eine Ankündigung: Im Vereinsgebäude der Kleingartenkolonie sollte demnächst ein Transvestiten-Kabarett stattfinden, und zwar am Vormittag. Warum nicht?, dachte ich. Zu dieser frühen Stunde konnte mich nichts wundern. Frau Engel begrüßte uns wie alte Freunde. Sie hatte tatsächlich etwas für uns. Genau genommen hatte sie sogar drei Gärten anzubieten, gegen einen geringen Abstand selbstverständlich. Ein paar Kleingärtner hatten sich anscheinend überangestrengt und waren gestorben oder weitergezogen, um neue Gartenkolonien zu gründen.

Nach dem Kaffee gingen wir uns die Grundstücke anschauen. Das erste sah nach unberührter Natur aus: ein kleiner schmuddeliger Dschungel mit einer Holzhütte für Onkel Tom in der Mitte. Kein Strom, kein Wasser, keine Rosen, nur Lianen überall. Das zweite Grundstück war uns zu groß und voller Gemüse, mit seinen Kartoffelbeeten konnte man ein ganzes Dorf satt kriegen. Das dritte hatte ein Schild am Gartentor: *Fa. Pflaume. Parzelle 118.* Frau Pflaume, eine Mittfünfzigerin mit Dauerwelle und Brille, wartete mit einer Harke in der Hand am Zaun auf uns. Der Mann von Frau Pflaume sei vor Kurzem gestorben, erzählte uns Frau Engel auf dem Weg zum Grundstück, die Kinder seien schon groß und wegge-

13

zogen. Sie selbst habe keine Kraft, allein den Garten zu bestellen.

Schon von Weitem sah man, dass dieses Grundstück lange Zeit den Hauptfamilienschatz der Familie Pflaume darstellte. Auf einer relativ kleinen Fläche von zweihundertvierzehn Quadratmetern hatten hier zwei Menschen versucht, das Paradies im Maßstab 1:1 000 000 auf Erden zu errichten, und das mit Erfolg. Ich wagte kaum, mich zu bewegen. Ein falscher Schritt, und schon hatte man eine Schönheit der Natur plattgemacht. Auf Zehenspitzen liefen wir von einer Ecke des Gartens zur anderen. Freunde hatten uns im Vorfeld gewarnt, nicht gleich Ja zu sagen, falls uns irgendein Grundstück gefiel. Man müsste immer erst einmal etwas kritisieren, abwertende Bemerkungen über den Zustand des Gartens machen und die Anpflanzungen zusammenzählen, um Professionalität zu zeigen und die Abschlagszahlung zu drücken. Wir benahmen uns jedoch wie blutige Anfänger, die sich sofort in das Grundstück verliebt hatten. Schon beim ersten Anblick waren meine Frau und ich uns einig, dass wir dieses Paradies Nr. 118 gerne übernehmen würden.

Auf dem Grundstück stand ein Steinhäuschen mit einem Hochbett, einem Kühlschrank und einer Kaffeemaschine. Wasser und Strom waren vorhanden, an den Wänden hingen alte DDR-Poster. Hinter dem

Haus befand sich noch ein abschließbarer Raum, vollgestopft mit landwirtschaftlichen Geräten, deren Zweck mir einstweilen noch unklar war. Manches, was dort an der Wand hing, erinnerte an mittelalterliches Folterwerkzeug.

»Das meiste werden wir gar nicht brauchen«, beruhigte mich meine Frau. »Und wenn schon, dann nur ab und zu mal, zum Spaß. Wir wollen doch keine Bauern werden. Unsere Werkzeuge sind bequeme Gartenmöbel und ein Grill – damit werden wir dieses Paradies perfekt machen«, flüsterte sie mir ins Ohr, während wir mit ernsten Gesichtern weiter im Kreis liefen und jede Ecke inspizierten. Dabei sagten wir zur Tarnung laut »Ah!« und »Oh!«, um bei Frau Pflaume und Frau Engel ein bisschen Eindruck zu machen. In Wirklichkeit hatten wir nicht die geringste Ahnung von den ganzen Pflanzen, wir wussten nicht einmal, wie sie überhaupt auf Deutsch hießen. Ehrlich gesagt wüsste ich nicht einmal die russischen Namen all dieser Pflanzen, außer von Rosen und Tulpen.

Frau Engel stand die ganze Zeit in der Mitte und redete mit uns Kleingartendeutsch, um das Grundstück aufzuwerten. Frau Pflaume stand neben ihr und schwieg. Sie sah auf die Erde oder blickte zum Himmel, so als würden wir, die Eindringlinge, sie gar nicht interessieren. Hinter dem Haus stand eine Biotoilette. Um nicht ganz als Gartendepp dazustehen, versuchte ich, Frau Engel in ein Gespräch über Biotoiletten zu verwickeln. Besser, als gar nichts zu sagen, dachte ich. Eine Diskussion über Bäume traute ich mir nicht zu.

»Sie müssen eine chemische Flüssigkeit in die untere Kassette der Toilette gießen«, empfahl Frau Engel.

»Und dann?«, ließ ich nicht locker. »Was mache ich, wenn die untere Kassette voll ist? Das Zeug kann sich doch nicht in Luft auflösen. Werden die Kassetten ausgetauscht? Von einem Biotoilettendienst abgeholt? Oder darf man den Inhalt als eine Art selbst erzeugten Naturdünger im eigenen Garten einsetzen?«

Bei der letzten Frage erntete ich einen Blick voller Misstrauen, der meine Kleingartentauglichkeit bei null einfror. Frau Pflaume schaute uns zum ersten Mal an. Die herbstliche Sonne blinkte in ihrem Brillengestell. Es sah so aus, als würde Frau Pflaume weinen. Wir sagten sofort Ja zum Grundstück und versprachen, uns um die Blumen und das Häuschen zu kümmern, dann unterschrieben wir und bezahlten. Mir tat Frau Pflaume leid. Ich wusste nicht, weswegen sie geweint hatte. Wegen ihres verstorbenen Mannes, wegen ihrer Lieblingsblumen, wegen uns, oder war es nur die Sonne, die ihr eine Träne hinter die Brille gezaubert hatte? Vielleicht war es eine Träne der Erleichterung? Auf jeden Fall hatten wir Mitleid mit ihr. Sie hatte hier dreißig Jahre lang geschuftet, wir dagegen wollten nur in Ruhe grillen.

Zu Hause blätterte ich das Übergabeprotokoll durch. Ich wollte mir endlich ein Bild von dem machen, was wir gerade eben gekauft hatten. Laut Unterlagen war ich nun glücklicher Besitzer einer alten, innen und außen verputzten Steinlaube. Das war schon mal gut. Weiter stand da, das Satteldach müsste erneuert und mit Pappe bedeckt werden, die Fundamente wären nicht frostfrei gegründet, es gäbe Wasserschäden in der Vorlaube, und der Zaun wäre verrostet. Das hörte sich alles nicht gut an. Dafür hatte ich einen Kompostbehälter aus Holz und siebenundvierzig Meter Maschendraht geerbt. In meinem Garten wuchsen sechs Apfelbäume, eine Birne, eine Pflaume, mehrere Süß- und Sauerkirschen, Rhabarber, Rhododendron, eine mir völlig unbekannte Forsythie und eine Yuccapalme, die wir wahrscheinlich übersehen hatten. Außerdem Mandelbäumchen, Pfingstrosen, Buschrosen, Farne, Johannisbeeren, Erdbeeren und Stachelbeeren! Diese ganze Pflanzenbande war ab sofort auf uns angewiesen, auf unsere Unterstützung, unser Mitwirken, unsere Gartenarbeit. Meine Vorlaube musste dringend renoviert werden. Schwarze Gedanken gingen mir durch den Kopf... Mensch, worauf hast du dich da eingelassen? Ein Schrebergarten! Eine solche Verantwortung! Konntest du denn nicht weiter wie alle normalen Leute am Falk-Platz grillen? Meine innere Stimme quälte mich bis tief in die Nacht. Ich träumte von Obst – viel Obst.

Im bald darauf beginnenden Winter besuchten wir
unseren Garten nur drei Mal. Einmal, um die Wasseruhren auszuwechseln, und zweimal einfach so, um zu
sehen, wie es unseren Bäumen ging. Auf dem Häuschen lag eine dicke Schneeschicht, und ich machte
mir Sorgen, ob das Dach bis zum Frühling durchhielt.
Zweimal heizte ich den Ofen, um den modrigen
Schimmelgeruch aus der Bude zu kriegen. Der Schrebergarten spendete im Winter keinen Trost. Die Pflanzen sahen allesamt tot aus. Ich bereitete mich bereits
innerlich auf den Frühling vor. Als Erstes wollte ich
den Stacheldraht entsorgen, dieses Überbleibsel des
Totalitarismus, dann eine neue Gartentür montieren,
das Dach erneuern, ein paar Rosen umpflanzen und
dann grillen. Ich suchte und fand in meinem Umfeld
einige Freiwillige, die bereit waren, mir dabei zu helfen. Im März sollte die Arbeit losgehen, doch der Frühling ließ auf sich warten.

Auch Ende März lag noch Schnee auf dem Dach,
die Kinder fuhren im Mauerpark Schlitten. Der Winter schien endlos. Opa Frost wollte seine Stellung nicht
aufgeben, wahrscheinlich aus purer Schadenfreude,
um frischgebackene Schrebergartenbesitzer zu quälen.

»Das ist eine Naturkatastrophe, wo bleibt denn nun
die globale Erwärmung?«, schimpfte meine Frau.

Eines Tages im April wurden wir von Vogelgesang

geweckt, die Sonne strahlte kräftig durch die Gardinen, draußen klingelten Fahrräder, Hunde bellten, der Frühling war da. Für den ersten warmen Sonntag beschlossen wir, eine Einweihungsparty in unserem Garten zu feiern – nur für die engsten Familienmitglieder, keine Gäste, damit uns nicht gleich das ganze frische Gras niedergetrampelt wurde.

Die ersten Insekten summten bereits in der Luft, die ersten Kleingärtnerhintern hingen über den Beeten. Die Gartenmöbel, die meine Frau per Katalog bestellt hatte, passten knapp in unseren kleinen Garten. Meine Eltern, meine Schwiegermutter sowie unsere beiden Kinder waren vom Schrebergarten begeistert, auch wenn sie sich das nicht anmerken ließen. Meine Frau stellte ihnen jede Pflanze einzeln vor.

»Hier sind die Rosen«, sagte sie, »und das da ist eine Sauerkirsche.«

»Und diese kleinen blauen Blümchen?«, fragte meine Mutter.

Tatsächlich waren gleich neben dem Zaun inzwischen viele kleine blaue Blümchen aus der Erde gekommen, die nicht im Übergabeprotokoll vermerkt waren. Niemand von uns wusste, wie sie heißen.

»Das sind Feldblumen«, behauptete meine Frau, »die gibt es überall. Sie heißen ›Vergiss mich‹ oder so ähnlich.«

Die Kinder bauten sich aus zwei muffigen Matratzen ein Zelt neben der Biotoilette und spielten einsame Insel. Unser erster Ausflug in die Natur fing gut an, endete jedoch in einem Desaster. Schuld daran war der neue *Real*-Markt im Gesundbrunnen-Zentrum. Dort gab es ein Regal mit russischen Lebensmitteln: eingelegte Steinpilze, Salzheringe und den berüchtigten Moosbeerenwodka, das Lieblingsgetränk jedes Landmannes. Natürlich kaufte ich eine Flasche für die Familienfeier im Schrebergarten. Ich konnte nicht wissen, dass meine Frau und meine Eltern das gleiche Regal aufgesucht und das gleiche Produkt gekauft hatten. So hatten wir plötzlich drei Flaschen Wodka auf dem Tisch statt einer und nur zwei Trinker, die den Moosbeeren zusprachen – meinen Vater und mich.

Bei einer Einweihungsparty gilt es als schlechtes Omen, wenn auf dem Tisch etwas übrig bleibt. Das würde sich negativ auf die Fruchtbarkeit des Gartens auswirken. Als abergläubische Menschen gaben wir uns also Mühe bei der Vernichtung der Vorräte. Mit der Folge, dass mein Vater und ich uns so gründlich betranken wie schon seit Jahren nicht mehr. Wir konnten zwar ohne fremde Hilfe sitzen und stehen, aber Gehen ging nicht mehr. Es war Abend geworden und hatte angefangen zu regnen. Die Kinder waren längst mit meiner Schwiegermutter nach Hause gegangen, die Frauen gingen auch, nur mein Vater und ich standen, eng aneinandergerückt wie zwei zusammengewachsene Rhododendronbüsche, mitten auf dem Haupt-weg. Die Kleingärtner der benachbarten Grundstücke traten neugierig an den Zaun, sie schmunzelten hinter ihrem Stacheldraht, und einer rief sogar nach seiner Frau, sie sollte die Show nicht verpassen. Die Frau hol-te daraufhin ihr Hündchen aus dem Haus, auch die Haustiere haben ein Recht auf Spaß. Wir erwiderten die fremden Blicke nicht, wir hielten uns aneinander fest.

»Es ist schön, euch mal wieder in einer solchen Einig-keit zu sehen«, witzelte meine Frau.

Unerträgliche Schmerzen
im ganzen Körper

Wir schufteten nach Plan und bauten Gartenmöbel zusammen. Ich hatte im Haus einen Werkzeugkasten mit verrostetem Hammer und Sichel gefunden, ein Erbe des Sozialismus. Wozu brauchte man im Garten Hammer und Sichel? Vielleicht konnte ich daraus eine Kunstinstallation machen. Unsere Beziehung zu den anderen Bewohnern der »Glücklichen Hütten« entwickelte sich frei nach dem alten russischen Witz über Gartennachbarn:

Trifft eine Frau einen Mann. »Hallo!«, sagt die Frau. »Kennen Sie mich nicht mehr? Unsere Gärten liegen doch nebeneinander! Schauen Sie mal!« Sie dreht sich um und wackelt mit dem Hintern. »Ach, Sie sind es! Ich grüße Sie!«, erwidert der Mann erfreut.

Ein paar Ärsche konnte ich inzwischen von Weitem identifizieren, obwohl wir schon zwei Vollversammlungen verpasst hatten und auch nicht zur Transvestiten-Show im Vereinsgebäude gegangen waren. Die neuesten Schrebergarten-Nachrichten hatten wir bisher immer nur zufällig erfahren, aus Flugblättern. Dank ihnen wussten wir auch, dass die Führung unserer Kolonie zum Tag der Solidarität der Arbeiterklasse zu einem Subbotnik aufgerufen hatte, einem freiwilligen Arbeitseinsatz zur Säuberung der ohnehin übersauberen Allee rund um das Vereinsheim. Alle Gärtner, die sich dem freiwilligen Arbeitseinsatz entzögen, müssten fünfundzwanzig Euro an die Vereinskasse zahlen. Ich beschloss, zum Subbotnik zu gehen. Ich bin kein Freund freiwilliger Arbeitsmaßnahmen, davon hatte ich in meinen jungen Jahren in der Sowjetunion genug gehabt. Auch wären mir die fünfundzwanzig Euro nicht zu teuer gewesen. Ich wollte einfach meine Nachbarn in entspannter Atmosphäre kennenlernen – ich hatte da nämlich ein paar Fragen bezüglich der Blumen. Unser Grundstück wurde mehr und mehr von kleinen blauen Blümchen unterwandert, von denen wir nicht einmal wussten, wie sie hießen. Diese Blaublumen-Invasion machte uns Sorgen. Einmal machte eine Schülergruppe vor unserem Garten halt. Die Lehrerin erzählte der Jugend etwas über die Schönheit der Natur und den Mut der Kleingärtner, die unter der ständigen Gefahr, einen Sonnenstich zu kriegen, die karge Berliner Erde mit ihrem Schweiß düngten und manchmal auch wie verrückt mit Hammer und Sichel jonglierten. Als die Lehrerin meine Frau hinter dem Gartenzaun erblickte, fragte sie ungeniert, wie diese wunderschöne blaue Pflanzenart heiße, die wir so großzügig gepflanzt hatten. Meine Frau erklärte mit ernster Miene, es seien chinesische Maiglöckchen. Die Schüler zückten ihre Kugelschreiber und notierten sich das. Ein anderes Mal kam eine Behindertengruppe und wollte dasselbe wissen. »Das sind thailändische Liebesblumen«, sagten wir.

Bestimmt werde ich beim Subbotnik ein paar Gärtner finden, die mit der blauen Blume schon Erfahrung haben, dachte ich. Daraus wurde aber nichts. Alle Gärtner über fünfundsechzig hatte man auf der Vollversammlung vom Schuften am Wochenende befreit. Dabei stellen gerade diese alten Gärtner die absolute Mehrheit in unserer Kolonie. Zum Subbotnik erschienen nur junge Gärtner um die vierzig, alles blutige Anfänger, die sich genau wie wir erst vor Kurzem in die »Glücklichen Hütten« eingemietet hatten. Es war eine kleine, aber bunte Truppe, die sich nach einer halben Stunde meckernd zum Biertrinken auf den Bänken niederließ.

Mein freiwilliger Einsatz war trotzdem nicht umsonst gewesen. Ich lernte etliche Neugärtner kennen, zum Beispiel Frau Krause. Ihr Grundstück befand sich am Ende der Kolonie, in einem Tal, umsäumt von Straßenbahngleisen. Im Grunde war ihr Grundstück die bepflanzte Straßenbahn-Endstation der Linie 9. Frau Krause strahlte Lebensfreude und Optimismus aus, und das sogar hauptberuflich. Laut eigener Auskunft war sie als Heilerin tätig, außerdem arbeitete sie als Anwältin für arme Menschen und Tiere sowie als Schauspielerin im Kindertheater und als Erziehungswissenschaftlerin im Verein für Schwererziehbare. Sie besaß mehr Tiere als Pflanzen auf ihrem Grundstück. Zu ihrer Menagerie gehörten unter anderem zwei Spiel- und Schmusehunde mir unbekannter, aber angeblich sehr edler Rasse. Der eine hatte einen Herzfehler, der andere war eine Zeit lang querschnittsgelähmt gewesen, aber von Frau Krause geheilt worden. Außerdem besaß sie drei Hippie-Meerschweinchen mit langen Haaren und acht Vögel: Wellensittiche, Minikakadus und einen Kanarienvogel mit dem Spitznamen Don Juan, der wegen eines Schlaganfalls nicht mehr fliegen konnte. Dazu kamen zwei Kinder im Grundschulalter und Herr Krause mit seiner neunzigjährigen Mutter. Diese freundliche, etwas durchgeknallte Gesellschaft hatte ständig zu tun. Und wenn sie ausnahmsweise nichts zu tun hatte, lief sie einfach hintereinander her im Kreis und tat so, als wäre sie sehr beschäftigt: Frau Krause allen voran, ihre Kinder hinter ihr her, dann der Mann mit den Hunden. Die Oma und Kanarienvogel Don Juan waren die Letzten, doch manchmal, wenn die Ersten zu schnell liefen, wurden die Letzten die Ersten.

Alle zwanzig Minuten krachte an diesem Grundstück eine Straßenbahn vorbei, dann versteinerte Großfamilie Krause für wenige Sekunden und schaute der Straßenbahn nachdenklich hinterher, was ihr eine gewisse Ähnlichkeit mit Playmobilfiguren verlieh. Nur dem Kanarienvogel mit dem Schlaganfall war der Straßenbahnlärm egal, er spazierte einfach weiter. Der Vogel hatte den Schlaganfall gleichzeitig mit Frau Krauses Schwiegervater erlitten. Den einen hatte sie retten können, den anderen nicht.

Ich lernte auch noch meine Nachbarn von gegenüber kennen, deren runde Kartoffelbeete mit einem Stein in der Mitte schon vorher unsere Aufmerksamkeit erregt hatten. Die Familie Kern war aus Baden-Württemberg nach Berlin gezogen, hatte ebenfalls zwei Kinder im Grundschulalter und wirtschaftete auf ihrem riesigen Grundstück streng nach der chinesischen Biogartenlehre. Überall lagen Steine herum, die die Sonnenenergie akkumulieren und an die Kartoffeln weitergeben sollten. Außerdem ragten seltsame spiralförmige Antennen aus der Erde. Herr und Frau

Kern waren schon etwas länger in der Kolonie, hatten uns aber zum Thema blaue Blümchen trotzdem nichts mitzuteilen.

Unsere Nachbarn hatten mit ihren Gärten Großes vor. Angesichts ihrer ehrenwerten Absichten wurde mir unser eigener Gartentraum mit Grill und Gartenmöbeln etwas peinlich. Aber runde Kartoffelbeete? Nein, danke! Als erste Bepflanzungsmaßnahme beschlossen wir, eine natürliche grüne Mauer rund um unser Paradies zu errichten, damit niemand mehr zu uns in den Garten schauen konnte. Zu diesem Zweck bestellte meine Frau in einem Spezial-Katalog für Kleingarten-Freaks hundert »*Ligustrum vulgare* – wintergrüner, dicht verzweigter Busch, ideal als halbhohe Hecke bis zwei Meter«. Von Sonnenaufgang bis zum späten Abend pflanzten wir *Ligustrum vulgare*. Als wir ungefähr bei der neunundneunzigsten Pflanze angekommen waren, besuchte uns eine unbekannte Brünette vom Vereinsvorstand und qualifizierte unsere Arbeit als Verstoß gegen Paragraph sowieso des Kleingartengesetzbuches sowie Verletzung der jüngsten Beschlüsse der Vollversammlung der Gartenkolonie »Glückliche Hütten«. Laut diesem Beschluss mussten wir mindestens fünfzig Zentimeter Abstand vom Zaun des Nachbarn einhalten. »Ich rate Ihnen, alles sofort aus- und umzupflanzen«, drohte die Brünette.

Am nächsten Tag hatte ich unvorstellbare Schmerzen im ganzen Körper. Vor allem die Beine litten unter so starkem Muskelkater, als hätte ich am Berlin-Marathon teilgenommen. Meine Frau konnte sich praktisch gar nicht mehr bewegen. Es war Sonntag, alle normalen Bürger saßen auf ihrem Balkon und genossen die Sonne. Wir aber krochen wie zwei vergewaltigte Schildkröten in unseren Garten zurück, um unsere *Ligustrum vulgare* umzupflanzen. O du deutsches Kleingartengesetz! Wer hat dich geschrieben? Ich möchte den Autor gerne einmal persönlich kennenlernen. Aber eines habe ich herausgefunden: Die Homöopathen haben recht. Man kann tatsächlich Gleiches mit Gleichem heilen. Nach vier Stunden Gartenarbeit ließ der Muskelkater nach, und ich hatte sogar die Kraft, den elektrischen Rasenmäher auszuprobieren, den wir von Frau Pflaume geerbt hatten. Sofort meldete sich der Nachbar von links.

»Haben Sie etwa den Beschluss unserer Vollversammlung nicht gelesen? An Fest- und Feiertagen wird nicht gemäht!« Er paffte lächelnd an seinem Zigarettchen.

In der DDR war diese Gartengemeinde bestimmt eine Vorzeigekolonie gewesen. Die Stasi hatte ruhig schlafen können.

Ich stellte den Rasenmäher zurück in die Kammer und nahm die Sichel in die Hand. Ich verstand nun, wozu sie da war – um an Fest- und Feiertagen geräuschlos zu mähen! Das Rasenproblem erledigte sich übrigens am nächsten Tag von selbst. Wir bekamen Besuch. Die Kinder von Frau Krause und die Kinder der Familie Kern kamen, um mit unseren Kindern zusammen zu spielen. Vier fremde und zwei eigene Kinder, das macht zusammen ungefähr zwölf – und die wirkten, als würde sich eine Fußballmannschaft auf zweihundert Quadratmetern auf ein Endspiel vorbereiten. Keine Blume kann das überleben. Andererseits, wo sollten alle diese Kinder spielen, wenn nicht bei uns? Im Garten gegenüber hätten sie die mühsam angelegten runden Kartoffelbeete niedertrampeln, die Sonnenenergiezufuhr stören und die Biosteine durcheinanderbringen können. Bei Krauses im Garten hätten leicht die maladen Tiere verletzt werden können. Und wir wollten doch ohnehin nur grillen…

Als wäre das alles noch nicht demütigend genug gewesen, erzählte mir meine Frau von ihrer letzten Lesung auf einem Literaturfestival in Braunschweig. Die Veranstalter, ein junges Pärchen, meinten, auch sie hätten sich einmal einen Schrebergarten zugelegt. Sie wären die ganze Zeit in der Sonne gesessen, hätten nichts getan und wären nach einem Jahr aus der Gemeinde ausgeschlossen und enteignet worden.

Was also tun? Ich nahm mir vor, irgendwo im Internet dieses Kleingartenschwachsinnsgesetz zu finden, es zu studieren, zur nächsten Vollversammlung zu gehen und ein Gesetz vorzuschlagen, wonach jeder in seinem Garten pflanzen darf, was er will, wann er will und wo er will. Außerdem beschloss ich, ein neues Buch zu schreiben: einen Schrebergartenroman, der sich natürlich entwickeln sollte, von März bis Dezember.

Ende April fing unser Garten an zu blühen. Es blühte, aber es summte nicht. Es müsse aber richtig summen, damit der Garten später Früchte bringen könne, erklärte mir Herr Kern. Wir saßen vor unserer Laube, warteten auf die Hummeln, und ich machte mir Notizen zu meinem neuen Buch.

Dr. D. G. M. Schreber

Notizen
zum Schrebergartenroman

Krieg, Liebe, ein Sechser im Lotto und andere prickelnde Ereignisse,
die jedes Herz höherschlagen lassen, verblassen völlig neben der
Frage nach dem Ursprung des Lebens und dem Kreislauf der Na-
tur. Die Jahrzehnte, die Planeten, das Universum, das Geheimnis
um und in uns rauben uns den Schlaf und ruinieren uns den Tag.
Was soll das? Wo liegen die Grenzen unserer Zuständigkeit, und
wer ist hier für was verantwortlich? Erfüllen wir einen wichti-
gen Auftrag, oder gehen wir nur spazieren? Die Philosophen der
Antike, der Aufklärung und der Moderne zerbrachen sich darüber
den Kopf. Viele Leute meiner Generation haben sich ebenfalls mit
der Lösung dieses kniffligen Rätsels beschäftigt. Einige trugen
schwere psychische Schäden davon, zwei schlossen sich den Zeugen

Jehovas an, einer landete wegen eines bewaffneten Raubüberfalls im Knast, einer schoss sich sogar in den Kopf, ein paar behaupteten, erleuchtet worden zu sein, doch keiner fand die Antwort. Niemand hat es geschafft, die Menschheit endlich aufzuklären, im Chaos eine Ordnung zu entdecken, mit der Taschenlampe des Wissens unseren schleierhaften Auftrag auf Erden zu durchleuchten.

Trotz aller Opfer ist die Welt bis zum heutigen Tage unaufgeklärt geblieben, Ursprung und Kreislauf sind noch geheimnisvoller als je zuvor. Für zukünftige Generationen von Forschern, die sich der Frage stellen wollen, hätte ich einen Rat: Studieren Sie das Geheimnis der Natur nicht an sich selbst. Natürlich ist die eigene Person ein bequemes Forschungsobjekt, immer in Reichweite und stets gesprächsbereit. Leider fehlt ihr jedoch die notwendige kritische Objektivität. Was nützt uns ein Arzt, der seine Forschung danach ausrichtet, den Labormäusen das Leben so angenehm wie möglich zu gestalten? Für eine erfolgreiche wissenschaftliche Arbeit müssen Sie sich aus dem gewohnten Kontext herausbegeben — an einen Ort, an dem es kein Fernsehen, keine Zeitungen und selbstverständlich kein Internet gibt. Kein Ort entspricht diesen Voraussetzungen besser als ein Schrebergarten. Die Natur kommt dort besonders klar zum Vorschein. Suchen Sie Ihren Platz in ihrem Kreislauf.

Der Namensgeber für diese Kleingartenkolonien — Dr. med. Daniel Gottlob Moritz Schreber — arbeitete lange als Leibarzt für einen russischen Fürsten. Er galt als Vordenker der Kindergymnastik und setzte sich für einen gesunden Lebensstil sowie Spaziergänge an der frischen Luft ein, die das Leben verlängern sollten. Er starb mit dreiundfünfzig. Der erste, drei Jahre nach seinem Tod in Leipzig angelegte, Schrebergarten wurde dann nach ihm benannt. Seinem Sohn Daniel Paul Schreber haben frische Luft und Kindergymnastik jedoch nicht geholfen. Er litt ein Leben lang unter einer sehr speziellen Hintern-Paranoia (angeblich hervorgerufen von der Angst vor dem strengen Vater, der Kinder mit Gewalt zum Spielen auf einer grünen Wiese zwang). Mit seiner Paranoia wurde Daniel Paul Schreber neben dem »Wolfsmann« und dem »Rattenmann« zu einem der aufdringlichsten Patienten von Prof. Dr. Freud, der sein Leben lang vergeblich versuchte, sich vor diesen Leuten zu verstecken. Die enge Verbundenheit mit dem Arzt, die während der ersten Behandlung Schrebers entstand und alle Eigenschaften einer erotischen Neigung annahm, erklärte sich Freud mit Schrebers unterdrückter Homosexualität, in der er auch die Ursache für dessen Paranoia sah. Freud konnte ihm nicht helfen. In gewisser Weise gehört Daniel Paul Schreber zum ersten Kollateralschaden der Kleingartenbewegung.

Im Laufe der Geschichte übernahmen die Schrebergärten in Deutschland unterschiedliche Aufgaben. Einst wollte man sie für gesunde Kindererziehung einsetzen; in Zeiten der Massenarbeitslosigkeit sollten sie dann die entlassenen Arbeiter beschäftigen und ernähren. Im Zweiten Weltkrieg zogen viele deutsche Familien aus ihren Stadtwohnungen in die Lauben, um zu überleben, denn Schrebergärten wurden von Alliierten nicht zerbombt.

Heute herrscht in Europa mit wenigen Ausnahmen Waffenstillstand, und man ist auf einen Schrebergarten als Ernährungsquelle nicht mehr angewiesen. Die Arbeitslosen bekommen Stütze und dürfen schwarz etwas dazuverdienen. Kinder und Erwachsene gehen in speziell für den Breitensport eingerichtete Fitnessstudios, wo sie ihre Muckis unendlich vergrößern können. Dadurch kommt die sakrale Bedeutung der Schrebergärten, die lange im Verborgenen blieb, endlich zum Vorschein. Der Schrebergarten wird zu einem Ort, an dem der Mensch seinen Platz im ewigen Kreislauf der Natur sucht — und findet.

Wenn ich in meinem Schrebergarten auf der Wiese zwischen Rosen und Ameisen liege, wird mir allmählich klar, dass von der Natur wahrscheinlich genau dieser Platz für mich vorgesehen war. Ja, genau hier, zwischen Rosen und Ameisen. Ich bin hier eine ungewöhnliche Erscheinung. Ich summe nicht, ich bekomme keine Blüten, ich kann nicht einmal fliegen, aber ich kann sehr gut liegen. Die Frage nach dem Sinn, wer oder was ich bin, erledigt sich dabei von allein. Ich bin eine große stationäre Hummel.

Ode an eine Hummel und eine Raupe
oder Schnecke

In einem unbekannten Land
flog einmal eine Hummel gegen die Wand.
Es geschah an einem Arbeitstag,
nicht besonders früh, eher am Nachmittag.
Damals gab es unter Hummeln noch keine Arbeitslosen,
überall standen Tulpen, überall blühten Rosen.
Besagte Hummel flog durch die Gärten von Hütte zu Hütte
und sammelte Nektar in einer großen Aldi-Tüte.
Einmal flog sie über eine Hecke,
darunter im Gras saß eine Schnecke.
Genau genommen eine Raupe,
die neidisch unsere Hummel bestaunte.
O du, bleib bitte stehen,
ich möchte dich genauer ansehen,
ich glaube, ich bin verliebt,

bring mir schnell bei, wie man so fliegt!
Keine Ahnung, lass mich in Ruhe.
Die Hummel gab sich keine Mühe.
Die Raupe fand sich unsäglich blöd.
Sie wurde vor Scham ganzkörperrot.
Sie hatte ihre Gefühle offenbart –
und die Hummel antwortete knüppelhart.
Die Raupe weinte die halbe Nacht.
Sie schlief ein neben einem Hügel.
Am Morgen wachte sie als Schmetterling auf
mit supermodischen Flügeln.
Als unsere Hummel die Flügel sah,
fiel sie fast vom Himmel.
Sie konnte nicht mehr weitermalochen,
ihr Herz war mittendurch gebrochen.
Sie küssten sich und flogen zusammen weg,
niemand weiß wohin …
Amerika, Russland, China,
von Japan nach Sachalin.
Sind sie noch immer zusammen oder schon geschieden?
Diese Frage bleibt in unserer Ode unentschieden.
Mir persönlich scheint eine ewige Bindung relativ übertrieben.
Und überhaupt wurde von Liebe zu viel geschrieben.
In jeder Partnerschaft geht es um Kompromisse.
Allein schon die Flügel, das war doch ein Deal!
Oder ging es um etwas anderes?
Versteh das, wer will!

Rhabarber

Nach der Lektüre der rechtlichen Vorschriften des Bundeskleingartengesetzes (BKleinG), der Baumschutzverordnung (BsV), des Kreislaufwirtschaftsgesetzes (KwG) sowie des Abfall- und Biotoilettengesetzes (BioAb) wurde mir klar, dass wir innerhalb von nur zwei Monaten gegen so ziemlich alle Paragraphen der in Deutschland bestehenden Gartenordnungen verstoßen hatten. Zu unseren Verbrechen gehörten unter anderem Ruhestörung, verbotenes Anpflanzen von Hecken zwischen den Parzellen und die vorsätzliche Anschaffung nicht zulässiger Pflanzen. Es gab kaum ein Verbot, das wir nicht übertreten hatten, außer vielleicht das zur Haltung von Großvieh in Klein-gartenanlagen. Wir wären einem derartigen Vieh gegenüber allerdings nicht abgeneigt. Ich hätte sehr gern eine Kuh zu uns in den Garten gestellt, wenn man sie bei *Obi* günstig kaufen könnte. Die Kuh würde das Unkraut fressen und den Rasen misten. Die Kinder hätten mit ihr den ganzen Tag zu tun, und statt wie verrückt mit den Fahrrädern durch die Gartenkolonie zu rasen und Regenwürmer zu quälen, könnten sie zum Beispiel melken lernen. Selbstverständlich sollte es eine Kuh sein, die Winterschlaf hält, wie Bären es tun. Dazu könnte sie in unserer Laube von Oktober bis März das Doppelbett benutzen, das uns Frau Pflaume vererbt hat. Und im Frühling gäbe es dann wieder hauseigene Milch. Ich wüsste gerne, ob solche winterfesten Bärenkühe bereits irgendwo gezüchtet werden und wenn ja, wo man sie bekommen kann. Bisher fand ich jedoch noch nicht die Zeit, mich darum zu kümmern.

Aber auch ohne Kuh hatten wir genug Sorgen. Für den 27. Mai hatte der Vorstand des Vereins eine Prüfungskommission angekündigt, die das Treiben der Gärtner in ihren Grünanlagen auf Rechtmäßigkeit kontrollieren sollte. Die Luft brannte. In den Gärten summte es unruhig, überall sah man Männer, Frauen und Kinder, die mit Besen, Schaufel, Harken, Leitern und Gasbrennern hin und her liefen. Die Arbeitsstimmung kochte hoch und höher. Mein netter fleißiger Nachbar Günther auf Parzelle N 119 lachte mich aus, weil er mich mehrmals mit dem Laptop im Garten sitzen sah: Mitten in der ganzen Aufregung fertigte ich Skizzen für meinen großen Schrebergartenroman an, anstatt beispielsweise den Rhabarber zu ernten.

»Du, Schriftsteller, schreib schnell dein Buch, ehe sie dich hier wieder rausschmeißen«, riet er mir über den Zaun.

Günther gehörte in der Gartenkolonie zu der kleinen Partei der Dissidenten und Gesetzesbrecher, die seit vielen Jahren erbittert gegen den Vorstand kämpften. Ihm ging es dabei um die Erhaltung seiner verbotenen Nadelbäume. Man durfte sie auf seinem Grundstück nicht haben, weil sie keine Früchte brachten, wegen der drohenden Verletzungsgefahr durch spitze Nadeln oder warum auch immer – das wusste niemand so genau. Aber die Nadelbäume waren bei Günther sicher: Solange er lebte, brauchten sie keine Angst zu haben. Die Liebe meines Nachbarn zu seinen Bäumen war nicht nur stärker als die Angst, den Vorstand herauszufordern, sie nahm permanent skurrilere, unnatürlichere, um nicht zu sagen, perversere Züge an. Fast täglich machte sich Günther an den Bäumen zu schaffen. Er schnitt sie mit einer speziellen Schere und einem erotisch angeregten Gesichtsaudruck, als hätte er mehr mit den Bäumen vor, als sie nur zu beschneiden. Egal, was er auf seinem Grundstück zu tun hatte, ihn zog es stets zu seinen drei Bäumen. Er führte bei ihnen eine Wurzelbehandlung durch, schüttete Vitamine in die Erde und warf besorgte Blicke in ihre Kronen. Manchmal saß er neben einem der Bäume und strich ihm zärtlich die Nadeln – auch ein Außenseiter. Mich aber hänselte er.

»Hallo, Schriftsteller!« Günther winkte mir von seinem Grundstück aus zu und lachte. Lustigerweise hieß Günther mit Nachnamen Grass, wie der deutsche Nobelpreisträger, was ihm aber anscheinend gar nicht bewusst war. »Mein Nachbar Günther Grass und seine Nadelbäume«, dieses Kapitel muss noch geschrieben werden, dachte ich.

Die gemeinsame Vorbereitung auf den Besuch der Prüfungskommission ließ die sonst eher solipsistischen Gärtner der Kolonie kontaktfreudiger als sonst werden. Sie blieben immer öfter an einem fremden Zaun stehen, tauschten Erfahrungen aus und gaben einander Ratschläge, wie man die Kommission überlisten und die Prüfung besser bestehen könne.

»Keine Angst vor Bürokraten!«, rief Günther Grass. »Sie sagen einem sowieso nie etwas ins Gesicht. Zuerst schreiben sie nur einen Brief.«

»Rhabarber bringt Pluspunkte, den Rhabarber müssen Sie ernten«, empfahl mir Frau Beere. Ihr Garten befand sich am anderen Ende der Straße, aber gelegentlich besuchte sie Günther Grass, um mit ihm Widerstandsstrategien durchzugehen. Auch Frau Beere hatte mit einer unerlaubten Zwischenhecke gegen das Gesetz verstoßen. Im Grunde sind alle Gärtner Verbrecher, wenn man sie nur streng genug nach dem Bundeskleingartengesetz in die Zange nimmt, überlegte ich. Dieser Gedanke beruhigte mich etwas.

Frau Beere erzählte mir, dass es hier früher zwei Schrebergartenkolonien gegeben habe – »Glückliche Hütten I« und »Glückliche Hütten II«, jede mit einem eigenen Vorstand und einer eigenen Prüfungskommission. Die eine Kolonie befand sich in der DDR und die andere in der BRD. Die Bewohner der »Glücklichen Hütten I« durften damals keine Leitern im Garten besitzen, die höher waren als ein Meter zwanzig, und wegen der Fluchtgefahr durften sie auch nicht zu tief graben. Alle größeren Erdarbeiten waren verdächtig. Dafür versuchten die Bewohner von drüben, aus den »Glücklichen Hütten II«, ihnen aus Mitleid die halbe Apfelernte zukommen zu lassen. Nach dem Fall der Mauer vereinigten sich die beiden Gartenkolonien unter einem einzigen Vorstand, aber die Mauer in Köpfen ist natürlich geblieben. So gehen die Gärtner aus den »Glücklichen Hütten I« so gut wie nie in dem Vereinscafé der »Glücklichen Hütten II« ein Bier trinken und umgekehrt.

Je mehr neue Kolonisten ich kennenlerne, desto stärker fällt mir auf, dass sie mit wenigen Ausnahmen alle merkwürdige Gurkennamen tragen. Genauer gesagt: Obst- und Gemüse-Namen. Das erinnert mich an das alte kommunistische Märchen von der kleinen Zwiebel, die sich gegen die Macht von Kirschen und Zitronen erhob und eine Gartenrevolution anzettelte. Dieses Märchen, das ich als Kind oft und gerne gelesen hatte, wurde nun in den wiedervereinigten »Glücklichen Hütten« Realität.

Herr Kern, mein Nachbar von gegenüber, zeigte mir, wie man den Weg draußen vor dem Zaun von Unkraut befreit. Er lieh mir eine speziell dafür konstruierte Hacke, die in dem Werkzeugarsenal, das wir mit dem Garten übernommen hatten, nicht vorhanden war. Man musste mit diesem Gerät einen ein Meter breiten Streifen Erde vor dem Gartenzaun unkrautfrei bekommen und einen kleinen Todesstreifen anlegen. Eigentlich ein Job von fünf Minuten. Herr Kern verbrachte eine gute Stunde vor seinem Gartentor.

»Den Rest brenne ich morgen mit dem Gasbrenner aus, ich habe da so einen Brenner in der Laube«, murmelte er.

»Was für einen Rest? Ihr Streifen sieht doch wie geleckt aus!« Ich verstand ihn nicht.

Herr Kern wollte die Unkrautwurzeln, die sich möglicherweise noch tief in der Erde versteckt hielten, mit seinem Gasbrenner verkohlen. Sonst könnte es ja passieren, dass sie in einem oder in zwei, drei Jahren wieder hochkamen. Ein Gärtner mit Seele. Er bekämpft nicht nur die sichtbaren, sondern auch die unsichtbaren, quasi gar nicht existierenden Gefahren – für alle Fälle.

Dieser Drang nach absoluter Sicherheit, den ich erst in Deutschland kennengelernt hatte, machte mich sprachlos. Sollte ich auch so handeln? In Russland ist man an so etwas nicht gewöhnt. Meine Landsleute ticken anders, sie sind abergläubische Fatalisten, sie glauben an die Macht des Schicksals, sie nehmen es, wie es kommt. Und deswegen explodieren in Russland AKWs, Züge entgleisen, Flugzeuge stürzen ab. Hier dagegen fahren sogar korpulente vierzigjährige Männer wie Herr Kern mit Helm, Brille und Knieschützern Fahrrad. Sollte ich jemals gefragt werden, was aus meiner Sicht typisch deutsch sei, würde ich sagen: mit einem Gasbrenner unsichtbare Unkrautwurzeln verkohlen, mit Helm Fahrrad fahren und eine Vollkaskoversicherung fürs Leben anstreben, das ist typisch deutsch. Und natürlich Rhabarber essen.

Bevor ich hierherzog, hatte ich keine Ahnung, wie Rhabarber schmeckte, wie er aussah und wozu er gut sein sollte. In der Gartenbeschreibung waren ein paar riesengroße grüne Blätter neben der Biotoilette als »Rhabarber« deklariert. Ich hatte nicht die geringste Ahnung, was meine Vorgängerin Frau Pflaume mit diesen Blättern anstellte. Vielleicht hatte sie die Blätter als Toilettenpapier oder Verpackungsmaterial benutzt. In Russland gibt es meines Wissens keinen Rhabarber, und wenn doch, dann hat man ihn mit Sicherheit als nicht essbar eingestuft. Diese Blätter raubten uns nur den Platz im Garten, ich traute mich jedoch nicht, sie mit dem Gasbrenner des Nachbarn anzugehen. Günther Grass hatte auch Rhabarber im Garten, genau neben meinem. Er hatte ihn bereits geerntet und wahrscheinlich auch schon gegessen. Gekocht oder vielleicht gebraten? Ihn nach dem Sinn der Pflanze zu fragen, traute ich mich allerdings nicht. Er würde mich bestimmt auslachen. Auf jeden Fall schien Rhabarber hierzulande eine mysteriöse Rolle zu spielen, denn alle hatten diese Blätter in ihrem Garten. »Rhabarber ist gut. Rhabarber bringt Punkte«, hatte Frau Beere gesagt.

Ich ging zu Frau Krause in den Straßenbahngarten. Zwischen uns hatte sich ein warmes, freundschaftliches Verhältnis aufgebaut. Wir verstanden uns gut, ihre Kinder und Hunde trampelten regelmäßig unseren Rasen nieder, und ich konnte sie alles fragen. Frau Krause saß vor ihrer Laube auf einer Bank und rauchte *American Spirit*. Sie war melancholisch gestimmt. Neulich, so erzählte sie mir, hätte sie endlich Einblick in ihre Stasiakte bekommen. Jahrelang hätte sie auf diesen Augenblick gewartet, doch ihre Akte wäre dann die pure Enttäuschung gewesen. Vor allem enttäuschend fand Frau Krause, dass die Akte so kurz war. Alle ihre Freunde und Bekannten aus der DDR-Zeit hatten dickere Akten. Ihre Akte passte dagegen auf zwei DIN-A4-Blätter. Auf dem ersten stand ihr Name und ihre Hausanschrift. Auf dem zweiten berichtete ein Spitzel, der auf Frau Krause angesetzt worden war, dass sie zu doof sei, um eine ernsthafte Gefahr für den Aufbau des Sozialismus zu sein. Auch eine Anwerbung von Frau Krause durch die Stasi hielt der Spitzel nicht für ratsam. Diese völlig unspektakuläre, geradezu diskreditierende Akte hatte Frau Krause deutlich die Laune verdorben.

Eine solche Szene erlebte ich nicht zum ersten Mal. Das Bemühen der Stasi, für jeden Bürger eine Akte anzulegen, führte dazu, dass das Lesen der eigenen Stasiakte nach der Wende zu einer Art Volkssport wurde, zu einem Wettbewerb, bei dem es in erster Linie darum ging, wer die dickere Akte hatte. Ein DDR-Bürger ohne Akte fühlte sich dagegen aus der Geschichte des eigenen Landes herausgeworfen, so als wäre er gar nicht dabei gewesen. Ich beruhigte meine Nachbarin nach Kräften und erzählte ihr, dass wir in der Sowjetunion auch alle Dissidenten waren, aber höchstens jeder Zehnte eine eigene Akte beim KGB hatte – schon allein wegen der Papierknappheit. Anschließend versuchte ich vorsichtig, unser Gespräch Richtung Rhabarber zu lenken. Ich fing von Weitem an.

»Sag mal, Renate, magst du eigentlich Rhabarber?«
Nicht nur alle Nachbarn, auch Frau Krause fand
Rhabarber lecker. Sie verkochte die Stiele mit Zucker
zu Kompott oder backte Rhabarberkuchen. Ich wusste bereits: Manche Leute aßen die Stängel sogar roh.
In jedem Land gab es eine solche Pflanze, die alle Einheimischen lecker fanden, die aber dem Rest der Welt
nicht schmeckt. Bei uns in der Sowjetunion war es die
Vogelbeere. Es gab sie in Rot und Schwarz. Die schwarze war süß und saftig – eine elitäre Leckerei. Die volks-
tümlichere, weiterverbreitete Variante war die rote
Vogelbeere. Sie war herb, trocken, sauer und schmeckte von jedem Baum anders. Man aß sie frisch, machte
daraus Konfitüre oder Likör, aber vor allem benutzte
man sie, um den begehrten Vogelbeerschnaps damit
herzustellen. Man machte allerdings auch Kuchen damit und erzählte sich – genauso wie in Deutschland
über den Rhabarber –, dass die Vogelbeeren enorm
viel Vitamin C sowie andere lebenswichtige Substan-
zen enthielten, die ihren Verzehr für jeden Russen un-
verzichtbar mache.

Es war eine Kunst, die Reife der Vogelbeere richtig
einzuschätzen. Einerseits sollte sie so lange wie möglich am Baum bleiben, andererseits aber auch nicht zu
lange. Ende September zogen alle Familien aus unserem Hochhaus samt den Nachbarn mit Tütchen los,
um Vogelbeeren zu sammeln. Jeder hatte einen Lieb-

lingsort, wo ihm die Beeren am besten schmeckten. Ich sammelte meine Vogelbeeren immer im Park hinter einem Gebäude des Kurschatow-Instituts für Kernspaltung. Dort schienen mir die Beeren besonders saftig und groß zu sein. Die Einrichtung lag nicht weit von unserem Haus entfernt: sechs Stationen mit dem Bus. Im Hof des Instituts stand ein Denkmal – ein bärtiger Wissenschaftler auf einem Stuhl, der ein gespaltenes Atom in den Händen hielt, dargestellt als Kugel, die in zwei Hälften zerfallen war. In der linken Hand hielt der Wissenschaftler die eine Halbkugel, in der rechten die andere. Etwas verwundert schaute er auf die beiden Hälften, wie ein Kind, das gerade sein Lieblingsspielzeug kaputtgemacht hat und nicht weiß, wie man es wieder zusammensetzt.

Neben dem Institut wuchsen mehrere Vogelbeerbäume, die ich regelmäßig durchkämmte. Anschließend tauschten wir die Vogelbeeren mit den Nachbarn, um den Geschmack zu vergleichen. Wenn einem die eigene Ernte nicht gefiel, konnte man sie noch immer an die Nachbarn verschenken. Eine ähnliche Aktion kam mir in den Sinn, als ich noch überlegte, was ich mit meinem Rhabarber machen sollte. Ich schlug meinen Nachbarn vor zu tauschen: »Ist doch nicht uninteressant herauszubekommen, wie unterschiedlich der Rhabarber auf unseren Grundstücken schmeckt«, meinte ich. Niemand sagte Nein, alle wollten wissen, wie sich die Rhabarber unterschieden. Unter dem Vorwand, ich würde jedem nur ein Zehntel meiner Ernte geben, war ich innerhalb von zehn Minuten meinen ganzen Rhabarber los. Günther nahm zum Beispiel eine volle Tüte. Nur einen ganz dicken und innen hohlen Stiel behielt ich, um daraus ein Spuckrohr für meinen Sohn zu machen. Ich freute mich über die erste Ernte, die so schnell und unkompliziert verlaufen war. Doch ich freute mich zu früh, denn am nächsten Tag bekam ich von meinen Nachbarn ungefähr das Doppelte an Rhabarber zurück.

Gut, dachte ich, irgendwie gehört Rhabarber zur hiesigen Leitkultur, man kann ihn als ein Teil des Integrationsprogramms betrachten. Ich darf ihn nicht ignorieren, ich muss ihn essen. Meine Frau schälte die Stiele, kochte sie fünf Minuten mit etwas Zucker, und ich bekam einen Topf mit einer grün-schleimigen Masse, die aussah wie … Aber vielleicht ist sie lecker, dachte ich, trank jedoch erst einmal einen Wodka vorweg, zur Desinfektion des Magens. Das Rhabarbermus schmeckte wie Essig mit Zitronensaft – nichts für Gourmets, aber darum ging es mir ja auch nicht. Das zugegeben ziemlich scheußliche Gericht erfüllte mich mit dem Gefühl der Zugehörigkeit. Herr Kern und Frau Beere erschienen mir auf einmal nicht mehr so skurril. Wir alle machten hier gemeinsame Sache, und das Aufessen der Rhabarberbestände gehörte einfach

dazu. Einmal musste man es probieren. Auf jeden Fall
würde ich das Rhabarberessen als Teil des Einbürge-
rungstests für die Bundesrepublik empfehlen, um bei
der Vergabe der Staatsangehörigkeit den Kandidaten
begreiflich zu machen, dass das Leben in Deutschland
kein Zuckerschlecken ist. Ein Kilo pro Einbürgerung
müsste reichen. Die deutschen Schrebergärten könnten liefern.

Henry David Thoreau

Der Sinn des Lebens

Der Wuchs der Natur in unserem Garten war unaufhaltsam. Im April konnte ich noch mit Sebastian
auf dem Rasen Fußball spielen. Einen Monat später
schaffte ich es gerade noch mit Mühe, mich zwischen
die Bäume und Büsche zu quetschen, um überhaupt
einen freien Platz unter der Sonne in diesem Garten
Eden zu finden. Von Tag zu Tag wurde der Garten
durch die Pflanzenexpansion kleiner. Kaum mähte ich
den Rasen an einer Ecke zu Ende, schon wuchs das
frische Gras an der anderen nach. Anstatt der blauen
sprossen nun überall weiße, rote und gelbe Blümchen
durcheinander aus der Erde. Manche von ihnen sahen
so schön aus, dass man sie am liebsten nicht mit weg-

gemäht hätte, diese volkstümlichen anspruchslosen Pflanzen und namenlosen Gewächse.

Auch die Biotoilette erwies sich als wahres Wunder, ihre Möglichkeiten, unsere Familienscheiße zu absorbieren, schienen unerschöpflich. Sie stank nicht einmal, und wenn man den Deckel öffnete, sah man nichts, obwohl unsere Kinder sich ungeheuer anstrengten, die Toilette vollzukriegen. Zu Hause konnten sie tagelang Computer spielen oder vor dem Fernsehen hocken, ohne nur einmal auf die Toilette zu gehen. Aber kaum betraten sie unseren Garten, mussten sie sofort aufs Klo, beide gleichzeitig und mehrere Male hintereinander. Unsere Tochter lud sogar fremde Kinder von anderen Parzellen ein, unsere Biotoilette zu benutzen. Einmal habe ich deutlich gehört, wie sie zu einem mir unbekannten Schrebergartenkind sagte: »Komm mit, Lucia, ich kenne hier ein gutes Klo.« Das gute Klo hielt trotzdem durch – ein Zauberkasten.

Am 29. Mai, zwei Tage nach der Prüfungskommission, blühte die erste Rose. Unverschämt rot stand sie in einer Ecke, umgeben von grünen, unausgereiften Erdbeeren. Diese viel gefürchtete Prüfungskommission war übrigens an uns vorbeigesaust wie ein leichter Frühlingsregen. An diesem wichtigen Tag hatten wir beschlossen, einfach zu Hause vor dem Fernseher zu bleiben. Der Sommer hatte sich gerade eine Pause gegönnt, es regnete, und der Himmel war mit Wolken überzogen. Zur Not konnte der neugierige Vorstand einfach über den Stacheldraht zu uns in den Garten gucken, dachte ich und malte mir genüsslich aus, wie die Prüfungskommission an unserem abgesperrten Gartentor stand, am Zaun rüttelte und sich vor Wut in die Ärmelschoner biss.

Im Fernsehen berichteten die westlichen Nachrichtensender von dem bösen braunen Bären, der ganz Bayern in Schrecken versetzte, mehrere Hühner und eine Kuh tötete und sich dann der österreichischen Grenze näherte. Der schlaue Bär hatte sogar gelernt, an die Türen der Bauern zu klopfen. Wahrscheinlich, weil er beobachtet hatte, dass die Bauern immer die Tür aufmachen, wenn jemand klopft. Der Bär stürmte dann an ihnen vorbei in die Küche und aß blitzschnell alles auf, was er finden konnte.

Sabine Christiansen versammelte eine extra Talkrunde zum Thema »Böser Bär«. Eingeladen wurden der Vorsitzende eines bayerischen Jagdvereins, eine Frau, die mit einem Bären zusammenlebte, der Exehemann der Frau, die mit einem Bären zusammenlebte, der deutsche Innenminister, der aussah, als hätte man ihn bei der vorletzten Show gleich im Studio gelassen, und ein bekannter Ornithologe, der gerade ein Buch über Vogelmigration geschrieben hatte. Die Bärenfreundin meinte, die Bären seien bessere Liebhaber, der Vorsitzende des Jagdvereins gab an, schon sehr viele Bären mit Freude erschossen zu haben. Der Innenminister forderte die Regierung auf, die Verfassung zu ändern, um die Bundeswehr im Kampf gegen den Bären einsetzen zu dürfen. Ferner schlug er vor, Teile der bayerischen Alpenbevölkerung kurzfristig zu evakuieren, um den Bären auch aus der Luft angreifen zu können. Der Exehemann stimmte ihm zu, der Ornithologe lächelte.

In den Tagesthemen wurde dann anschließend ausführlich über die Unterdrückung der Homosexuellen in Russland berichtet. Dafür gab es gute Gründe. Am gleichen Tag, an dem unser Garten geprüft werden sollte, wurde die erste Schwulenparade in Moskau von der Stadtverwaltung verboten. Der Bürgermeister sagte, er könne nicht für die Sicherheit der Parade garantieren. Mehrere ausländische Politiker und Journalisten, die zur Parade eingeladen worden waren und es gewagt hatten, in Moskau auf die Straße zu gehen, waren von bösen Frauen beinahe in Stücke gerissen worden. Die Organisatoren der Schwulenparade änderten daher kurzfristig ihre Taktik. Statt durch die Straßen zu ziehen, zogen sie zum Ewigen Feuer an der Kreml-Mauer, um dort vor dem Mahnmal des Unbekannten Soldaten Blumenkränze niederzulegen, wie es Hochzeitsgesellschaften und Kriegsveteranen tun. Doch auch dorthin wurden sie von der Polizei und einer gegnerischen Demo nicht gelassen. Die westlichen Beobachter brandmarkten meine Heimatstadt als totalitär, faschistoid und homophob.

Im russischen Fernsehen, das wir per Satellit empfangen, war die Schwulenparade ebenfalls das Tagesthema. Dort lief eine Talkshow zum aktuellen Anlass. Die russische Sabine Christiansen, eine großwüchsige Blondine mit massivem Busen und angeklebten Wimpern, die beim Zwinkern quietschen, moderierte eine kleine Runde, bestehend aus dem Moskauer Bürgermeister, einem Popen der orthodoxen Kirche, einem Menschenrechtler, einem Sänger in Frauenkleidern und einem Seemann, der gerade mit einem Eisbrecher vom Polarkreis zurückgekehrt war und dessen Bezug zur verbotenen Schwulenparade völlig unklar blieb.

Es darf in der russischen Hauptstadt einfach keine Sodomiten geben, meinte der Pope. Der Menschenrechtler konterte, es sei das gute Recht jedes Bürgers, Sodomit zu sein. Der Sänger und einzige Sodomit in der Runde lächelte darob nervös und sagte gar nichts. Der Seemann, der die ganze Zeit fieberhaft überlegt hatte, was er in dieser Sendung zu suchen hatte, ergriff plötzlich das Wort und meinte, er habe eigentlich nichts gegen Schwule, sie sollten ihm nur nicht zu nahe treten. Der Bürgermeister blickte die ganze Zeit starr auf den Busen der Moderatorin, die zwei Köpfe größer war als er. Anschließend hielt er eine kleine einfühlsame Rede, die er ganz deutlich an den Busen adressierte:

Jeder Mensch habe das Recht, seine Bedürfnisse geltend zu machen, sagte der Bürgermeister, aber nur dann, wenn seine Bedürfnisse mit den Bedürfnissen anderer Menschen nicht in Konflikt gerieten. Demokratie, erklärte der Bürgermeister dem Busen, sei eine Diktatur der Mehrheit, und die Mehrheit sei in Russland nach wie vor, Gott sei Dank, heterosexuell. Wenn er, der Bürgermeister, zum Beispiel der Unbekannte Soldat wäre, dann würde es ihm gar nicht gefallen, dass irgendwelche Tunten ihre schwulen Blumen zu seinem Mahnmal trügen.

Danach entstand eine Pause. Auf den Gedanken, dass der Bürgermeister ein Unbekannter Soldat sein könnte, war anscheinend niemand aus der Runde gekommen. Auch der Bürgermeister selbst schien von seinem Vergleich etwas überrascht zu sein.

Was aber wäre, konterte der Sänger im Frauenkleid hochphilosophisch, wenn wir annehmen, der Unbekannte Soldat sei schwul gewesen?

Das werden wir wohl nie erfahren, mischte sich die Moderatorin ein, denn unsere Zeit ist um. Danke, dass Sie alle zu uns ins Studio gekommen sind – und jetzt kommt Werbung.

Nach der Werbung ging es mit den blutigen Nachrichten weiter. Von Steinen verletzte Gesichter von

Demonstranten, Uniformierte mit Maschinengewehren, Jugendliche, die aufeinander losgingen ... All diese Menschen konnten und wollten nicht miteinander. Das Gift des Fernsehens, diese Blausäure der Berichterstattung, die wir in uns hineinsogen, machte mich aggressiv. Am liebsten wäre ich sofort auf die Straße gegangen, um alle zu verhauen.

Am nächsten Tag feierte Deutschland Pfingsten, eines von diesen religiösen Festen, dessen Bedeutung mir immer rätselhaft bleiben wird. Der Himmel reinigte sich ein wenig, und die Sonne strahlte gelegentlich ins Zimmer. Im Mauerpark fand ein Flohmarkt statt. In einer Tag- und Nebelaktion mit dem Auto eines Freundes erwarben wir dort neunhundert Liter Mutterboden und verteilten ihn in unserem Garten, wobei ich zuerst die alte Erde kräftig umgrub. Die meisten Bäume hatten schon dicke Knospen, die Farne kugelten sich auseinander, nur eine Rote Johannisbeere ragte noch halb tot aus der Erde, und von unserer neu gepflanzten Hecke war höchstens jede zweite Pflanze ergrünt. Unserer Meinung nach lag das an dem schlechten Zustand des Erdbestandes.

»Dit is keine Erde, dit ist Beton«, hatte Günther Grass gesagt. Auch er verbrachte Pfingsten im Garten. Ich war wie vom Gartenteufel besessen: Ich wollte immer weitermachen, irgendetwas beschneiden oder begießen. Für weitergehende Maßnahmen zur Verschönerung der Gartenanlage fehlten uns jedoch theoretische Kenntnisse. Also verbrachten wir den Rest des Tages damit, unsere Gartenmöbel auf ihre Stabilität zu prüfen.

Als die Geschäfte wieder öffneten, gingen wir in eine Buchhandlung, um uns mit Fachliteratur einzudecken. Eine halbe Stunde verbrachte meine Frau vor dem Gartenregal, sie konnte sich nicht entscheiden. Allein schon die Titel dieser Ratgeber schreckten sie ab: *Welche Blume ist das?*, *Wie bissig ist der Löwenzahn?* und *Das verfluchte Kräuterjahr*. Die meisten Bücher waren in einer kinderfreundlichen Sprache verfasst, mit vielen Skizzen und Zeichnungen, so dass auch der letzte Analphabet nichts falsch machen konnte. Sie erinnerten an sexuelle Aufklärung für Grundschüler: »Steck die Pflanze niemals mit dem Kopf in die Erde« oder so ähnlich.

Während meine Frau die Gartenliteratur durchstöberte, blieb ich bei dem benachbarten Regal »Philosophie« hängen. Die beiden Regale befanden sich so nahe beieinander, dass ich die Beschriftung zuerst als »Garten-Philosophie« las. Erst nachdem ich ein paar Titel aus dem Regal geholt hatte, wurde mir klar, dass es hier um eine andere Sphäre menschlichen Schaffens ging.

Wir kauften ein paar Bücher. Meine Frau nahm *300 praktische Ratschläge für intelligente und faule Gärtner*

mit und ich eine dicke Anthologie mit dem vielver-
sprechenden Titel *Der Sinn des Lebens* sowie das Buch
Leben in den Wäldern von Henry David Thoreau. Diese
Bücher fand ich als Gartenlektüre passend.

Die Philosophen, die sich in der Anthologie bemüh-
ten, sich selbst und den anderen den Sinn oder die
Sinnlosigkeit des Lebens zu erklären, waren bedau-
ernswert anstrengend zu lesen. Man glaubte ihnen sofort, dass sie sich schon lange mit diesem Thema he-
rumschlugen und dabei zu einer Art Sinnsucheprofis
entwickelt hatten. Ihre Suche war breit angelegt. Sie
suchten in der Medizin, in der Wissenschaft, im Glauben und im Himmel, auf der dunklen Seite des
Mondes, in der Galaxis, im Universum, im Sternbild
des Bogenschützen und so weiter, aber niemand von
ihnen war auf die Idee gekommen, in einem Schrebergarten nach dem Sinn des Lebens zu suchen. Ihre
Suche war ein Spiegel, in dem jeder sich selbst und
seinen eigenen Sinn entdeckte, den Sinn des Nachbarn aber nicht mehr erkennen konnte. Im Großen
und Ganzen glich die Anthologie *Der Sinn des Lebens*
unserer Biotoilette. Hunderte und aberhunderte von
Denkern füllten sie mit ihren qualvoll gewonnenen
Erkenntnissen und Erfahrungen, und trotzdem schien
sie leer zu sein. König Salomon, Leo Tolstoi und un-
zählige andere suchten nach der Wahrheit und stellten
immer die gleichen Fragen: Wozu? Was dann? Und

was bleibt von mir, wenn ich tot bin und die anderen nicht?

Besonders diese letzte, eine typische Männerfrage, ließ ihnen keine Ruhe. Zu verschiedenen Zeiten gab die Volksweisheit unterschiedliche Antworten auf diese Frage. Bei uns in der Sowjetunion galt: Ein Mann sollte drei Dinge in seinem Leben schaffen: einen Sohn erziehen, ein Haus bauen und einen Baum pflanzen. Es war nicht leicht, im entwickelten Sozialismus dieser Weisheit zu folgen. Mein Vater zum Beispiel hatte kaum Einfluss auf meine Erziehung, wir haben uns einfach selten gesehen. Er musste sehr früh zur Arbeit und ging anschließend sehr früh ins Bett. Auch ein Haus durfte er nicht bauen, dafür bekam er eine Zwei-Zimmer-Wohnung vom Staat. Deswegen galt seine Sinnsuche allein dem Baum, einem wilden Zitronenbaum, der eines Tages wie aus dem Nichts in sein Leben getreten war. Zwanzig Jahre lang hatte mein Vater die Abteilung Planwesen eines Betriebes geleitet, der ausklappbare Flussbrücken produzierte. Es war kein besonders abwechslungsreicher Job. Er saß in einem Büro im Verwaltungsgebäude, ganz oben im dritten Stock. Dort hatte er einen Tisch, einen Stuhl, eine Schreibmaschine und jede Menge Freizeit. Laut Wirtschaftsplan durfte der Betrieb meines Vaters nicht zu viele Brücken produzieren, damit die anderen Betriebe auch noch etwas herzustellen hatten. Deswegen nutzten die meisten Mitarbeiter ihre Arbeitszeit, um ihren Hobbys nachzugehen. Der Direktor war ein Taubennarr, er besaß einen Taubenschlag auf dem Hof. Der erste Ingenieur beschäftigte sich mit Schach, die Wände seines Kabinetts waren mit Darstellungen der berühmtesten Schacheröffnungen geschmückt. Die anderen Mitarbeiter experimentierten mit alkoholischen Getränken und erfanden neue Glücksspiele.

Mein Vater hatte lange Zeit kein Hobby. Er langweilte sich. In seiner Planabteilung stand ein Blumentopf mit einem vertrockneten Veilchen auf dem Fensterbrett. Irgendwann drückte mein Vater einmal aus Langeweile ein paar Zitronenkerne in die Erde. Schon wenig später konnte man ein kleines Pflänzchen aus der Erde wachsen sehen. Mein Vater fand es niedlich. Der Zitronenbaum in seinem Büro erwies sich als ungeheuer überlebensfähig. Er wuchs sehr schnell, und die Beziehung zwischen ihm und dem Chef der Abteilung Planwesen wurde immer enger. Mein Vater fing an, sowjetische Sachbücher zu lesen, die auch allesamt so dumme Titel hatten wie *Die zehn goldenen Regeln des Zitronenanbaus* und *Der kleine Garten auf meinem Schreibtisch*. Er baute für seinen Baum ein extra großes Gefäß, das aber auch bald zu klein wurde. Nach zwei Jahren beanspruchte die Zitrone schon beinahe die Hälfte seines Kabinetts. Jedem Neuankömmling wurde als Erstes der Zitronenbaum als eine Sehenswürdigkeit des Betriebes vorgeführt. Ein volles Jahrzehnt verbrachte mein Vater im Schatten dieses Baumes. Dann fing sein Gewächs auch noch an, Früchte zu tragen. Zwar waren es nie mehr als drei, obendrein kleine und ungemein saure Zitronen, aber sie versetzten den ganzen Betrieb in Staunen und Spottlust. Mein Vater verehrte die Früchte geradezu. Er verschenkte sie an Familienangehörige – mit einem Gesichtsausdruck, als wären sie ihm am eigenen Körper gewachsen.

Dann kam die Perestroika. Sein Betrieb wurde privatisiert und blitzschnell abgewickelt. Die Produktionsräume wurden an eine Technodisko vermietet, und in das Verwaltungsgebäude zogen moderne Dienstleister ein, kleine Firmen und Sportvereine. Der Direktor pfiff seine Tauben zusammen und machte sich mit ihnen aus dem Staub. Der erste Ingenieur nahm die Plakate mit den Schacheröffnungen von der Wand und ging zu einem Schachclub. Meinen Vater traf die gesellschaftliche Umwälzung jedoch ins Mark. In die Räume der Planabteilung sollte ein Reisebüro einziehen. Zuerst hatte mein Vater noch die Hoffnung, die neuen Herren würden ihm seinen Zitronenbaum für zweitausend Rubel abkaufen, denn der ließ sich inzwischen nicht mehr aus dem Zimmer heraustragen. Er passte weder durch die Tür noch durchs Fenster. Doch die Jungkapitalisten hielten nichts von Zitronenbäumen. Sie wollten ein Aquarium. Sie stellten meinem Vater ein Ultimatum. Verzweifelt nahm mein Vater eine Axt und zerhackte den Sinn seines Lebens zu Holzspänen. Bevor er das tat, pflückte er allerdings noch die allerletzte Zitrone vom Baum – und nahm sie mit nach Berlin. Hier drückte er die Kerne in einen Blumentopf, in den meine Mutter eine Geranie gepflanzt hatte. Die Geranie ging sofort ein, aber an ihrer Stelle wuchs nach wenigen Monaten ein Zitronenbaum aus Moskau heran. Ein Wunder war geschehen. Der Sinn im Leben meines Vaters war nachgewachsen. Seit ungefähr fünf Jahren trägt sein Bäumchen nun auch wieder Früchte. Sie sind noch kleiner und noch saurer geworden. Der Zitronenbaum steht heute im Zimmer meines Vaters in einem speziell angefertigten Kübel. Manchmal denke ich, mein Vater und dieser Baum gehören zusammen. Mehrmals schlug ich ihm vor, seinen Baum in meinen Garten umzupflanzen, aber er ging nicht darauf ein.

Meiner Meinung nach haben ausgewachsene Bäume in einer Wohnung allerdings nichts zu suchen. Wir haben uns im Laufe der Jahre nur einmal einen Baum in die Wohnung gestellt, einen Katzenbaum für unseren Kater Fjodor Dostojewski. Ihm ging es damals nicht gut. Für uns alle überraschend hatte er in kürzester Zeit große Teile seiner Intelligenz verloren und handelte nur noch nach seinen Instinkten. Der Schatten seiner wilden Vorfahren aus dem Katzendschungel Nordafrikas legte sich über unseren intelligenten Kater. Fjodor rannte durch die Wohnung, knirschte mit den Zähnen, als würde er gerade eine junge Antilope durch die Wüste jagen, und zerkratzte dabei ständig die Tapeten. Der fachkundige Zooladenbesitzer meinte, unser Kater bräuchte unbedingt einen Katzenbaum. Als enger Freund von Dostojewski kaufte ich ihm sofort einen solchen, aber nicht irgendeinen, sondern den Katzenbaum »New York« mit einer extra stabilen Kratzfläche für Übergewichtige – ein Traumbaum für Tier und Mensch. Fjodor mied ihn jedoch. Alle meine Versuche, ihm das Wunderwerk näherzubringen, scheiterten. Kaum kratzte ich am Baum, lief er weg.

Ich ging zurück in den Laden. Der Katzenspezialist bot mir eine Spraydose mit einem Katzenspieltrieb-Entwickler an – einen Duft, dem alle Katzen folgen würden. Der Vollständigkeit halber kaufte ich auch gleich noch das Gegenmittel, ein so genanntes Katzenfernhalte-Spray, um die Fernsteuerung von Dostojewski zu vervollständigen. Ich dachte dabei an meinen Vater, der sich einmal in der Apotheke ein natürliches Mittel gegen Verstopfung gekauft hatte und gleich am nächsten Tag wieder in die Apotheke rennen musste, um sich ein Mittel mit entgegengesetzter Wirkung zu besorgen. Die darauf folgende Woche verbrachte er wie Alice im Wunderland: Mal naschte er von dem einen Mittelchen, mal kaute er das andere, um wieder Herr seiner eigenen Verdauung zu werden, doch die moderne Medizin wollte ihn nicht aus ihren Klauen lassen.

Bei unserem Kater funktionierte die Spraysteuerung erst einmal perfekt. Ich besprühte den »New York«, Fjodor setzte sich drauf und rührte sich nicht mehr vom Fleck. Er ging nicht einmal mehr aufs Klo. Nur wenn ich nach dem Gegenmittel griff, stand er auf. Bald bewegte sich der Kater ohne Duftzugabe gar nicht mehr. Das konnte nicht lange gut gehen. Und bald war es auch schon so weit: Die Kinder entdeckten die Spraydosen. Auf beiden Fläschchen stand in großen Buchstaben: »Nicht die Katze besprühen!« Doch kleine Kinder lesen bekanntlich nicht, was auf kleinen Fläschchen geschrieben steht, und besprühten den Kater aus beiden Fläschchen gleichzeitig. Es war zweifellos ein vorsätzlicher Tierversuch, aber doch auch ein interessantes Experiment. Wir waren alle gespannt, wie der Kater reagieren würde. »Mag ich mich, oder mag ich mich nicht?« Kann eine Katze mit einer so verdammt schwierigen Frage überhaupt fertig werden? Ich weiß von vielen Menschen, die ihr ganzes Leben nach der richtigen Antwort gesucht und sie nicht gefunden haben. Unser Kater brauchte nur fünf Minuten. Dann ging er in die Küche und pinkelte in das

Trockenfutter. Seitdem steht der Katzenbaum im Kinderzimmer und dient als Buch- und Puppenregal. Nein, Bäume gehören definitiv nicht in eine Wohnung! Auch finde ich es demütigend, sich in eine Pflanze zu verknallen. Man darf nicht den ganzen Sinn seines Lebens an einen Baum hängen.

Das zweite Buch, das ich gekauft hatte, *Leben in den Wäldern* von Henry Thoreau, hatte ich schon als Jugendlicher in Moskau gelesen. Der Autor, ebenfalls auf Sinnsuche, war mit den damals herrschenden Moralvorstellungen der amerikanischen Gesellschaft unzufrieden. Eines Tages lieh er sich bei einem Nachbarn eine Axt, ging in den Wald und baute sich dort eine kleine Hütte am Ufer eines Sees. Dort lebte er zwei Jahre und zwei Monate lang, von der Außenwelt abgeschnitten, von den Früchten seiner Arbeit. Er hatte mehr mit Bäumen als mit Menschen zu tun, las Bücher, pflanzte Bohnen an, betrachtete die Sonnenaufgänge über dem See und dokumentierte sein Treiben in der Wildnis sorgfältig. Sein Buch, eine Mischung aus Gesellschaftskritik, Philosophie, landwirtschaftlichen Experimenten, Einkaufszetteln und Gedichten, wirkte auf mich vor zwanzig Jahren wie eine Art poetische Hippie-Lektüre unter dem Motto: »Wie wenig braucht der Mensch, um glücklich zu sein!«

Sieh da, die kleine Hütte,
Die dem Zerfall geweiht,
Hier hat wohl
Einst ein Dichter
Vergessen Welt und Zeit.

Doch heute las ich das Buch mit anderen Augen. Ich wusste inzwischen, dass Thoreau seine glückliche Hütte nicht selbst gebaut, sondern für achtundzwanzig Dollar einen Zimmermann damit beauftragt hatte. Doch vieles, sehr vieles sogar, was mich in der letzten Zeit unruhig gemacht hatte – das Angewidertsein vom Fernsehen, meine Ablehnung der Nachrichten aus aller Welt sowie die seltsame Anziehungskraft, die der Schrebergarten auf mich ausübte –, fand ich in diesem Buch wieder. Thoreau war kein Hippie. Damals, vor fast zweihundert Jahren, sprengte er mit seiner Entscheidung, im Wald zu leben, die Grenzen des kommoden Kabinetts, das man ihm zugewiesen hatte. Er war sich sicher, dass man nur dann seinem Traum nahekommen kann, wenn man aus den gewohnten Verhältnissen ausbricht. Aber wohin?

Diese Problematik war heute noch aktuell. Viele meiner Kollegen suchten die Wildnis weit draußen. Mit Billigfliegern legten sie tausende von Kilometern zurück, sie flogen nach Sibirien, um die russische Seele zu erforschen, oder nach Afrika, um dort Giraffen zu jagen und auf diese Weise ihre ganz persönliche Wahrheit zu finden. Anschließend schrieben sie Bücher, bei denen auf dem Cover stand, der Autor habe gleichzeitig in der Schweiz, im Senegal und in Katmandu gelebt. Doch zwischen den Zeilen blickte aus diesen Büchern die immergleiche Unbedarftheit, das kindliche Warten auf ein Wunder am anderen Ende der Erde, das unersättliche Ich, das die ganze überflogene Welt auf flüchtige Bekanntschaften, Geldwechseln und Kopfschmerzen reduzierte. War es das Kerosin wert, das für die Langflüge verbraucht wurde? War unser Inneres nicht der wahre weiße Fleck auf der Karte? Und war eine Wildgans, die in Sibirien frühstückte und in Kanada Kaffee trank, nicht sowieso hundertmal mehr ein Weltbürger als die Katmandu-Touristen?

Wie lange kann ein Mensch einer Giraffe hinterherjagen?, fragte sich Thoreau.

Sind Schwulenparaden und Bärenverfolgung wirklich die Probleme, die die Menschheit am tiefsten berühren?, fragte ich mich.

Warum nicht jeden zu der Musik tanzen lassen, die er hört?, fragten wir im Chor.

Thoreau ging nicht um jemandem etwas zu beweisen in den Wald, er brauchte einen neuen Standpunkt für seine Lebensforschung. Beeindruckt von seinem Werk, beschloss ich kurzerhand, in die Fußstapfen des großen Philosophen zu treten und ebenfalls in die Natur zu ziehen. Natürlich nicht für mehrere Jahre in einen Wald, sondern nur für ein paar Tage und Nächte in meinen Schrebergarten.

Mein Leben im
Schrebergarten

Die Entscheidung, ganz in den Schrebergarten zu ziehen, stieß auf massive Proteste der Familienangehörigen. »Wie jetzt? Und ich soll hier allein leben wie eine Witwe?«, regte sich Olga auf, als ich meine Absichten bei einem Familienessen preisgab. Die Kinder schlugen sich auf die Seite der Mutter: Sie bräuchten mich als Vater. Meine Tochter wollte, dass ich ihr half, ihren ersten Roman, *Das doofe Kaninchen*, in ihren ersten Computer (meinen ehemaligen) einzutippen. Sie hatte außerdem gerade an ihrem ersten Fahrrad ihren ersten Platten und war von dieser Erfahrung völlig überwältigt. Ich musste den Reifen reparieren. Mein

Sohn brauchte auch täglich den Vater – um seine neu gelernten Judo-Übungen und Tricks an mir als Sparring-Partner auszuprobieren. Beide Kinder brauchten mich außerdem noch als Schlichter in ihrem endlosen, von Geburt an andauernden Streit, bei dem es stets um eine gerechte Verteilung der Güter ging.

Man erkennt unschwer, dass ich anders als Thoreau, der sein Leben der Keuschheit verschrieben hatte, nicht einfach so Adieu sagen konnte. Thoreau war ein alleinstehender Asket gewesen, ein überzeugter Single im Wald, der sich vor einer imaginären »Gesellschaft« im Dickicht versteckte. Ich als mehrfacher Familienvater musste mir dagegen mein Recht auf Abenteuer hart erkämpfen. Das Familienleben besteht aus ständigem Feilschen und Kompromisseschließen. Wir fanden auch in diesem Fall einen Kompromiss: Ich durfte für ein paar Tage in den Garten ziehen, und die Familie durfte mich jeden Tag besuchen.

Abends ging ich durch die Kolonie, um die Gärten einmal um diese Zeit zu erleben. Überall waren an Masten und Lauben große und kleine Deutschlandfahnen gehisst. Bei einigen, wie zum Beispiel bei Günther Grass, handelte es sich um DDR-Fahnen mit Hammer und Zirkel in der Mitte, es gab aber auch rein schwarz-rot-goldene. Ich überlegte, wofür diese Farben stehen mochten. Das Schwarz sollte wahrscheinlich an die dunklen Seiten der deutschen Ge-

schichte erinnern. Es war nicht immer alles rund ge-
laufen in Deutschland. Rot – das waren die hart er-
kämpften demokratischen Freiheiten. Und das Gold
stand natürlich für die Sozialhilfe.

Zu meiner Verwunderung musste ich feststellen, dass
ich nicht der Einzige war, der sich entschlossen hatte,
im Garten zu übernachten. Die Parzellen waren voll.
In den Gärten unter den Flaggen saßen Männer in
Unterhosen und Frauen mit großen Hüten. Viele
guckten Fernsehen. Die Hitze und die Fußballweltmeisterschaft, die unter dem lustigen Slogan »Die Welt
zu Gast bei Freunden« stattfand, hatten die Menschen in den Garten getrieben. Draußen in der Stadt
schweißte die Sonne die ganze Welt zu einem feuch-
ten Klumpen zusammen, eingemottet in die Natio-
nalfarben der teilnehmenden Länder. Im Schatten
der Apfelbäume herrschten dagegen angenehme Temperaturen. Hier konnte jeder, der eine Laube mit
Stromanschluss besaß, gemütlich unter dem eigenen
Blätterdach Fußball gucken und dabei Billigbier trinken.

Das gelb-blaue Brasilien schlachtete gerade das pur-
purrote Kroatien, als ich mich dem Vereinslokal nä-
herte. Die Kneipe war fast leer. Nur vier obligatorische
Biertrinker – drei Männer und eine Frau, die zum
Mobiliar der Gaststätte gehörten –, saßen an einem
Tisch in der Ecke unter den zahlreichen DDR-Wim-

peln und -Pokalen. Sie griffen nach ihren Gläsern wie
geübte Synchronschwimmer und schwiegen. Alle Geschichten waren längst erzählt. Im Fernsehen spielte
inzwischen die Welt verrückt. Brasilianische Mädchen
zogen sich auf den Tribünen aus, um ihre Mannschaft
zu unterstützen, und die Kroaten hatten einen Flitzer,
der auf das Fußballfeld lief, um dem Torwart einmal
die Schuhe zu lecken. Die Vereinstrinker betrachteten
angestrengt den vollen Aschenbecher in der Mitte ihres Tisches. Sie betrachteten ihn so intensiv, dass man
das Gefühl hatte, noch ein bisschen, und der Aschenbecher erhebt sich in die Luft. Als ob sie damit aus-
drücken wollten: Fußballweltmeisterschaften kommen und gehen, der Aschenbecher aber bleibt.

Etwas abseits von der Runde, neben einem Dart-
Spielautomaten, saß der bärtige Vereinswirt. In einer
Hand hatte er eine Zeitung, die andere war eingegipst.
Mit der Zeitung schlug er einer Fliege mehrmals auf
den Kopf, die vor ihm auf dem Tisch tapfer hin und
her lief. Die Fliege reagierte darauf mit einem leisen
Summen. Auch die beiden kannten sich wahrscheinlich noch aus DDR-Zeiten. Draußen vor dem Lokal
saß ein junges Pärchen – Kleingartennachwuchs. Das
Mädchen hatte ihren Kopf in den Schoß des Jungen
gelegt, und er streichelte zärtlich ihr Haar. Neben ihnen hing an dem Anschlagsbrett hinter Glas ein Papier
mit der Überschrift: »Festgestellte Mängel bei der

Gartenbegehung am 27. 05. 2006«. Der Autor dieses Papiers geißelte das verbrecherische Treiben der Gärtner und drohte mit weit reichenden Konsequenzen in einer Sprache, die an Parteidokumente aus dem vorigen Jahrhundert erinnerte. »Parzellen Nr. 56 bis 58! Ihre Gärten sind völlig verwildert! Das Gras meterhoch! Die kleingärtnerische Nutzung ist nicht erkennbar. Parzelle Nr. 79! Man kann nicht einmal den Eingang Ihres Gartens finden! Parzelle Nr. 90! Trotz der stark verschmutzten Fenster sind zerrissene Gardinen gut erkennbar!« Über unser Grundstück hieß es: »Dieser Garten wurde erst kürzlich an den neuen Pächter übergeben. Auf der Seite links zum Nachbarn wurde eine Ligusterhecke gepflanzt. Das ist laut Gartenordnung nicht statthaft. Auch die Korkenzieherweiden gehören nicht in den Kleingarten. Da die Pächter offensichtlich die Gartenordnung nicht gelesen haben und keine Einsicht zeigen, wird eine Vorladung zur Sprechstunde notwendig. Bei der Gartenbegehung war niemand anwesend.«

Ich schimpfte leise und malte mir aus, was ich mit diesem Vorstand machen würde, wenn ich nicht Schriftsteller, sondern ein unsichtbarer Spiderman wäre. In diesen angenehmen Gedanken versunken, ging ich weiter und stieß auf einen schmalen Weg hinter dem Vereinshaus, den ich bisher übersehen hatte. Er führte über eine kleine Brücke und weiter in eine Gegend, in

der ich noch nie gewesen war. Je länger ich lief, umso beeindruckender erschien mir die Gartenkolonie.
Ich hatte bisher keine Ahnung gehabt, wie riesig sie
eigentlich war. Gärten über Gärten bis an den Horizont. Ich bog einmal links und einmal rechts ab, in der
Hoffnung, an die Grenzen der Kolonie zu stoßen, an
einen letzten Zaun mit Tor. Doch hinter jeder neuen
Ecke entfalteten sich neue Gartenanlagen, mit und
ohne Rosen, mit und ohne Gartenzwerge, mit und
ohne Korkenzieherweiden.

Langsam wurde es dunkel, Brasilien hatte längst gewonnen, es war kein Mensch mehr auf den Terrassen
zu sehen. Ich kehrte um. Die Brücke über einen kleinen Bach sollte mir als Orientierung dienen, sie war
aber nicht mehr zu finden. Stattdessen sah ich immer
wieder die gleichen Lauben. Langsam beschlich mich
das Gefühl, mich in einem völlig unbekannten Land
verlaufen zu haben, in einem Parallel-Deutschland,
das friedlich neben dem mir bekannten existierte: das
eine ein Land der Städte, mit prächtigen Theaterhäu-
sern und neu gebauten Bahnhöfen, Mitglied der UNO,
UNESCO, G8 und C4, mit Vorsitz bei der Weltbank
und im Weltsicherheitsrat, mit Vertretungen im nahen
und fernen Ausland. Und das andere Deutschland ein
riesengroßer Schrebergarten. Wie oft habe ich auf
meinen Reisen dieses andere Deutschland aus dem
Zugfenster beobachtet, mit seinen Lauben, Schaukeln,

Grillanlagen und Kindern, die einander mit einem Wasserschlauch nass spritzten.

Einmal, als ich mit einem russischen Kollegen im Zug saß, meinte dieser anerkennend, es werde in Deutschland doch viel für die Kinder getan. Er zeigte dabei auf Schrebergärten, die er wegen der vielen kleinen Häuschen für Kinderspielplätze hielt. Auf die Idee, dass sich spielwütige Erwachsene dort aufhielten, war er nicht gekommen. Wenn ich ihm den Sinn dieses Spiels nahegelegt hätte – um jeden Preis die Kräuter in einer Linie zu pflanzen und den Rasen zu mähen, ob mit Strom oder Muskelkraft, aber nicht an Sonn- und Feiertagen –, er hätte mir bestimmt nicht geglaubt. Erst recht nicht, wenn ich ihm noch erzählt hätte, beim letzten Rasenmähen sei mir die Verlängerungsschnur unter die Scheren geraten, und es habe einen solchen Knall gegeben, dass alle Birnen vom Baum meines Nachbarn Günther Grass auf mein Grundstück gefallen seien und nun mir gehörten, weil laut deutscher Gartenverfassung jede vom Baum gefallene Frucht dem Gartenbesitzer gehört, auf dessen Grundstück sie liegt. Der Baumbesitzer kann zwar innerhalb von zwei Wochen eine Beschwerde einreichen, aber bis dahin ist längst alles aufgegessen.

Ich hätte noch einiges zu erzählen über die Deutschen und ihre Schrebergärten – mein Bekannter wäre wahrscheinlich vor Lachen aus dem Zug gefallen. Kann es sein, dass dieses andere Deutschland der Gärten untereinander vernetzt ist, mit Wegen und Straßen, die auf keiner Karte eingezeichnet sind und die kein Navigationssystem kennt, und dass ich, wenn ich so weiterlaufe, mit Glück irgendwo bei Braunschweig wieder herauskomme? Ich dachte bereits über Plan B nach, das heißt in einen fremden, leer stehenden Garten einzudringen, um dort zu übernachten. Es wurde langsam kalt. Ich tat mir selbst leid. Vielleicht ist es mein Schicksal, durch wildfremde Gärten zu ziehen, hoffnungslos verloren im Schrebergarten-Deutschland, bis mich eines Tages eine Streife der Schrebergartenpolizei unter einem Stachelbeerstrauch findet, alt und erschöpft. »Das ist doch der Kerl von der Parzelle 118«, würden sie sagen. »Der Arme hat es die letzten zweihundert Meter bis zum eigenen Gartentor nicht mehr geschafft!«

Als ich schon die Hoffnung aufgegeben hatte, meine Heimatparzelle jemals wiederzufinden, stolperte ich plötzlich beinahe über einen Vogel, der mitten auf der Straße saß. Es war Don Juan, der Kanarienvogel von Frau Krause, bei seinem nächtlichen Spaziergang. Der Straßenbahngarten musste also ganz in der Nähe sein. Der Kanarienvogel rettete mich, er führte mich Schritt für Schritt aus der Sackgasse und bis nach Hause zu meiner Parzelle. Ich wusste nicht, wie ich mich bedanken sollte.

»Wenn du irgendwann einmal Hilfe brauchst, Sterbehilfe zum Beispiel, komm vorbei, ich werde für dich da sein«, sagte ich zu Don Juan.

Er antwortete nicht. Schade, dass Kanarienvögel nicht sprechen können, der hier hätte bestimmt viel zu erzählen. Obwohl – als Kind hatte ich Angst vor sprechenden Vögeln. Meine erste Freundin hatte einen sprechenden Papagei, der sie oft verraten hat. Wenn ihre Eltern abends von der Arbeit kamen, krähte der Papagei: »Küss mich«, »Wie geht dieser Büstenhalter auf?« und andere Unanständigkeiten.

Sprechende Vögel können sehr gemein sein, und sie leben lange. Im Münchner Zoo, so erzählte mir ein Freund, rief ein Papagei noch 1953 ständig »Heil Hitler«. Neben seinem Käfig hing ein Schild: »Die Zooverwaltung ist mit der Meinung des Vogels nicht einverstanden.«

Alle meine Freundinnen besaßen lustige Haustiere. Meine Exfreundin hatte zum Beispiel einen hochsensiblen Dackel, der laufend scheinschwanger war. Einmal nahmen wir ihn in den Wald mit, damit der Dackel sich ein wenig in der Wildnis austoben konnte. Denn eigentlich sind Dackel Jagdhunde. Schnell hatte er die Spur eines Riesenhasen entdeckt und verfolgte sie mit lautem Bellen. Doch der Hase war eine Beute mit Lebenserfahrung, schnitt professionell ein paar Ecken ab, und der Dackel, der wegen seiner kurzen Beine einen langen Bremsweg hatte, knallte mit voller Wucht gegen eine Tanne. Die Jagd war damit zu Ende. Am nächsten Tag schwoll der Dackel immer mehr an, er saß unter dem Bett und gab mitleiderregende Geräusche von sich. Eine Tierärztin attestierte ihm eine so genannte Scheinschwangerschaft. »Sie brauchen nichts zu tun, das geht von alleine vorbei«, meinte die Ärztin.

Der arme Dackel hatte seinen Knall gegen den Baum falsch gedeutet, er bildete sich ein, von dem wilden Riesenhasen geschwängert worden zu sein und wartete nun auf die Babys, die nicht kamen. Nach zwei Wochen schwoll der Dackel wieder auf Normalmaß zurück. Aber jedes Mal, wenn er fortan einen Hasen oder etwas Hasenähnliches sah, schwoll er sofort wieder an. Und manchmal schwoll er auch einfach so an, aus Langeweile. Ich weiß dank solcher Geschichten, dass Tiere und Vögel auch eine Psyche haben, und behandele sie daher immer mit Respekt.

Der Schrebergarten-Kanarienvogel sagte kein Wort. Schweigend hatte er mir geholfen, den Weg nach Hause zu finden. Ich überquerte die Brücke, ging an dem längst geschlossenen Vereinsgebäude vorbei, an dem Brett mit den Parteipapieren, an der leeren Bank und landete schließlich vor unserem Gartentor. Das Licht in der Laube brannte. Ich hatte die Birne absichtlich nicht ausgemacht, damit ich das Schlüsselloch finden konnte.

In der Laube war es stickig und eng. Ich hatte keine Lust zu schlafen und beschloss, noch ein wenig zu lesen. Mein Vorbild Henry Thoreau hatte in seinem Werk sehr ausführlich beschrieben, wie er in der Wildnis das Bohnenpflanzen mit dem Bücherlesen geistreich verband. Im Schrebergarten war ich auf Bohnen nicht angewiesen. Ich hatte mich rechtzeitig vor dem Einzug in die Laube mit Chips und belegten Brötchen eingedeckt, also fing ich gleich mit der Lektüre an.

»In der Anhäufung unseres Eigentums, in der Gründung einer Familie oder eines Staates sind wir sterblich«, schrieb Thoreau, »aber im Forschen nach der Wahrheit sind wir unsterblich.« In seiner Hütte lagen Homer, Aischylos und einige Reisebücher. In meiner Laube hatte ich nur *Der Sinn des Lebens, 300 praktische Ratschläge für intelligente und faule Gärtner* sowie einen von Frau Pflaume geerbten DDR-Garten-Ratgeber, den *Rat für jeden Gartentag.* Anders als sein westdeutscher Kollege hatte der ostdeutsche Gartenmensch nicht dreihundert, sondern dreitausend Ratschläge auf Lager. Laut Vorwort war er bei der Bearbeitung der neunten Auflage seines Werkes gestorben, wahrscheinlich an Überarbeitung. Dieser Gartenfetischist hatte tatsächlich für jeden Tag im Jahr ein ganzes Arbeitsprogramm entwickelt, dessen Sinn darin bestand, dem Gärtner keine Sekunde Ruhe zu gönnen. Gemäß seinem Ratgeber sollte der Gärtner zum

Beispiel im Januar die borkige Rinde von den Bäumen »sorgsam abkratzen« und im Februar ein mir unbekanntes »Strohsubstrat« mit dem Austernseitling impfen.

Bei dieser Lektüre fielen mir schnell die Augen zu, und ich machte das Licht in der Laube aus. Fünf Minuten später machte ich es wieder an. Ich war nicht allein. Eine äußerst muntere Gesellschaft, bestehend aus fliegenden und kriechenden Ameisen, Mücken, Spinnen, exotischen gelben Motten, die wahrscheinlich vom Licht meiner Lampe angezogen wurden, sowie grünen und gestreiften Schnecken, Käfern mit und ohne Flügel, kleinen durchsichtigen Mistkerlen mit Haaren auf dem Rücken und etlichen anderen schwer zu beschreibenden Mikroorganismen, teilte mit mir die Bude. Die meisten benahmen sich friedlich. Sie jagten und aßen einander, griffen mich aber nicht direkt an. Manche krabbelten auf mir herum und versteckten sich, wenn ich das Licht anmachte. Aber sobald es wieder dunkel war, kamen sie aus ihren Verstecken und kitzelten mich. Einige hielten mich für ein Lebensmittel und tranken mein Blut. Ich versuchte, den kleinen Biestern eine Lektion zu erteilen und ihnen klarzumachen, wer hier der Chef und Hauptpächter war.

Im Kampf verging die Zeit schnell. Wie ein Leuchtturm stand mein Garten im grünen Meer der Obst-bäume – im Zehnminutentakt ging das Licht in der Laube an und aus, man hörte Schläge, Flüche, dann wieder Stille. Zweimal überlegte ich, den Rest der Nacht draußen unter dem Apfelbaum auf einer Matratze zu verbringen. Aber im Gras und auf den Bäumen gab es noch mehr Ungeziefer. Dazu kamen unsichtbare Vögel, die im Chor ihr freies Leben in einer wundervollen Welt voller leckerer Schnecken und Fliegen besangen. Manchmal schien mir, als würde ich in diesem Chor auch die Stimme des Palermo-Papageien heraushören.

Als Pächter hatte ich keine Chance, in diesem natürlichen Chaos für Ordnung zu sorgen. Um fünf Uhr durchlöcherte die Sonne meine Laube von links nach rechts. Ich öffnete die Tür, und die Insekten, die mit mir in der Laube übernachtet hatten, flogen an die frische Luft, trafen auf ihre Artgenossen, die draußen im Garten übernachtet hatten, und tauschten laut ihre Erfahrungen aus. Ich steckte den Kopf unter eine kalte Dusche, schaute in den Spiegel und kratzte mir die Mückenstiche von der Stirn.

Die Ereignisse der ersten Nacht konnten trotz allem die Freude nicht trüben, die mich beim Anblick des Sonnenaufgangs erfüllte. In der Natur schien die Sonne besonders intensiv. Sie gab dem Schrebergarten alle Farben wieder – die Rosen wurden richtig gelb, die grünen Äpfel bekamen einen roten Anstrich, sogar die fetten Fliegen auf dem Tisch und der Stacheldraht auf dem Gartentor strahlten golden, sobald sie unter die frische Sonne gerieten. Leider waren die meisten Früchte und Beeren noch nicht reif für ein echtes Gartenfrühstück. Ich pflückte ein paar Erdbeeren, setzte mich in die Sonne, nahm das Buch *Rat für jeden Gartentag*, legte es mir aufs Gesicht und schlief noch einmal ein.

Um halb zwölf wurde ich von Herrn Kern, dem fleißigen Biogärtner von gegenüber, geweckt, der im Trainingsanzug und mit Fahrradhelm mit seinem Rasenmäher durch den Garten lief. Was machte er so früh an einem Wochentag im Garten?, überlegte ich. Aus unseren früheren Gesprächen wusste ich, dass Herr Kern einer regelmäßigen Arbeit nachging. Als leitender Angestellter einer Bankgesellschaft musste er von Montag bis Freitag ab zehn Uhr morgens riskante Investitionen im Ausland und Finanzierungspläne für große Bauvorhaben prüfen. Stattdessen mähte er seinen Rasen an einem Mittwoch um zwölf. Ich stellte mir vor, wie Herr Kern mit seinem Dienstwagen zur Arbeit fuhr, die Aufgaben in der Abteilung verteilte, den Computer anschaltete und zahlreiche Ordner über seinen Tisch verteilte. »Bin heute sehr beschäftigt«, rief er seiner Sekretärin zu, »habe viele Termine außerhalb!« Dann schloss er die Tür seines Büros, zog sein schickes schwarzes Sakko aus, holte einen Trainingsanzug aus dem Schrank, seinen Fahrradhelm und die Brille, lief durch die Hintertür nach draußen, stieg aufs Fahrrad, und los ging's. Keine zwanzig Minuten später summte er schon mit dem Rasenmäher, *wrummm, wrummm*. Die Risikoinvestitionen und Finanzpläne mussten warten.

Kurzerhand beschloss ich, meinen Nachbarn zu besuchen. Er zeigte mir stolz seine großgewachsenen Kartoffeln, Radieschen, die etwas von Käfern angebissen waren, Zwiebeln und Erdbeeren. Und ein eigenhändig zubereitetes Knoblauchkonzentrat in einem großen Glas, mit dem er die Bäume gegen ihre natürlichen Feinde schützen wollte. Ich erzählte ihm von meinem Ärger mit dem Vereinsvorstand. Herr Kern hatte die Parteibeschlüsse am schwarzen Brett auch gesehen, und in seinen Augen las ich nun eine kleingartentypische Mischung aus Mitleid und Schadenfreude. Ich wollte den Konflikt mit dem Vorstand nicht unnötig verschärfen, und Herr Kern erklärte sich bereit, mir zu helfen, die arme Korkenzieherweide zu fällen, obwohl sie niemandem etwas zuleide getan hatte. Aber so ist das Leben.

»Wir können deine Weide mit meiner Elektrosäge Stück für Stück abschneiden und dann mit meinem Häcksler zermahlen«, überlegte Herr Kern laut. »Ich habe da so einen Häcksler in der Laube.«

Sein Gerät der Marke *Bosch* verschluckte meine

arme Korkenzieherweide innerhalb von Sekunden, zerkaute sie und spuckte die Überreste in eine Tüte. Anstelle des Baumes pflanzte ich gleich vier neue Erdbeerpflänzchen, indem ich Ableger von bereits dort wachsenden Erdbeeren nahm. Anschließend begoss ich den Garten gründlich und ging einkaufen. Die Brötchen waren alle. Auf dem Rückweg machte ich einen Schlenker und schaute im Straßenbahngarten vorbei. Die Bewohner dieser Parzelle konnte man schon auf halbem Weg deutlich hören. Das eine Kind war auf einen Baum geklettert, das andere hing an seinem Fuß.

»Lass mich los!«, schrie das eine.

»Niemals!«, schrie das andere.

»Hört sofort auf!«, schrie die Oma. Dazu bellten die Hunde.

Nur Frau Krause ließ sich nicht aus der Ruhe bringen. Sie saß auf der Terrasse, rauchte *American Spirit* und zählte die Erdbeeren auf dem Tisch.

»Hundertvierundachtzig Stück!«, sagte sie strahlend, als ich näher kam. »Und sie schmecken richtig nach Beeren, nicht wie dieses Zeug aus der Kaufhalle. Habe ich dir schon erzählt, dass mein Mann eine Affäre hatte, mit einer alten Frau aus Palermo? Ich hätte ihm so etwas nicht zugetraut, er war nur einmal drei Tage in Palermo, und gleich eine Affäre! Jetzt schreibt er Briefe nach Palermo. Aber hinziehen möchte er nicht. Er sagte, ich sehe das alles falsch, es wäre rein fleischlich gewesen, keine Liebe also. So sind die Bräuche in Palermo. Die Mädels sind alle Feuer und Flamme in Palermo. Wenn ein Mann einer Frau gefällt, geht sie zu ihm und sagt es ihm ins Gesicht. In Palermo.«

»Sag mal, Renate«, fragte ich meine Nachbarin, um sie von Palermo abzulenken. »Wusstest du, dass dein Kanarienvogel Don Juan nachts durch die Kolonie spaziert? Ich habe ihn letzte Nacht ziemlich weit weg von hier hinter dem Vereinsgebäude getroffen.«

Renate überlegte kurz.

»Das hat er vor seinem Herzanfall nie getan«, erzählte sie. »Mein Schwiegervater war aber Schlafwandler.« Ob es möglich wäre, dass der Geist des Schwiegervaters in den Körper des schlafwandelnden Kanarienvogels umgesiedelt war?

Zurück in der Heimatlaube erwartete mich bereits meine ganze Familie. Meine Kinder, meine Frau und sogar meine Schwiegermutter waren gekommen, um mich zu überreden, das Experiment »Mein Leben im Garten« abzubrechen. Ehrlich gesagt, war ich selbst nicht mehr scharf auf eine zweite Nacht inmitten der Insekten. Henry Thoreau hatte sicher mehr Ausdauer, mehr Entschlossenheit als ich. Er war aber auch ziemlich durchgeknallt – verbrachte sein Leben ohne Wein und ohne Frauen, predigte Enthaltsamkeit und bezeichnete faule Menschen als unreine Wesen. Ich bin dagegen der Meinung, dass der Faule manchmal mehr erkennt, während sich der Fleißige in seinem ständigen Tun bloß untergräbt. Außerdem sind fleißige Menschen dauernd schlecht gelaunt, weil sie glauben, unterfinanziert zu sein. Die Fleißigen haben in der Regel einen überempfindlichen Sinn für Gerechtigkeit. Das macht sie zu schwierigen Menschen. Sie haben ständig das Gefühl, von anderen hintergangen zu werden, die viel weniger arbeiten oder gar nichts tun und trotzdem mehr kriegen. Fleiß verdirbt den Charakter. In Deutschland steht Fleiß ganz oben in den Top Ten der Tugenden. Deswegen sind viele Deutsche dauerhaft schlecht gelaunt. Sie sagen, der frühe Vogel fängt den Wurm, und schimpfen ständig über die Menschen, die gerne länger schlafen. Die Chinesen meinen dazu: Nur der Vogel, der vorne fliegt, wird abgeschossen. Darüber sollen die deutschen Streber einmal nachdenken.

Diese und einige andere Gedanken (Mücken, Hitze, warmes Bier aus der Flasche) veranlassten mich, vorzeitig aus der Laube auszubrechen und zurück in die Wohnung zu ziehen.

Und hier die vorläufigen Ergebnisse meines Thoreau-Experiments im Vergleich:

H. D. Thoreau (zwei Jahre und zwei Monate im Wald):

Eine Hacke: $ 0,54

Bohnen zum Pflanzen: $ 3,12

Kartoffeln: $ 1,33

Erbsen: $ 0,40

Rübsamen: $ 0,06

Weiße Schnur zum Schutz gegen
Krähen: $ 0,02

Mieten 1 Pferdes zum Pflügen und
1 Knechts für 3 Stunden: $ 1,00

Gesamt: $ 6,47

W. Kaminer (ein Tag im Schrebergarten):

Sechs Flaschen Radeberger Pilsner: € 6,36

Brot, Käse, Wurstaufschnitt: € 4,72

Paprikachips: € 0,70

Texteron-Salbe zum Schutz gegen
Mücken: € 3,99

Zigaretten: € 3,80

Eine Kaisers-Tüte: € 0,20

Mieten von Häcksler der Marke Bosch und
1 Helfers für 2 Stunden: € 0,00.

Gesamt: € 18,77

Hummelrap

Die schlechte Nachricht zuerst: Es wird dieses Jahr keine Süßkirschen bei uns geben. Die Amselfraktion hat alle Kirschen nach und nach ausgelutscht, nicht nur bei uns, sondern fast überall in den Gärten. Selbst solch erfahrene Kollegen wie Günther Grass sind nicht ohne Ernteschäden davongekommen, obwohl er sich große Mühe gab, die Amseln zu bekämpfen. Mein Nachbar hatte ein spezielles Netz über seine Bäume ausgebreitet und eine improvisierte Vogelscheuche auf der Wiese aufgestellt, aber das hat alles nichts genützt. Schadenfroh und mitleidig tauschten wir uns über den Gartenzaun aus. Er möge Sauerkirschen sowieso lieber, meinte Günther und fuhr nach Hause. Ich blieb

noch eine Weile, weil ich noch gießen musste. Da kam
die Krönung des Abends: Mich besuchte eine Amsel-
Prüfungskommission. Zwei große Vögel sprangen vom
Baum zu Baum, um zu gucken, ob ihre Artgenossen
auch wirklich alle Früchte aufgegessen hatten. Nichts
durfte übrig bleiben, nichts sollte der Gärtner behalten können, so stand es wahrscheinlich im Bundesam-
selgesetzbuch, das alle diese Vögel auswendig zu lernen hatten.

Was sollte ich nur mit ihnen machen? Im menschlichen Bürgerlichen Gesetzbuch habe ich nichts gegen
Amselfraß gefunden, abgesehen von Paragraph 960 zu
herrenlosen Wildtieren, Fischen und Vögeln im Allgemeinen. Laut diesem Paragraphen gelten wilde Tiere,
Fische und Vögel als herrenlos, solange sie sich in Freiheit befinden, während wilde Tiere in Gärten, Fische
in künstlichen Teichen und Badewannen sowie Vögel,
die auf privaten Bäumen sitzen, keinesfalls herrenlos
sind. Die Amseln gehörten also eigentlich mir, sie sollten meinen Anweisungen folgen und sich gefälligst
unterordnen. Leider konnten die dummen Vögel nicht
lesen und wollten nichts von ihrem Herrn wissen. Es
war aber auch zu dumm vom Bürgerlichen Gesetzbuch, an Lebewesen zu appellieren, die von Natur aus
Analphabeten waren, wie Bienen zum Beispiel.

Was sollte dieser Haufen von Bienengesetzen, der
das Bienenleben in Deutschland regeln sollte, obwohl

jeder halbwegs vernünftige Gesetzgeber doch wissen müsste, dass Bienen nicht lesen können? Trotzdem war dem deutschen Bienenschwarm mindestens ein Dutzend Paragraphen gewidmet: »Zieht ein Bienenschwarm aus, so wird er herrenlos, wenn der Eigentümer ihn nicht unverzüglich verfolgt.« Wenn ein Bieneneigentümer aufgibt, ist er kein Eigentümer mehr, und die Bienen dürfen sich von oben herab über ihn lustig machen. Wenn er aber nicht aufgibt, darf er ungestraft fremde Wohnungen und fremde Grundstücke betreten. Wundern Sie sich also nicht, wenn ein Haufen Bienen durch Ihre Wohnung schwärmt und gleich darauf ein Irrer Ihre Tür mit einer Motorsäge zerschreddert. Das wird sicher der Imker sein, der sein Eigentum verfolgt.

Mein Lieblingsbienengesetz war der Paragraph 963 des Bürgerlichen Gesetzbuches. Er hieß sehr deutsch »Wiedervereinigung von Bienenschwärmen«: »Vereinigen sich ausgezogene Bienenschwärme, so werden die Eigentümer zu Miteigentümern des Gesamtschwarms. Die Anteile sollen sie sich nach der Zahl der verfolgten Bienen sichern.«

Mit der Zeit wird jede Gesetzgebung unübersichtlich, weil so vieles und immer etwas anderes hier durch die Gegend schwärmt, und alles muss geregelt werden. Die Bienengesetze stammten noch aus der Zeit des Hungers. Damals lebten viele Menschen in

Deutschland vom Honig, den sie wahrscheinlich ihrer Rhabarbersuppe beimischten. Viele hielten sich Bienen zu Hause und im Garten. Die Bienen sammelten Nektar, machten daraus Honig, und die Menschen stahlen ihn und aßen ihn auf, oder sie verkauften ihn auf dem Markt als ihren eigenen, so als wären sie selbst von Blume zu Blume geflogen. Die Bienen bekamen dafür nichts oder höchstens billiges Zuckerwasser. Also versuchten sie ständig, sich vor den Menschen in Sicherheit zu bringen. Die Menschen verfolgten sie durch Wälder und Felder, die Bienen stachen, die Menschen rächten sich dafür, und auf beiden Seiten gab es viele Opfer. Und so entstanden die Bienengesetze, um den Honigklau zu legitimieren. Die meisten Gesetze werden ja geschrieben, um irgendwelche unzivilisierten Handlungen salonfähig zu machen. In gewisser Weise sind aber die Bienen selbst schuld, dass sie sich von den Menschen derart einspannen lassen. Bienen stehen in meinen Augen weit unten auf der Evolutionsleiter der Honigmacher, allein schon wegen ihrer Eigenart, stets in großen Schwärmen zu fliegen und sich immer den anderen unterzuordnen – diesen kollektivistischen Reflex, diese fatale Gruppendynamik kann ich nicht leiden.

Die Alternativlösung beim freien Nektarsammeln stellen für mich die Hummeln dar, sie sind die ambitioniertesten Sammler überhaupt. Die Hummel fliegt immer allein. Sie macht einen souveränen Eindruck. Und sie sieht viel besser aus als eine Biene. Ich habe guten Grund zu der Annahme, dass die Hummel bei den Honigproduzenten ganz oben auf der Evolutionsleiter steht. Eine volle Stunde beobachteten meine Tochter und ich eines Abends eine solche Hummel, die drei große Rosen in unserem Garten bestäubte. Die Hummel hielt zunächst vor der Rose einen Augenblick mitten in der Luft an und musterte sie. Da deren Blüte ihr anscheinend gefiel, landete die Hummel vorsichtig und verschwand mit lautem Summen im Inneren der Blume, die dabei deutlich an Gewicht gewann. Eine Weile war die Hummel nicht mehr zu sehen, man hörte sie nur. Die Rose schaukelte dabei wie von alleine auf und ab. Wenig später kroch die Hummel mit einem zufriedenen und zugleich besorgten Gesichtsausdruck heraus und sofort in die zweite Rosenblüte hinein. Diese schwankte noch heftiger, bis die Hummel ohne Pause die dritte Rose bestieg. Irgendwann konnte die Hummel nicht mehr summen. Ich glaube, sie konnte auch nicht mehr fliegen, so voll war sie. Sie plumpste vom Rosenstrauch einfach ins Gras und blieb dort liegen. Meine Tochter war derart beeindruckt, dass sie noch am selben Abend einen Hummelrap verfasste.

Hummelrap von Nicole:

Ich will eine Hummel sein,
Das ist so gemein,
Dass ich es nicht darf.
Denn sie ist so scharf,
Die kleine Hummel.
Spielt gern auf dem Rummel,
Sie fliegt im Regen,
Wird niemals nass,
Das finde ich krass.

Ich möchte gern eine Hummel sein,
Denn sie ist so scharf.
Das ist echt gemein,
Dass ich es nicht darf.

Einige unbekannte Fakten aus
dem Leben von Günther Grass

Was tun? Diese Frage, der sich jeder anständige Zivilist stellen sollte, erübrigt sich, wenn der Zivilist einen
Schrebergarten hat. Zumindest im Sommer wird er
dort alle Hände voll zu tun haben. Er könnte sogar
locker noch ein Dutzend weiterer Zivilisten in seinem
Garten beschäftigen, zum Beispiel bei der Johannisbeerernte, und damit die Arbeitslosigkeit in Deutschland tendenziell gegen null senken. Nur müssten in
diesem Fall die Gehälter und Sozialabgaben in Johannisbeeren statt in Geld erfolgen, und das könnte sich
der entwickelte Kapitalismus nicht leisten, weil man
Johannisbeeren zwar im Kühlschrank in einem Glas,

aber nicht bei einer Bank zu einem guten Zinssatz dauerhaft anlegen kann. Sollte die Johannisbeere aber jemals als Währung akzeptiert werden, dann wären wir Millionäre. Ich konnte mir früher überhaupt nicht vorstellen, wie viel Konfitüre an so einem kleinen Busch hängen kann. Dabei hatten wir »nur« vier Johannisbeerbüsche in unserem Garten abzuernten – einen Busch mit roten Beeren und drei mit weißen, von denen wir dummerweise am Anfang dachten, sie würden auch irgendwann einmal rot. Erst nach wiederholten Hänseleien unseres Nachbarn, der mich mit den Worten »Warten bringt nix« und »Weißer werden sie nicht« blamierte, wurde mir klar, dass es sich hierbei um eine spezielle Johannisbeersorte handelte, die in Russland äußerst selten ist.

Die weiße Johannisbeere schmeckte gut und war zehnmal fruchtbarer als ihre rote Schwester. Dort, wo bei der roten fünf Beeren hingen, hatte die weiße gleich zwanzig. Mit einer solchen Riesenernte waren wir überfordert, uns war klar, dass wir es zu zweit nicht schaffen würden. Drei Tage hatten Olga und ich für einen einzigen Busch gebraucht, und danach war er noch immer nicht leer. Wir riefen unsere Freunde an, auch meine Eltern kamen, um uns zu helfen, und die Kinder bekamen ebenfalls kleine Körbchen in die Hand gedrückt, die sie mit Beeren füllen sollten. Unseren anfänglichen Traum vom »Grillen im Schatten der Bäume« mussten wir komplett bis auf das Ende der Ernte verschieben, aber dieses Ende war nicht abzusehen. Nicht einmal unsere Gartenmöbel kamen so recht zum Einsatz, da wir rund um die Uhr arbeiteten. Tagsüber sammelten wir die Beeren, abends verarbeitete meine Frau die Beute zu Johannisbeerkonfitüre, die wir angeblich »für die langen Winterabende« brauchten, wie Olga mir erklärte. Ich fühlte mich etwas bedroht von dieser Konfitüre. Ich hatte bis jetzt, wenn überhaupt, nur ab und zu Orangenkonfitüre gegessen.

Die großen und kleinen Gläser mit hausgemachter Johannisbeerkonfitüre beanspruchten immer mehr Platz in der Küche. Der Küchenschrank war schnell voll, bald fand ich die Gefäße in meinem Arbeitszimmer unter dem Tisch, im Bücherregal und auf dem Balkon. Die ganze Wohnung versank langsam, aber unaufhaltsam in Johannisbeerkonfitüre – wie die Titanic im Nordatlantik.

»Das ist nur für kurze Zeit, bis ich den richtigen Platz für unsere Vorräte gefunden habe«, meinte meine Frau, als ich ihr meine Angst vor dem Konfitüreberg offenbarte.

Auf jeden Fall besaßen wir mit unseren Vorräten ungefähr einen Liter Johannisbeerkonfitüre pro Winternacht. In Anbetracht dieser Masse bereitete ich mich auf extra lange Winternächte vor. Dabei war die

Johannisbeere nur eine Ouvertüre. Auf uns warteten noch Kirschen, Pflaumen und Äpfel, die mir bereits laufend auf den Kopf fielen. Ich hoffte, ein solcher Apfelaufprall würde mich auf eine Idee bringen, wie wir diese ganzen Früchte bewältigen könnten.

Die Natur schien im Juli völlig aus dem Häuschen zu geraten, wahrscheinlich wegen der Hitze. Alles blühte. Jedes noch so bescheidene Gewächs, das wir für Unkraut gehalten hatten, brachte auf einmal exotische Blumen von noch nie gesehener Schönheit hervor. Als Letztes blühten sogar die Brennnesseln oder das, was ich für Brennnesseln hielt. Im ewigen Schatten hinter unserer Laube gingen diese Pflanzen in gelben und roten Blumen auf. Vor dem schwarz verwitterten Hintergrund der Laube sah dieses vom Gärtnergott willkürlich angelegte Beet ein bisschen wie die deutsche Nationalflagge aus. Neben dieser leicht im Wind schwankenden Fahne war noch eine zweite Portion Rhabarber nachgewachsen, die Gott sei Dank auch hierzulande als nicht essbar galt. Meine Nachbarn wiesen mich mehrmals darauf hin, dass ich unter keinen Umständen den leckeren zweiten Rhabarber essen dürfe. Giftig sollte er sein und ungesund. Ich aß den zweiten Rhabarber trotzdem, ohne Rücksicht auf diese Warnungen, einfach so aus Neugier, und möchte Ihnen hiermit mitteilen: Der zweite Rhabarber schmeckt genauso wie der erste. Null Unterschied, nix, nada.

Wie soll man uns Menschen verstehen? Ein Leben lang erschaffen wir uns immer neue Illusionen, nur um sie später zugunsten anderer Illusionen als falsch zu entlarven und beiseitezutun. Und Gärtner sind mit Abstand die komischsten Vögel unter den Menschen. Mal gießen sie ihre Pflanzen trotz Hitze nicht, nur weil im Internet unter *www.wetter.de* Regen angekündigt wurde. Und manchmal bewässern sie ihre Gartenanlagen unter einer Regenwolke stehend, weil der Wetterfrosch von der *Tagesschau* »sonnig und trocken« versprochen hatte. Sie finden den ersten Rhabarber lecker, und den zweiten verschmähen sie. Sie gucken Fußball bis zum Umfallen, hissen deutsche Fahnen in ihren Vorgärten und sehen in ihren Jogger-Klamotten trotzdem total unsportlich aus.

Die Johannisbeerernte wurde von der Fußballweltmeisterschaft überschattet, die dieses Jahr ausgerechnet in Deutschland stattfand und deswegen die Menschen hier besonders elektrisierte. Mit jedem Spiel wurde die Kneipe im Vereinslokal voller. Besonders wenn Deutschland spielte, musste man mindestens eine halbe Stunde früher kommen, um überhaupt noch einen freien Platz zu ergattern. Ich bat meinen Laubennachbarn Günther Grass, einen Stuhl für mich zu reservieren. Er sagte nicht Nein. Fußball verbindet, und so nutzte ich die Gelegenheit, um meinen spöttischen Nachbarn besser kennenzulernen.

Für die Zeit der WM, vom ersten deutschen Sieg bis zum Ausscheiden im Halbfinale, vernachlässigte Günther seine drei Nadelbäume gänzlich, er klebte nur noch im Vereinslokal vor der Glotze. Nachdem Deutschland Polen besiegt hatte, drehte er sich zu mir um und sagte: »Bald kriegen wir auch Schlesien zurück!«, dabei lächelte er so gemein, als hätte er etwas gegen Polen.

Wie die meisten Ur-Berliner stammte Günther Grass eigentlich aus Görlitz und gab sich gern nach außen als Arschloch, war aber in seinem Inneren ein netter, hilfsbereiter, sentimentaler und etwas verklemmter Frührentner mit einer komplizierten Biographie und einem gebrochenen Herzen. Mit jedem Spiel, das wir zusammen ansahen, gewann ich neue Erkenntnisse über ihn und konnte mir auf diese Weise ein mehr oder weniger zusammenhängendes Bild machen. Denn manchmal kam er mir ziemlich unheimlich vor, wie er in seinem Garten wirtschaftete, immer allein und immer in einem frisch gebügelten langarmigen Hemd: blaue Streifen auf weißem Grund.

Weil Günther Grass gleich nach dem Krieg in Görlitz, einer Stadt an der polnischen Grenze, geboren worden war, nannte er sich ironisch einen »Vertriebenen«. Er ging als Jugendlicher nach Berlin, machte eine Lehre im Bereich Maschinenbau, wohnte in

Oberschöneweide und baute dort bis zur Wende Maschinen. Als die Deutschen gegen Argentinien spielten, rief er: »Ich habe dem Klinsmann schon immer gesagt, dass er sich nicht mit einem Tor Vorsprung zufriedengeben soll!«, und drohte dem Fernseher mit der Faust.

Günther war Single, war aber einmal beinahe verheiratet gewesen. Vielleicht wäre er heute ein glücklicher Familienvater mit zehn Kindern, wäre nicht damals der Westen dazwischengekommen. Zwar fieberte Günther Grass mit der deutschen Nationalmannschaft mit, aber mit den Wessis war er noch lange nicht versöhnt. Der Westen hatte ihm nicht nur seine Heimat und seinen Job, sondern auch noch die Frau, die er liebte, geraubt. Diese hatte einen Elternteil, ihren Vater, im Westen – in Villingen-Schwenningen – und sich damals überlegt, mit Günther zusammen dorthin zu ziehen. Sie hatte dafür einen entsprechenden Antrag gestellt und auch die Ausreiseerlaubnis bekommen. Doch Günther kniff. Nicht, weil er ein DDR-Patriot gewesen wäre, er hatte einfach Angst vor Villingen-Schwenningen. Er sah dort für sich als ostdeutscher Maschinenbauer keine Zukunft. Er stellte die Frau vor die Entscheidung: er oder Villingen-Schwenningen. Nach einer schlaflosen Nacht voller seelischer Qual entschied sich seine Liebste für Villingen-Schwenningen. Und Günther blieb in Oberschöneweide sitzen – allein.

Zur Zeit der Wende betätigte sich Günther als Politiker, das heißt, er ging zu den Versammlungen des Bürgerlichen Aufbruchs und ähnlicher Vereine. Er selbst sagte über sein damaliges politisches Engagement: »Ick saß damals mit Merkel auf einem Stuhl.« Als Politiker vertrat Günther die Ansicht, man müsse die Mauer nicht gleich öffnen und die DDR nicht sofort an die CDU verkaufen, sondern langsam, Stück für Stück, um beide Seiten einander anzugleichen, als Prozess der gegenseitigen Durchdringung, der auf circa fünfhundert Jahre angelegt war. Es war ein kluger Plan, der vielen Ostdeutschen viele Unannehmlichkeiten erspart hätte. Leider fand Günther dafür nicht die notwendige Mehrheit. Während er noch diskutierte, haute die Mehrheit schon über den Zaun ab. Die Hastigen konnten auf dieser Strömung mitschwimmen, die Nachdenklichen gingen unter. Merkel wurde Ministerin, später Bundeskanzlerin, Günther wurde Frührentner und Kleingärtner. Merkel saß nun fröhlich in der WM-VIP-Loge und schaute aus nächster Entfernung zu, wie die Deutschen den Argentiniern einen Elfmeter nach dem anderen reindonnerten. Günther saß im Vereinslokal und ärgerte sich über alle Maßen, wenn Merkel auf der Tribüne zu sehen war. Einmal, erzählte er, gleich nach ihrer Wahl zur Kanzlerin, sei ihm der Kragen geplatzt – er schrieb ihr einen Brief mit einer bitterbösen, aber präzisen Analyse ihrer Politik, die nur von Hast und Eigennutz getrieben sei und über die Leichen anderer Politiker führe. Sie schrieb ihm nicht zurück. Irgendwann nach der Wende, Mitte der Neunzigerjahre, unternahm Günther eine Reise. Er fuhr nach Villingen-Schwenningen, wo der Ehemann seiner früheren Geliebten ihm prompt hundert Mark in die Hand drücken wollte. Seitdem ist er nur noch mit seinen Bäumen befreundet. Sie werden ihm allein schon aus natürlichen Gründen niemals abhandenkommen.

Nach dem Sieg im Viertelfinale führten wir beide ein einfühlsames Gespräch über das Leben an sich. Nach dem sechsten Bier wurde Günther zunehmend poetischer. So sagte er zum Beispiel, er fühle sich »wie Moby Dick«, wobei er wohl nicht die viele Flüssigkeit meinte, die er geschluckt hatte, sondern die Einsamkeit des großen Walfisches. Unser Austausch endete abrupt, nachdem die Italiener die Deutschen aus der WM gekickt hatten. Günther gab daraufhin keinen Ton mehr von sich und schaute so grimmig, als wäre ich an dieser Niederlage schuld gewesen. Wahrscheinlich lag es daran, dass ich mich als Einziger in dem Vereinslokal über die Niederlage gefreut hatte. Jetzt hielt er mich für einen Feind Deutschlands. Aber ich war einfach des Patriotismus müde geworden.

Am Anfang hatte mir diese WM großen Spaß gemacht. Die geographischen Kenntnisse der Bevölkerung wuchsen ins Ungeheuerliche. Sogar meine Kinder kannten alle teilnehmenden Länder, konnten schon von Weitem eine japanische von einer südkoreanischen Flagge unterscheiden, wussten, wo Trinidad Tobago liegt und warum die Elfenbeinküste neuerdings auf Deutsch Côte d'Ivoire heißt. Sie kannten sogar den koreanischen Torwart mit vollem Namen dank ihrer Beschäftigung mit den italienischen Panini-Heften, in die sie Bilder von Fußballern mit sämtlichen Daten einklebten – Größe, Gewicht, Alter und so weiter. Die Bilder musste ich ihnen jeden Tag im Zeitungsladen kaufen, und wenn sie jemanden doppelt hatten, wurde in der Schule getauscht. Ich fand das Kaufen, Tauschen und Aufkleben von Jungs mit Körpermaßen in spezielle Alben zunächst leicht debil, war aber schnell mit Begeisterung dabei. Nicole hatte bald die ganze brasilianische Mannschaft zusammen, Sebastian fünf Klinsmanns, und alle Klassenkameraden von ihnen hatten Ruud van Nistelrooy doppelt.

Manchmal schien mir, diese WM würde womöglich nicht bloß einen Monat, sondern ein ganzes Jahr dauern. Es gab doch mehr als genug Länder auf der Welt, die Fußball spielen könnten, aber noch nie Weltmeister waren: Afghanistan, Taiwan, Vietnam ... Selbst wenn sie noch nicht Fußball spielen konnten, wäre das nicht schlimm. Die Holländer, Engländer und Brasilianer konnten es auch nicht immer, aber man mochte sie irgendwie trotzdem. Das ganze Jahr über würden Fernsehgeräte mal im Schnee und mal im Regen stehen, Stromkabel würden auf dem Pflaster kleben, Fahnen an Autos flattern, im Radio würde jeden Tag die Nationalhymne irgendeines Landes ertönen, und alle drei Monate wäre Deutschland Weltmeister. Spätestens nach einem Jahr hätten allerdings alle eine Klatsche. Deswegen verspürte ich große Erleichterung, als Deutschland gegen Italien verlor.

Zu diesem Zeitpunkt war das »Fußballfest« im Großen und Ganzen bereits vorbei. Man wusste schon, dass beim Finale in Berlin nicht Ghana gegen die Ukraine oder Brasilien gegen Argentinien spielen würde. Deswegen reisten viele Gäste in der Hauptstadt ab. Man sah kaum noch Touristen auf der Straße und keine Schlangen mehr vor den Fahrkartenautomaten der BVG. Die Berliner waren wieder fast unter sich, denn wer würde schon die Franzosen im Ernst als Fremde bezeichnen wollen? Von Portugiesen und Italienern ganz zu schweigen. In Prenzlauer Berg ist Französisch bei vielen überhaupt die zweite Muttersprache. Zumindest in meinem Haus erziehen zwei von vier Stockwerken ihre Kinder auf Französisch. Die Portugiesen bauten jahrelang eine neue Sparkassenfiliale bei uns um die Ecke und danach noch eine Grundschule nebenan. Sie bauten sie so lange, dass wir einige portugiesische Bauarbeiterlieder inzwischen auswendig kennen und Begriffe wie »hoch«, »runter« und »verdammt, mach die Augen auf« nur noch auf Portugiesisch sagen. Und ohne unsere Italiener wären wir schon längst verhungert, denn niemand außer ihnen und meiner Schwiegermutter kann in Prenzlauer Berg anständig kochen. Meine Schwiegermutter kommt nur zweimal im Jahr zu Besuch, die Italiener aber sind immer da.

Diese ganzen einheimischen Ausländer benahmen sich ziemlich ruhig, als ihre Mannschaft es bis ins Halbfinale schaffte. Nur die Deutschen drehten durch – ganz allein. Sie brauchten aber auch keine Begleitung auf ihrer Patriotismusstrecke, sie haben sich als ungeheuer dehnbar erwiesen und konnten die Fan-Meile in jeder Länge mit sich alleine füllen. Je weniger Gäste sich in Berlin aufhielten, desto größer wurde diese Fan-Meile, und immer mehr Straßen in Tiergarten wurden ihretwegen gesperrt. Dort feierten die Einheimischen sich selbst bis zur völligen Erschöpfung, beziehungsweise bis die Italiener sie endlich erlösten. War das eine späte Rache für den deutschen Papst im Vatikan, aber auch für die Ermordung des angeblich italienischen Bären Bruno? Der italienische Sieg kam auf jeden Fall zur rechten Zeit, denn noch eine Woche länger dieser ganze Fan-Spaß – das wäre nicht auszuhalten gewesen.

Noch nie waren der Sog der Masse und die dazugehörige Bewusstseinsmanipulation durch die Medien so deutlich sichtbar wie in diesen Tagen. Die Bevölkerung wurde so lange mit Fußball-Fernsehsendungen, Fußball-Leitessays, Fußball-Festen und Fußball-Liedern bombardiert, bis auch der letzte Frührentner glaubte, er persönlich stehe kurz davor, Weltmeister zu werden und damit der ungekrönte König auf diesem Planeten. Er brauche nichts weiter zu tun, als möglichst viele Fahnen an seinem Wagen zu befestigen, möglichst viel Bier zu trinken, viel Fernsehen zu gucken und stets die deutsche Nationalhymne mitzusingen, aber nur die dritte Strophe – dann wäre alles Banane.

Man merkte, dass sich viele Berliner durchaus an einen solchen Dolce-Vita-Lebensstil gewöhnen konnten, auch ohne Fußball. Ich habe Menschen gesehen, die wie Zombies an öffentlichen Orten weilten und Fernsehen schauten, selbst als die Spiele längst vorbei waren. Sie glotzten die Fußball-Talks, in denen die Zuschauer dem deutschen Torwart von 1968 telefonisch Fragen stellen durften, sie glotzten die Comedyserien und die Formel I. Durch die WM wurde Deutschland zu einem Fernsehquotenland. Sogar in unserer Schrebergartenkolonie saßen die Gärtner andauernd vor ihren kleinen Fernsehgeräten, statt zum Beispiel ihren zweiten Rhabarber zu ernten oder die Johannisbeeren, die dieses Jahr außerordentlich gut gediehen, aber größtenteils der WM zum Opfer fielen.

Nun war die WM jedoch vorbei. Schluss mit Fernsehen, raus aus der Kneipe, rein ins Leben! Es gibt Besseres zu tun, als Fußballweltmeister werden zu wollen! Zum Beispiel seine Lebensumstände zu verbessern, sich nach einer anderen Arbeit beziehungsweise nach einem (besseren) Lebenspartner umzuschauen, gegen die Gesundheitsreform zu protestieren, an einem Meditations-Workshop in Tibet teilzunehmen oder an den Wannsee zum Baden zu fahren.

Das alles wollte ich meinem Nachbarn Günther Grass sagen, überlegte es mir aber dann doch noch einmal und beschloss, es lieber aufzuschreiben.

Der kaukasische Garten

Ein Schrebergarten gleich neben der Wohnung bietet
jede Menge Spaß. Die Kinder können dort in einem
aufblasbaren Swimmingpool laut plätschern, zwar nur
von zehn bis dreizehn Uhr und nicht an Sonn- und
Feiertagen, aber immerhin. Die Frauen haben im
Garten die Möglichkeit, den ganzen Tag Blumen zu
gießen, bescheuerte Hüte zu tragen und kniffflige
Kreuzworträtsel zu lösen. Die Männer können sich in
extremen Sportarten an der frischen Luft erproben,
die Doktor Schreber sich nicht hätte besser ausdenken
können. Dazu gehören in erster Linie das Aufblasen,
Herumschleppen und anschließende Abblasen von
riesigen Gummiswimmingpools mit und ohne Kinder

darin. Zu den typischen Männerspielen gehören ferner das Reparieren der alten Stromleitung, das Klettern auf kleine Bäume und das Essen von unreifem Obst zu Bier. Ein solch vielfältiges Angebot an Unterhaltung kann kein Ibiza der Welt bieten. Doch unsereins fühlt sich erst dann im Urlaub, wenn er sich weit genug vom eigenen Wohnsitz entfernt hat. Deswegen machten sich mitten im Sommer, nachdem die Fußballweltmeisterschaft zu Ende gegangen war, die meisten Bewohner unserer Gartenkolonie vom Acker.

Die umweltbewusste Familie Kern mietete wie jedes Jahr für einen Monat ein so genanntes Haus in Schweden, eine *Ikea*-Holzhütte in einem schwedischen Biowald mit ökologisch sauberen Mücken und Internetanschluss. Sie luden ihre Fahrräder in einen großen Passat und fuhren los. Ich war mir sicher, dass sie auch die Fahrradhelme nicht vergessen hatten. Es ist bekannt, wie gefährlich ein schwedischer Wald für deutsche Touristen werden kann. Viele Menschen haben sich dort bereits durch Zusammenstöße mit Elchen und mörderischen Baumwurzeln auf den Radwegen verletzt. Für die Zeit ihrer Abwesenheit hatte Familie Kern einen professionellen Biogärtner damit beauftragt, sich um ihre Biokartoffeln und die anderen Pflanzen zu kümmern.

Frau Krause ließ ihren Garten, ihre Kinder und ihre Tiere in der Obhut der Großmutter und fuhr mit ihrem Mann wie jedes Jahr nach Italien, wahrscheinlich nach Palermo, um ihre internen Familienangelegenheiten zu klären. Wir aber wollten in diesem Sommer unseren Kindern endlich Russland zeigen. Eigentlich ist meine geliebte Heimat kein Reiseziel für Minderjährige. Dort werden weder Kaugummis produziert, noch laufen kinderfreundliche Mickymäuse durch die Gegend. Wenn Amerika ein ideales Land für verheiratete, gut versicherte Nichtraucher und Jogger um fünfundvierzig ist, bleibt Russland sein Gegenteil: ein begehrtes Reiseziel für ungebundene romantische Nichtjogger über fünfundvierzig, die auf Abenteuersuche sind. Würde man für Länder eine Altersbegrenzung wie für Kinofilme einführen, so läge Russland irgendwo in der Mitte: zugelassen ab zwölf in Begleitung eines Erziehungsberechtigten.

Unsere Kinder waren erst sieben und neun und beide in Berlin auf die Welt gekommen, dafür hatten sie jedoch russische Eltern. Im Hof, in der Schule, vor ihren Freunden und Nachbarn, bei jeder Gelegenheit prahlten sie damit, russische Kinder zu sein, ohne Russland auch nur einmal mit eigenen Augen gesehen zu haben. Das konnte auf Dauer nicht gut gehen. Unsere Kinder brauchten Insiderwissen, Eindrücke aus erster Hand. Außerdem dachte ich, sie würden uns Eltern besser verstehen, wenn sie sähen, wo wir hergekommen sind. Wir haben lange überlegt, welchen Teil

Russlands wir den Kindern als Erstes vorstellen sollten. Moskau eroberte gerade den Status »teuerste Stadt der Welt« und kam von daher nicht infrage. Man musste ein Scheich sein oder mindestens ein Großkapitalist, um Moskau genießen zu können. Meine letzte Reise vor zwei Jahren hatte mir bereits die letzten Illusionen bezüglich meiner Heimatstadt geraubt. Die Kluft zwischen Arm und Reich war dort unüberbrückbar, der Hass auf beiden Seiten umso spürbarer geworden.

In St. Petersburg, der Lieblingsstadt meiner Frau, fand gerade ein G8-Treffen statt, und fünfzigtausend zusätzliche Sicherheitskräfte blockierten die Straßen. Unsere Freunde erzählten uns, dass alle fünfzehn Meter als Fischer verkleidete Agenten der nationalen Sicherheit mit Zielfernrohren an ihren Angeln am Ufer der Newa stehen würden. Unser St. Petersburger Freund Alexander, der als Straßenfeger arbeitete und tatsächlich oft an der Newa angeln ging, fragte die Agenten, ob es nun verboten sei, während des G8-Treffens zu fischen. Erlaubt sei es schon, erwiderten die Agenten, sie rieten ihm jedoch zu seiner eigenen Sicherheit, nicht länger als fünf Minuten mit der Angel an einer Stelle stehen zu bleiben. Die ganze Stadt spielte verrückt. Globalisierungsgegner aus aller Welt hatten die Hotelpreise so in die Höhe getrieben, dass selbst in einer Jugendherberge kein Bett unter hundertfünfzig Dollar mehr zu haben war. Man rechnete in St. Petersburg mit einem heißen Sommer. Man erwartete Demonstrationen, gemeinsame Pressekonferenzen, heiße politische Debatten und kühl geplante Attentate, mit denen Millionen Menschen jeder Hautfarbe und jeder Glaubensrichtung ihre Hoffnungen auf eine bessere Welt verbanden. Mit einem Wort: Man rechnete dort mit allem, außer mit uns.

In den anderen russischen Großstädten hatten wir weder Freunde noch Verwandte, abgesehen von Odessa, wo mein schwuler Onkel mit seinem Freund, einem arbeitslosen Opernsänger, in einer Ein-Zimmer-Wohnung zusammenlebte. Diese schrille Verwandtschaft war ganz amüsant, aber irgendwie doch nichts für kleine Kinder, außerdem zählte Odessa nicht mehr zu Russland.

Übrig blieb eine volkstümliche Erkundungsreise zu meiner Schwiegermutter, die auf der nördlichen Seite der gewaltigen kaukasischen Gebirgskette in einem großen Schrebergarten wohnt. Sie hat ein Steinhaus und Tomatenbeete, Pflaumen und Aprikosenbäume, einen Teich mit Fischen, eine russische Sauna und einen Schießstand im Garten. Wir hätten bei ihr eigentlich jedes Jahr unseren Urlaub verbringen können, taten es aber bisher nicht. Nur vor zehn Jahren sind wir einmal zu meiner Schwiegermutter in den Kaukasus gefahren, danach nie mehr. Der Grund dafür war meine damalige Arroganz gegenüber dem dörflichen Leben, meine völlig übertriebene Angst vor kaukasischen Blutsaugern und tschetschenischen Terroristen sowie meine niederträchtige Kniefälligkeit vor der Großstadt. Nur in den Metropolen kommt das Kulturelle eines Landes zum Ausdruck, so dachte ich. Neue Filme, Theaterinszenierungen, das Konzert der Lieblingsband, gute Restaurants und anregende Gespräche – das waren für mich die Verlockungen einer Großstadt, nicht eines Dorfes. Viele Jahre mussten vergehen, viele Konzerte und Theateraufführungen besucht und viele anregende Gespräche geführt werden, um zu erkennen, dass die zeitgenössischen Metropolen mit ihren vorgetäuschten Leistungen, ihrem Flitter und Glitter für ein G8-Treffen perfekt sein mögen, als Hort der Schönheit und des Geistes aber nicht taugen. Jetzt, nachdem wir die Liebe zum Leben in der Natur entdeckt hatten, stand unser Entschluss fest: Wir wollten Urlaub im kaukasischen Garten meiner Schwiegermutter machen. Was die übrige Unterhaltung betraf: Meine Schwiegermutter kann kochen und singen – was will man mehr?

In der Regel besuchte sie uns im Winter, wenn sie im eigenen Garten nichts mehr zu tun hatte. Nur vor ein paar Jahren machte sie einmal eine Ausnahme und kam im Sommer nach Berlin. Sie brachte Wein und hausgemachte Konfitüre mit. Der Wein aus dem Nordkaukasus ist ein besonderes Getränk – durchsichtig wie Wasser und stark wie Wodka. Eigentlich ist er eher Wodka als Wein. Man bekommt von ihm schnell weiche Knie, behält aber einen klaren Kopf.

Wir sprachen über die allgemeine Situation im Nordkaukasus. Sie war wie immer kompliziert. Die südliche Seite der kaukasischen Gebirgskette ist der Welt besser bekannt als die nördliche. Auf der Südseite leben Georgier, Abchasen und Aserbaidschaner. Auf der nördlichen Seite leben weitere fünfundachtzig Nationen, bei denen Dolche und kleine Handfeuerwaffen traditioneller Bestandteil der nationalen Tracht sind. An der nördlichen Seite der kaukasischen Gebirgskette leben in friedlicher Koexistenz Dagestaner, Cherkessen, Balkaren, Osetinen, Inguschen, Tschetschenen und die Bewohner der autonomen Republik Adigei mit der Hauptstadt Maikop. Meine Schwiegermutter wurde in Grosny, der Hauptstadt Tschetscheniens, geboren. Damals lebten dort mehr Russen als Tschetschenen, und Letztere teilten sich obendrein in Flachlandtschetschenen und Bergtschetschenen, wobei die Bergbewohner als temperamentvoll, die Flachländler eher als verhalten galten. Sie wurden erst aggressiv, wenn sie auf die Bergbewohner trafen. An diesem Beispiel sieht man, wie kompliziert das kaukasische Leben ist. Dort kennt jeder den hohen Preis des Friedens, der umso wertvoller wird, je zerbrechlicher er ist.

Die Menschen dort zünden schnell etwas an, sie singen und tanzen gern. Meine Schwiegermutter hat eine gute Stimme, aus ihr hätte eine tolle Sängerin werden können, aber in Grosny gab es dafür keine Ausbildungsstätten, nur ein Öl- und Gas-Institut. Deswegen ist sie auch Geologin geworden.

Vor zehn Jahren war ich zum ersten Mal selbst in den Nordkaukasus geflogen. Es war ein offizieller Besuch mit dem Zweck, mich der Familie meiner Frau vorzustellen. Die Bekanntschaft mit meinen zahlreichen Onkeln und Tanten blieb meiner Frau dagegen erspart. Fast alle meine Verwandten sind aus der Sowjetunion ausgewandert, als ich noch in Moskau in den Kindergarten ging. Auf der Suche nach einem besseren Leben verließen sie nacheinander ihre Heimatorte, ohne meinen Eltern auf Wiedersehen zu sagen, und fuhren nach Australien, Amerika, Kanada oder Israel. Die meisten habe ich selbst nie kennengelernt, und ihre Auswanderergeschichten bekam ich erst viel später zu hören.

Die Verwandten meiner Frau dagegen sind alle dort geblieben, wo sie geboren wurden – im Nordkaukasus. Selbst als sie aus Grosny fliehen mussten, sind sie nicht weit gefahren. Sie ließen sich in einem Tal zwischen den fünf wichtigsten Bergen der Region nieder. Diese allein stehenden Berge, auch Lakkolithen genannt, sind eine Seltenheit. Man sagt, sie könnten unter Umständen Radioaktivität ausstrahlen. Das Tal meiner Schwiegermutter ist von vier solchen Bergen umgeben. Sie heißen Smeika (Schlangenberg), Raswalka (Kaputter Berg), Schelesnaja (Eiserner Berg) und Beschtau (Beschtau). Früher gab es noch einen fünften – den Kinschalnaja (Dolchberg). Dieser Berg, so munkelt man, hatte eine so starke magnetische Anziehungskraft, dass er sogar Flugzeuge anziehen und dadurch den Flugverkehr in der Region behindern konnte. Beinahe jede Woche knallte eine Maschine gegen den Dolchberg. Nachdem man ihn aber vor fünfzehn Jahren auseinandergenommen und aus den Steinen einen wunderschönen Park in Patigorsk gemacht hatte, gab es so gut wie keine Flugzeugabstürze mehr. Der Park ist sehr beliebt und zieht selbst an Werktagen unglaublich viele Menschen an.

Am Horizont hinter den fünf Bergen sind weitere Berge zu sehen, und beinahe jeder hier hat seinen Lieblingsberg sowie eine mit diesem Berg verbundene Geschichte. Die ausländischen Bergsteiger mögen den Elbrus, weil er sehr hoch ist. Für die Einheimischen ist der Berg Maschuk wichtiger, weil sich an seinem Fuß der große russische Dichter Lermontow vor hundertfünfzig Jahren zu Tode duellierte. Im Alter von siebenundzwanzig Jahren von einer Kugel im Kaukasus zu sterben, das machte Lermontow zur absoluten Nummer zwei im Klub der toten russischen Dichter, zum

117

großen Helden und Romantiker. Obwohl etliche seiner Freunde meinten, Lermontow wäre selbst schuld gewesen, er hätte die Ehre einer Dame beleidigt und sich auch sonst aus Langeweile und Liebeskummer sehr aggressiv verhalten. Jeder anständige Mensch hätte ihn auf der Stelle erschossen. Vielleicht war es also mehr ein versteckter Selbstmord. Auf jeden Fall ist der Ort dieses Duells an allen Ausfahrten ausgeschildert und mit einem Denkmal versehen.

Wenn man von Lermontows Denkmal zehn Kilometer Richtung Norden fährt, trifft man exakt auf die Kosakensiedlung, in der meine Schwiegermutter wohnt. Die Siedlung ist relativ neu und erst seit zwölf Jahren von der Gebietsverwaltung als solche anerkannt. Die Postanschrift lautet »Stawropolsky-Bezirk, Mineralowodski-Bezirk, Dorf Borodinowka, Steppenpiste Haus 3«. Der Name der Straße wurde in unendlichen Diskussionen geboren, an denen alle Straßenbewohner teilnahmen. Es war nicht leicht, den richtigen Namen für die eigene Straße zu finden, noch dazu einen, der allen gefiel. Modern sollte der Name klingen, anspruchsvoll und optimistisch. Nach monatelangen Debatten und so verrückten Vorschlägen wie »Unter den Birken« oder »Kaukasusboulevard« einigten sich die Kosaken auf »Steppenpiste«. Anfangs lachte sogar der Briefträger über diesen sportlichen Titel. Inzwischen haben sich aber alle an ihn gewöhnt.

Seit der Anerkennung der Adresse vor zwölf Jahren schrieb meine Frau Briefe an ihre Mutter. Der nordkaukasische Briefträger musste, um diese Briefe auszuhändigen, über den Schlangenberg laufen. Die Briefe kamen trotzdem stets überpünktlich an. Wahrscheinlich weil sich der Briefträger seiner Bedeutung als Weltnachrichtenübermittler bewusst war. Mit den Briefen aus Deutschland in der Tasche bildete er sich ein, an wichtigen Verhandlungen zwischen den beiden Ländern auf diese Weise mitzuwirken. In Wirklichkeit ging es in den Briefen hauptsächlich um Geschenke.

Außer meiner Schwiegermutter wohnten in der Steppenpiste noch ihr Bruder Georgij Ivanowitsch mit seiner Frau und ihren zwei Töchtern Marina und Tatjana. Die jungen Cousinen meiner Frau machten sich wegen der fehlenden Heiratsmöglichkeiten große Sorgen. Ihrer Ansicht nach befanden sie sich gerade in einem höchst kritischen Alter: Tatjana war einundzwanzig, Marina ganze dreiundzwanzig Jahre alt. Und es mangelte nicht nur in der Steppenpiste, sondern auch in den umliegenden Dörfern an jungen Männern. Viele waren nach dem Armeedienst nicht hierher zurückgekehrt. Selbst in der nahe liegenden Stadt Patigorsk (Fünfberg) konnte man die Jungs, die für eine ernsthafte Beziehung in Frage kämen, an einer Hand abzählen. Die Cousinen gingen also einmal in der Woche auf Liebesjagd, wozu sie mit dem Zug zur

Disko in die Stadt fuhren. Die Konkurrenz dort war allerdings sehr groß. Man musste sich schon tierisch viel einfallen lassen. Einmal lernten sie in der Diskothek zwei nette junge Polizisten kennen, die gute Manieren und sogar einen Dienstwagen hatten. Die Jungpolizisten brachten die Mädchen abends nach Hause zurück und wollten kurz auf ein Glas Schnaps mit ins Haus kommen. Aber in dem Augenblick, als sie ausstiegen, trat Georgij Ivanowitsch mit seinem Gewehr aus der Tür und verjagte die Kavaliere – für immer.

Die Cousinen beschwerten sich deswegen in ihren Briefen an uns über die Herzlosigkeit ihres Vaters, der »null Verständnis« für ihre Nöte und Sorgen und »keinen Schimmer« von den modernen Sitten hatte. Wiederholt baten sie uns um Hilfe: »Schickt uns bitte ausgefallene Klamotten, Röcke und Blusen, modische Stiefel und Hosen in verschiedenen Farben, nur bitte nicht so einen Quark wie Dolce&Gabbana oder Calvin Klein.« Das war eine sehr seltsame Bitte. Vor zehn Jahren gab es noch einen Direktflug von Berlin nach Mineralnie Vodi, der inzwischen jedoch mangels Passagieren gestrichen wurde. Bevor wir uns die Tickets für den fünfstündigen Flug kauften, fragten wir noch den Rest der Familie, was sie für Geschenke haben wollten. Die Antwort kam schneller als erwartet: Georgij Ivanowitsch wünschte sich einen neuen Motor für seinen Betonmischer und Munition für zwei deutsche Maschinengewehre, die er in Patigorsk auf dem Markt für ein Dutzend Glasfenster eingetauscht hatte. Meine Schwiegermutter erbat sich ein Brunnenbohrgerät und einen Transformator für einen Elektroheizkessel. »Bringt uns außerdem tolles Parfüm, bunten Modeschmuck, legere Handtaschen und abgefahrene Unterwäsche«, schrieben die Cousinen, »aber wie gesagt: bloß nichts von D&G, Gucci oder Christian Dior.« Diese Geschenkwünsche bereiteten uns großes Kopfzerbrechen. Die nordkaukasische Konsumwelt schien eine ganz andere als in Deutschland zu sein. Zumindest bei uns in Berlin lebten die Menschen anders, bescheidener: Sie waren hier nicht so auf Betonmischer und Brunnenbohrer fixiert und in der Regel mit ein paar Gummibärchen durchaus zufriedenzustellen. Die wiederholten Anspielungen der Cousinen auf Designerklamotten verstanden wir als kodierte Botschaft: Wir sollten nicht zu viel Geld für die Geschenke ausgeben und dafür möglichst viele verschiedene Sachen mitbringen, damit die beiden Mädchen auf Dauer in der Patigorsker Disko Eindruck schinden konnten.

Mit zwei Koffern voller Geschenke bestiegen wir schließlich das Flugzeug Berlin – Mineralnie Vodi. Außer uns saß kein Mensch in der Maschine. Als wir in der Luft waren, kam der Pilot zu uns nach hinten, trank ein Bier nach dem anderen und erzählte uns Geschichten aus seinem Pilotenleben. Danach wollte er alles über unser Leben in Berlin wissen. Auf meine Frage, ob es nicht gefährlich sei, die Pilotenkabine während des Fluges zu verlassen, lachte er nur bitter und erklärte uns, dass die Flugzeuge schon lange von Automaten geflogen wurden. »Mit einem Flugzeug ist es wie im Bett«, meinte er. »Du musst die Maschine hoch- und dann wieder herunterkriegen, alles andere passiert automatisch.« Seine Worte beruhigten mich, und ich erzählte ihm ausführlich von unserem Berliner Leben. Danach nahm der Pilot seinen Arbeitsplatz wieder ein. Die Landung war schnell und schmerzlos. Aus den Bullaugen links und rechts sah man große Berge. Draußen hatte es dreißig Grad, auf den Bergen aber lag noch Schnee.

Georgij Ivanowitsch wartete bereits zusammen mit meiner Schwiegermutter vor dem Flughafen mit seinem Opel auf uns. Auf der Fahrt durch das Städtchen erzählte er uns von seinen Bauplänen: Er wollte die Siedlung in eine Kleinstadt verwandeln: »Als Erstes brauchen wir dazu eine Autobahn von der Steppenpiste nach Patigorsk, dafür müssen wir aber Tunnel durch einige Berge bauen. Die Administration des Bezirks ist daran durchaus interessiert. Es werden bereits Gespräche darüber geführt«, erklärte er uns. Außerdem wollte Georgij Ivanowitsch ein Schwimmbad mit Mineralwasser aus natürlichen Quellen, mit einer russischen Sauna, einem Teich zum Karpfen angeln und einem Schießstand hinter dem Haus errichten.

»In ein paar Jahren werdet ihr die Gegend hier nicht mehr wiedererkennen«, meinte er. »Überall werden Asphalt, Beton und Glas in der Sonne blitzen. Wir werden Gaststätten und Geschäfte eröffnen, es wird ein richtiger Kurort hier entstehen.« Der Onkel meiner Frau war ein großer nordkaukasischer Patriot.

»Und was ist mit dem Krieg?«, fragten wir ihn. In Tschetschenien ging der Krieg weiter, und wir waren gar nicht weit von der tschetschenischen Grenze entfernt.

»Davon kriegen wir hier gar nichts mit. Das ist doch zweihundert Kilometer weit weg«, beruhigte uns der Onkel. »Die Terroristen haben im letzten Jahr nur einmal den Patigorsker Bahnhof in die Luft gesprengt. Der war aber ohnehin schon so alt, dass wir ihn längst selbst hätten abreißen müssen. Nun wird ein neuer moderner Bahnhof gebaut. Eigentlich ist es bei uns viel ruhiger als in Moskau«, erzählte der Onkel weiter. »Hier leben Menschen aus fünfundachtzig Nationen eng zusammen, und alle sind bis an die Zähne bewaffnet. Wir sind allein schon dadurch auf den Frieden angewiesen.«

Patigorsk wirkte tatsächlich sehr ruhig. Die Straßen waren voller flanierender Familien, alle festlich gekleidet. Die Sonne schien, und die fünfundachtzig Nationen nutzten das gute Wetter. Der Onkel machte im Zentrum einen kurzen Halt, um uns den Zoo zu zeigen und außerdem ein paar Kisten Bier zu kaufen. Der Zoo war klitzeklein, die Vielfalt der Fauna quasi auf ein Kamel reduziert. Es lag in einem Sandkasten und träumte. Rund um sein Gehege standen die jungen Bewohner der Stadt und betrachteten es aufmerksam. Uns fiel dabei auf, dass jeder zweite Hosen und T-Shirts trug, auf denen in großen Buchstaben »D&G« oder »Gucci« oder ganz etwas Ausgefallenes wie »Chanel N°5« stand. Jetzt wurde uns klar, was die Cousinen in ihren Briefen gemeint hatten: Der ganze Nordkaukasus trug nur italienische und französische Modeartikel aus heimischer Produktion, wobei die Markennamen manchmal falsch geschrieben waren. Sogar Gummistiefel von italienischen Modedesignern entdeckten wir. Meine Frau und ich fanden das abgefahren und lachten darüber.

Zu unserem Empfang hatte die Verwandtschaft eine große Party im Garten organisiert und dazu die ganze Steppenpiste eingeladen. Nachdem zwei Fässer des selbst gemachten Weins geleert waren, wollte Georgij Ivanowitsch wissen, was wir an der kaukasischen Mode so komisch fanden.

»Im Westen sind es die teuersten Modemarken, und hier laufen sogar die Kühe mit Calvin Klein durch die Gegend«, erklärten wir ihm. »Wer macht sich nur die

Mühe, auf diese ganzen selbst gestrickten Klamotten Modelabels zu nähen? Und wozu? Man sieht doch sofort, dass sie nicht echt sind.«

»Woher wollt ihr wissen, dass unser Calvin falsch und eurer echt ist?«, philosophierte der Onkel. »Unser Calvin ist sehr gut, er ist die beste Heimatmarke, die es im ganzen Kaukasus gibt. Ich weiß nicht, wie eure Calvin-Klein-Sachen sind, aber unsere halten ewig. Meine Stiefel zum Beispiel sind auch von Calvin Klein. Mit denen gehe ich auf den Bau, mische Zement, laufe durch jeden Matsch und Dreck. Drei Jahre habe ich sie schon, und sie sind immer noch wie neu.«

Die anderen Gäste gaben dem Onkel Recht. Wir widersprachen nicht und tranken fleißig weiter mit unseren Gastgebern: auf die internationale Freundschaft, auf den Frieden auf Erden und auf die nordkaukasische Qualitätsware von Hugo Boss und Calvin Klein. Wir erwarben sogar selbst einige Sachen. Ich Schuhe und Weste, meine Frau ein paar Stiefel und ein Kleid. Tatsächlich, die Sachen hielten ewig.

Inzwischen waren zehn Jahre vergangen. Der direkte Flug Berlin – Mineralnie Vodi war wie gesagt längst gestrichen, angeblich, weil es zu wenig Bergsteiger in Berlin gibt. Mich wunderte das nicht: Berlin ist, abgesehen von den vielen Joggern, eine ziemlich unsportliche Kneipenstadt. Für die Zeit unserer Abwesenheit haben wir unseren alten Freund Thomas beauftragt,

sich um unsere Katzen und vor allem um den Schrebergarten kümmern. Er sollte die Kirschen ernten
und sie zwecks Verarbeitung an meine Mutter weiter-
leiten. Meine Mutter hatte sich bereit erklärt, mit den
Kirschen aus unserem Garten meine Lieblingskonfitüre zu kochen. »Ich bin doch in einem Schrebergarten groß geworden, so ein Garten ist doch das Schönste, was es gibt!«, freute sich Thomas. Wir beeilten uns,
ihm die Schlüssel vom Gartentor in die Hand zu drücken, bevor seine Kindheitserinnerungen erloschen,
und flogen nach Mineralnie Vodi, mit einmal Umstei-
gen in St. Petersburg.

Mit uns flog eine Gruppe englischer Bergsteiger,
laute, bärtige Männer über vierzig, die so viel Ausrüstung trugen, als wollten sie nicht für eine Woche in den
Kaukasus, sondern für immer. Rucksäcke, große und
kleine Täschchen, dicke Mützen, Karabiner als Amu-
lette, Tattoos zur Erinnerung an in den Bergen verstorbene Freunde sowie Sonnenbrillen, die ihre Farbe
von alleine änderten – dieser ganze Kram wurde unter Aufsicht eines russischen Gruppenführers namens
Wasilij transportiert. Wasilij selbst hatte nur eine D&G-
Handtasche dabei. Uns erzählte Wasilij, er hieße in
Wirklichkeit Valerij, aber die Engländer könnten seinen richtigen Namen nicht aussprechen. Die Gruppe
sollte in fünf Tagen den Elbrus besteigen und dann
per Hubschrauber zu ihrem Aufenthaltsort, dem Hotel

Bergsteigerhütte, gebracht werden. Der falsche Wasilij erzählte uns außerdem, warum der Bergtourismus in der Region seit Jahren stagnierte. Der Kaukasus schien Bergsteiger buchstäblich zu fressen. Jede Maschine, die im Flughafen Minaralnie Vodi landete, brachte eine Gruppe ausländischer Bergsteiger. Aber nur jede zweite Maschine, die in Mineralnie Vodi startete, brachte eine Gruppe ausländischer Bergsteiger wieder heraus. Eine plausible Erklärung für dieses Phänomen gab es nicht, obwohl einige Einheimische erzählt haben sollen, dass in Nord-Ossetien inzwischen ein ganzes Dorf mit ehemaligen Bergsteigern existierte, von denen viele einheimische Frauen geheiratet hätten.

Mir schien diese Geschichte nahe an der Wahrheit zu sein. Was macht einer im Westen, wenn er nicht mehr zu arbeiten braucht, die Frau alt und die Kinder erwachsen und weg sind? Er wird Bergsteiger. Er kauft ganz viel Ausrüstung, bucht im Internet einen Trip in den Kaukasus und bleibt dort hängen. Mein ehemaliger Nachbar in Berlin wurde vor vier Jahren einmal von ein paar alten Freunden zum Fischen nach Kroatien eingeladen. Seine Frau half ihm, die Tasche zu packen. Er fischt immer noch. In Russland sind die Frauen vorsichtiger, sie fahren zum Fischen immer mit.

Auch diesmal holte uns Georgij Ivanowitsch mit seinem Opel vom Flughafen ab. Vieles an seinem Haus

hatte sich geändert. Sie hatten in den vergangenen
zehn Jahren ein zwanzig Meter langes Stück Straße
vor dem Haus asphaltiert und den Swimmingpool zu
Ende gebaut. Sie hatten sogar Delphine auf den Boden des Swimmingpools gemalt, die leider wegen des
grünlichen, undurchsichtigen Wassers nicht zu sehen
waren. Und sie hatten den Pool mit einem Sprung-
brett ausgestattet, obwohl nur den Kindern das Springen erlaubt war. Sprang nämlich ein Erwachsener,
ergoss sich jedes Mal ein kleiner Tsunami über das
Grundstück des Nachbarn, dessen Garten gleich neben dem Pool, aber viel tiefer als dieser lag – eine
Panne, die den Nachbarn auf die Palme trieb. Auf
dem Grundstück der Nachbarn saßen nämlich kleine
Küken direkt neben unserem Schwimmbad, die nicht
nass werden durften. Onkel Georgij kämpfte dafür,
dass die Küken zwanzig Meter weiter umgesiedelt
wurden.

Zu seinen weiteren Errungenschaften zählte eine
selbst gebaute Holzsauna mit einer Gasheizung, die
innerhalb von Sekunden einen rohen Menschen in ein
gut durchgebratenes Steak verwandeln konnte. Ferner
eine Orangerie mit künstlicher Sonne, die bereits in
Betrieb war. Außerdem hatte Onkel Georgij seinen
grünen Opel Vectra, einen alten Fehlkauf, mit richtig
großen Rädern ausgerüstet, so dass er damit über jede
Piste fahren konnte. Onkel Georgij besaß einen Laden

an der Landstraße, in dem er Lebensmittel und Baumaterialien verkaufte. Dazu baute er noch eine Kantine, die wegen der hohen Qualität des Essens und der
niedrigen Preise in der Umgebung schnell sehr beliebt
war. Sie galt als eine Art Geheimtipp unter den Einheimischen. Weizenbauern, Polizeiposten und Verwal-
tungsbeamte aus den nahe liegenden Dörfern aßen
dort zu Mittag.

Natalia, die Frau von Onkel Georgij, kochte in der
Kantine. Die jüngere Cousine Tatjana hatte inzwischen einen Alexej aus der Stadt geheiratet. Sie hatten
eine für russische Verhältnisse bilderbuchmäßige Beziehung hinter sich. Die beiden hatten sich in einer
Disko in Patigorsk kennengelernt. Sie hat dann zwei
Jahre auf ihn warten müssen, während er seinen Dienst
in der Armee absolvierte. Der Armeedienst ist in Russland nicht nur eine Schule des Erwachsenwerdens, er
ist auch traditionell eine Prüfung für die erste Liebe.
Wenn eine Braut es schafft, zwei Jahre lang auf den
Soldaten zu warten, ist sie die Richtige – dann soll er
sie auch heiraten; wenn sie aber mit einem anderen
ausgeht, soll der Soldat seine Verlobte umbringen. So
will es die Soldatenfolklore.

Alexej, der frischgebackene Ehemann von Tatjana,
arbeitete tagsüber im Geschäft von Onkel Georgij,
und abends fischte er leidenschaftlich am Teich. Tatjana war im sechsten Monat schwanger. Für ihre äl-

tere Schwester war diese glückliche Ehe eine Katastrophe. Eine jüngere verheiratete Schwester zu haben verletzte ihren Status. Sie machte die Buchhaltung für alle Geschäfte ihres Vaters. Meine Schwiegermutter kochte für alle und hatte die Gartenarbeit übernommen. Außerdem gehörten zur Familie noch zwei Hunde, darunter der große Wachhund Mischa, der mit allen anderen Hunden des Dorfes im Clinch lag und deswegen aussah, als sei er gerade in der letzten Sekunde einem Fleischwolf entsprungen. Dazu gab es noch drei Katzen.

Auch der Kater Wasja erinnerte stark an den Terminator kurz vor seiner endgültigen Auslöschung: Ihm fehlten ein Auge und viele Zähne, sein Fell war nur noch teilweise vorhanden, und sein leicht schaukelnder Gang deutete darauf hin, dass jeder Schritt sein letzter in diesem irdischen Garten sein konnte. In Wirklichkeit ging es Wasja jedoch weitaus besser, als es aussah. Er war siebzehn Jahre alt, der älteste Kater im Dorf, und dementsprechend Vater von jeder anderen Katze dort. Wasja kannte kein Futter aus der Dose, er ernährte sich wie in alten Zeiten von fetten Mäusen, die er kaltblütig fing und bis auf den Schwanz auffraß.

Die zweite Katze der Familie war ein rothaariger Jüngling, der auf den Namen Franzose hörte, auch er ein Sohn von Wasja. Der Franzose verschmähte Mäuse. Stattdessen jagte und fraß er die Frösche aus dem Teich. Er rannte den Fröschen allerdings nicht hinterher, sondern hatte eine originellere Methode erfunden, um sie zu fangen. Dazu übernahm er selbst die Eigenschaften eines Frosches. Ob Hitze oder Regen – stundenlang konnte der Franzose reglos am Beckenrand sitzen, bis ein Frosch in seiner Nähe auftauchte. Ein blitzschneller Wink mit der Pfote, und das Abendessen war fertig. Anders als Wasja mit seinen Mäusen, aß der Franzose die Frösche niemals vollständig auf. Er ließ ausgerechnet die Füßchen übrig, mehr noch: Er brachte sie uns an den Tisch, als wollte er mit dieser großzügigen Geste den Menschen das Beste anbieten.

Der zweite Hund und die dritte Katze benahmen sich unauffällig.

Unser Alltag im Haus von Onkels Georgij verlief sehr geregelt. Am frühen Morgen erwartete uns ein köstliches Frühstück, das nach alter russischer Sitte bei laufendem Küchenfernseher eingenommen wurde. Der erste Kanal brachte zwischen neun und zehn Uhr früh eine äußerst blutige Fernsehserie, *Agent der nationalen Sicherheit*, die mit unserem halb-vegetarischen Frühstück harmonierte. Zu essen gab es vorwiegend Produkte aus dem eigenen Garten: Tomaten, Gurken, Zwiebeln und Fisch sowie Butter und Milch aus der Nachbarschaft. Nach dem Essen veranstalteten wir ein Wettschwimmen mit den Fröschen im Pool. Einige von diesen Viechern versuchten, die dreißig Meter zwischen dem Teich und dem Swimmingpool zu Fuß zu gehen, wahrscheinlich, um sich von der Herrschaft des Franzosen zu befreien. Nur zwei schafften es. Es waren die fittesten.

Nach dem Bad holte uns Onkel Georgij ab, und wir fuhren in eine der Städte in der Umgebung: Kislowodsk, Essentucki, Schelesnowodsk oder Patigorsk – die schönste von allen. Dort erkannten wir in einem der Restaurants einen der Bergsteiger aus dem Flugzeug wieder. Er saß in voller Bergsteigerausrüstung am Tisch, zusammen mit einer dem Aussehen nach armenischen Frau, die ihm Fotos von ihrer Familie zeigte und sie laut kommentierte: »This is my father«, schrie die Frau, »and this is the new man of my mother! This is my second sister and her brother, and this is a girlfriend from father his brother …« Der Bergsteiger nickte im Takt der Erzählung und trank den heimischen Kognak der Marke *Praskoveja KB*. In seinen Augen spiegelte sich die tiefe Erkenntnis der Unmöglichkeit, die Familie seiner neuen Freundin jemals vollständig kennenzulernen.

Manchmal fuhren wir nicht in die Stadt, sondern besuchten die zahlreichen Sehenswürdigkeiten in der Region. Der Kaukasus ist der Kurort der Russen und für seine Mineralquellen berühmt. Selbst das Leitungs-

wasser ist hier mineralisch, was das Rasieren und Hän-
dewaschen zu einem großen Vergnügen macht. Außerdem gibt es neben jeder Wasserquelle in der Regel ein
Restaurant, wo man gleich nach dem Genuss des hei-
lenden Wassers aus der Quelle auch in den Genuss des
heimischen Alkohols kommen kann. Diese Restaurants
tragen oft bescheuert anspruchsvolle Namen: »Kabale
und Liebe« oder »Das Schloss der Zarin Tamara«. Bei
der »Zarin Tamara« stand tatsächlich eine gruselige
Blondine neben einem ausgestopften Tiger am Eingang. Sie lächelte den Gästen zu und herrschte ihre
Grillsklaven, zwei alte Armenier, an, sich Mühe zu geben und schneller zu arbeiten.

Um siebzehn Uhr holte uns Onkel Georgij mit dem
Auto ab. Um achtzehn Uhr dreißig fand ein gemeinsames Abendessen auf dem Hof statt. Meine Aufgabe
war es, das Holz zum Grillen zu besorgen. Die Tische
mussten in diesem Land traditionell voller als die Kühl-
schränke sein, alles musste raus. Und wenn zehn Leute am Tisch saßen, wurde für zwanzig gekocht. Nach
dem Essen war Kognaktrinken angesagt mit Onkel
Georgij, mit dem Nachbarn von rechts – dem Bienenzüchter Juri – und dem Nachbarn von links – Ingenieur Muchin. Später Sauna, Schwimmbad, Schießstand, Gespräche über den Sinn des Lebens, Essen,
Kognak, Schießstand, die nächtliche Wassermelone
aus dem Fass, Dusche und Bett. Am nächsten Tag

Frühstück mit dem *Agenten der nationalen Sicherheit*, Schwimmbad, Stadtfahrt und so weiter – zwei Wochen lang. Ein Traumurlaub.

Ein Pauschalbergsteiger mit seinem Rucksack und seinem Wasilij, was wird er schon über den Kaukasus erfahren? Er wird seine sechstausend Meter hochklettern (die man übrigens von der anderen Seite bis auf eine Höhe von viertausend Metern mit dem Auto und weiter mit einer Seilbahn hochfahren kann). Am Gipfel angekommen, wird er auf unrasierte Männer mit goldenen Zähnen und Frauen in Kopftüchern treffen, die ihm ihre Lammfelle andrehen wollen.

Wir dagegen hatten die womöglich geheimnisvollste Sehenswürdigkeit besucht, die sich im Nordkaukasus befindet. Ich weiß nicht, ob jemand von Ihnen schon mal was davon gehört hat. Ob ich es überhaupt erzählen darf? Doch, ich darf. Die Sehenswürdigkeit, die uns naturverliebte Großstädter am meisten faszinierte, war kein Garten, kein Park und kein Berg, sondern die so genannte »Höhle der ewigen Eiszeit«, die in der Bevölkerung auch als »Höhle des Eismenschen« bekannt ist. Angeblich soll in einem der Berge noch ein Gletscher aus der Eiszeit erhalten sein. Eine Höhle mit Wänden aus Eis – kilometertief im Berg, dunkel und kalt. Niemand hat es je geschafft, die Höhle bis zum Ende zu gehen. Laut einer Legende lebte ein kleines Volk in dem Berg, ein paar Fellmenschen aus alten Eiszeittagen, die sich der Sonne nicht stellen mochten. Tagsüber versteckten sie sich im Gletscher, nachts kamen sie heraus und sammelten im Wald, was die Touristen hinterlassen hatten. Eine genaue Wegbeschreibung für den Ort gab es nicht.

An einem Wochenende machten wir uns mit dem Opel von Onkel Georgij auf, um die Höhle zu suchen. Alle paar Minuten hielten wir an, um die einheimische Jugend nach der Höhle zu fragen. Sie zeigte stets in unterschiedliche Richtungen. Die alten Menschen wollten mit uns nicht reden.

»Entschuldigung!«, riefen wir aus dem Auto. »Wir suchen nach der Höhle des Eismenschen!«

»Wer tut das nicht!«, antworteten uns die Alten philosophisch.

Unser Mann vor Ort, der Bienenzüchter Juri, hatte erzählt, die Höhle befinde sich neben dem Restaurant »Die Hütte des Waldwärters«, aber auch die war schwer zu finden. Die Straße wurde immer enger. Wir mussten unser Auto stehen lassen und zu Fuß weitergehen. Im Wald roch es stark nach Rauch, Grillkohle und verbranntem Fleisch, also orientierten wir uns an dem Geruch und fanden schließlich das Restaurant mit einer großen Terrasse. Dort saßen bereits zwei jüngere Pärchen und eine Gruppe Radfahrer, die sich auch bei der Suche nach der Höhle des ewigen Eismenschen verlaufen hatte. Anscheinend lebte der Besitzer des

Restaurants davon, dass sich Leute auf dem Weg zur Höhle verliefen und auf seiner Terrasse landeten. Ein schüchterner Kellner brachte uns den gewünschten Weißwein und Kutabi, eine Art armenische Pizza mit Lauch und Käse. Er bestätigte uns, dass sich die Höhle tatsächlich irgendwo in der Nähe des Restaurants befand. Wo genau konnte er allerdings nicht sagen. Obwohl er ziemlich verwildert aussah und stark behaart war, behauptete der Kellner, weder jemals in der Höhle gewesen zu sein noch irgendwelche Eiszeitmenschen gesehen zu haben.

Wir tranken alles aus und gingen los. Auf gut Glück suchten wir weiter. Dabei stießen wir regelmäßig auf andere Gruppen und Einzelpersonen, die ebenfalls nach der Höhle suchten. Es gab zwei Arten von Höhlensuchenden im Wald: diejenigen, die so taten, als wüssten sie genau, wie man dorthin kommt, und die anderen, die ihnen auf den Fersen blieben. Nach drei Stunden im Wald waren wir schon fast so weit, die berühmte Sehenswürdigkeit für eine Ente zu halten und die Suche abzubrechen. Plötzlich wehte eine eiskalte Brise durch den Wald. Bei Außentemperaturen von über dreißig Grad war es nicht schwierig, der Kälte zu folgen, und zwei Minuten später standen wir tatsächlich zusammen mit einem Dutzend anderer Leute vor dem Eingang der Höhle des ewigen Eiszeitmenschen. Sie war sehr groß, dunkel, und eine solche Kälte wehte uns daraus entgegen, dass einem zwei Meter vor dem Eingang schon die Zähne klapperten. Viele gingen hinein, kamen aber schnell wieder heraus an die frische Luft. Sie hatten die Höhle unterschätzt. Sie war mindestens zwei Kilometer tief, und man wurde darin selbst zu einem Eismenschen, ehe man weit genug kam, erzählten sie. Wir hatten daraufhin keine große Lust mehr, uns ohne warme Kleidung und Taschenlampe in die Höhle zu wagen. Dennoch versuchte ich, aus Neugierde und im Auftrag der Weltliteratur, dreimal bis zum Eiszeitmenschen zu laufen, musste aber jedes Mal auf halbem Wege wieder umkehren. In der Dunkelheit wusste man sehr schnell nicht mehr, wo vorne und hinten war. Die Feuerzeuge gingen aus, und eisiger Schleim hing an den Augen und der Nase. Wir machten ein Foto vom Eingang und noch eins im Restaurant des Waldwächters, in dem wir unsere Begegnung mit der Höhle des Eiszeitmenschen feierten.

Am gleichen Abend wurde meine Tochter von einer riesengroßen Mücke ins Auge gestochen, und mein Sohn wurde Augenzeuge, wie ein Huhn ein Ei legte, was wohl endgültig die Frage der korrekten Reihenfolge – Ei oder Huhn – für ihn klärte. Als wären all diese Abenteuer noch nicht genug, durften wir am letzten Tag auch noch einen Brand erleben und uns heroisch an seiner Auslöschung beteiligen.

Seit Tagen hatten die Jungs aus Borodinowka trockenes Gras hinter der Steppenpiste angezündet. Die Flammen stiegen immer wieder hoch, bewegten sich mit Furcht erregender Geschwindigkeit auf dem großen Feld zwischen uns und dem Dorf hin und her, überschritten aber nie den so genannten Panamakanal – einen mit Wasser und Müll gefüllten Graben, der zwischen dem Kern von Borodinowka und der Steppenpiste lag. Am Tag unserer Abreise qualmte es aber deutlich stärker als zuvor. Der Wind wehte Richtung Borodinowka, und die Flammen kamen den Häusern im Dorf bereits gefährlich nahe. Eine Holzdeponie und eine Laube am Ortsrand brannten ab. Die Bewohner der Steppenpiste betrachteten das mit einer gewissen Genugtuung. Immerhin waren es Borodinowka-Jungs, die das Gras verbrannten. Dann aber wechselte die Windrichtung, das Feuer sprang über den ausgetrockneten Panamakanal, und schon bald standen die Flammen vor unserem Garten. Ich schlug meiner Schwiegermutter vor, die Feuerwehr zu rufen. Aber sie stellte sich plötzlich zickig an.

»Warum sollen immer wir anrufen, sollen doch die Muchins auch einmal anrufen. Die Flammen sind ihrem Garten näher als unserem, sie brennen doch als Erstes ab«, antwortete sie.

Der Nachbar Muchin war aber anderer Meinung. So standen sie am Gartenzaun und stritten darüber, wer als Erster die Feuerwehr rufen sollte. Nachbarn sind wie Verwandte, man schimpft aufeinander, hält aber trotzdem zusammen. Alle Nachbarn standen Schulter an Schulter, als die Stunde geschlagen hatte. Sogar der autistische Sohn der Muchins, der sonst nie auf die Straße ging, half beim Löschen, ebenso der Bienenzüchter Juri, der eigentlich wegen seines Rheumas ans Bett gefesselt war. Sie verbanden sogar ihre Wasserschläuche, um weitere Flächen begießen zu können. Auch meine Kinder rannten hin und her und bekämpften das Feuer mit kleinen Plastikschüsseln. Noch mehr begossen sie aber sich selbst. Die Feuerwehr kam nicht, dafür aber das regionale Fernsehen, das unseren Kampf gegen das Feuer filmte. Die ganze Steppenpiste stand wie ein Mann. Vor diesem Zusammenhalt konnte der Brand nicht lange bestehen und gab auf. Bald qualmte es nur noch an den Ecken. Außer ein paar Angeln, die am Teich vergessen worden waren, und zwei abgesägten Ästen vom Aprikosenbaum, die ich zu Grillkohle hatte verarbeiten wollen, war nichts verbrannt. Und das Gras wird nun, nach dem Feuer, noch besser wachsen, meinte Onkel Georgij, der allen anbot, diesen historischen Sieg über das Feuer bei ihm im Hof zu feiern, noch bevor wir mit dem Brand wirklich fertig waren. Das regionale Fernsehen filmte unsere mit Ruß verschmierten Gesichter für die Abendnachrichten. Ich fühlte mich wie ein

Stahlkocher aus den Dreißigerjahren. »Niemand kann unsere Bürger besiegen, außer sie selbst«, sagte die Moderatorin und verschwand. Sofort entbrannte ein Streit unter den Nachbarn, wer wie viel für das Wasser zahlen musste, da sie einen gemeinsamen Wasserzähler hatten. Wir hätten gern bei diesem Streit mitgemacht, aber unsere Maschine startete in einer Stunde.

Onkel Georgij telefonierte mit dem Flughafen: »Halten Sie die Maschine an, wir kommen von einem Brand!«

Tatsächlich sahen wir wie abgebrannt aus. Ich hatte noch eine Woche danach schwarze Sohlen. Besonders fasziniert von diesem letzten Ereignis war mein Sohn Sebastian, der sowieso Feuerwehrmann werden wollte. Onkel Georgij versprach ihm zum Abschied, wenn er nächstes Jahr wiederkäme, extra nur für ihn beide Nachbarhäuser anzuzünden.

Während wir uns dermaßen wild im kaukasischen Garten amüsierten, sammelte unser Freund Thomas auf der heimischen Berliner Parzelle 118 sieben Komma fünf Kilo Sauerkirschen, einen ganzen Eimer, und brachte ihn zu meiner Mutter. Sie entfernte die Kerne und kochte aus den Kirschen meine Lieblingskonfitüre.

Schwimmen lernen

Man darf die Natur nicht unterschätzen. Überall, wo wir nicht aufpassen, übernimmt sie sofort die Kontrolle. Die Natur funktioniert wie die Mafia, sie hat überall ihre Finger im Spiel. In den zwei Wochen unserer Abwesenheit hatte die Natur aus unserem hübschen Garten etwas völlig Unvorschriftsmäßiges gemacht. Unser freiwilliger Gärtner Thomas hatte nach Kräften versucht, die Ordnung aufrechtzuerhalten, doch als jemand, der nachts arbeitet, schlief er oft am Tag durch und kam erst abends in den Garten, um schnell zu gießen. Jetzt sah man schon aus der Ferne, dass unsere Parzelle deutlich aus der Reihe tanzte wie ein Hippie bei der Bundeswehr: Das Gras war zu hoch und wild zerzaust, die Kirschen nicht alle gepflückt, das Mandelbäumchen war mächtig in die Breite gegangen und versperrte mit seinen neuen Zweigen den Weg, der Boden war mit herabgefallenen Äpfeln bedeckt. Das Schlimmste aber war, dass wir nur drei Tage Zeit hatten, um alles wieder ins Lot zu bringen. Noch im Februar hatte meine Frau für Ende Juli zehn Tage auf Ibiza gebucht. Dort, in einem riesigen Touristenhotel, wollten wir uns von dem Kaukasusurlaub erholen. Irgendwie war meine Frau fest davon überzeugt, dass wir nach der Russlandreise Urlaub brauchen würden. Tatsächlich waren wir etwas müde, besonders nach dem Kampf mit dem Feuer, dem Interview mit dem örtlichen Fernsehen und der anschließenden Feier mit dem Streit, wer wie viel für das Wasser zahlen sollte, da alle Gärten unterschiedlich stark betroffen gewesen, die Haushalte jedoch alle an den gleichen Wasserzähler angeschlossen waren. Dieser Streit, der beinahe in eine Schlägerei mündete und ein krönendes Ende unseres dortigen Aufenthaltes war, führte fast dazu, dass ich mich in diesen Menschenschlag im Nordkaukasus verliebte. Seine heldenhafte Starrköpfigkeit erinnerte mich komischerweise an die Berliner. Ich war nicht abgeneigt, dort länger zu bleiben, alte Aprikosenbäume zu fällen, mit den Nachbarn zu plaudern, gemeinsam Brände zu löschen, zu streiten und zu feiern. Auf Ibiza hatte ich überhaupt keine Lust.

Meine Frau brauchte jedoch, um ihre Pläne zu verwirklichen, ein Meer, das es im Nordkaukasus nicht gab. Sie brauchte das Meer, um unserem Sohn Sebastian das Schwimmen beizubringen. Aus meiner Sicht brauchte Sebastian nicht zu schwimmen, er war auch auf dem Trockenen ganz in Ordnung, ein toller Junge. Ich vertrat die Meinung, dass man, wenn man überhaupt schwimmen lernen wolle, dies auch in einer aufblasbaren Badewanne im Schrebergarten tun könne. Schwimmen lernen ist genauso einfach wie Schlittschuh laufen, Lotto spielen oder Fahrrad fahren. Jeder hat es in seinen früheren Leben schon einmal gemacht und braucht sich nur an die dazu notwendigen Bewegungen zu erinnern. Beim Schwimmen geht es nicht um irgendwelche ausgefeilten Techniken, sie sind jedem Mensch wie den Hunden angeboren, es geht einzig und allein darum, die Angst vor dem Wasser zu überwinden. Dafür muss man wahrlich nicht ans Mittelmeer fahren. Ich habe schließlich auch nicht am Meer, sondern auf einer stillgelegten Baustelle in einem mit Wasser gefüllten Fundament schwimmen gelernt.

Ende der Siebziger entstand neben unserem Haus in Moskau eine große Baustelle. Hier sollte ein neues, riesengroßes Stadion pünktlich zu den Olympischen Spielen 1980 direkt vor unserer Haustür gebaut werden, »der Traum der Sportler aus aller Welt«, wie die

Zeitungen schrieben. Wir waren keine Sportler, freuten uns aber natürlich trotzdem über die bevorstehende Attraktion. Tag und Nacht fuhren Bulldozer im Wald hinter unserem Haus hin und her, die den Wald von Bäumen befreien sollten. Morgens kamen große LKWs mit Baumaterialien, die ausgeladen und zu großen Haufen gestapelt wurden. Man hatte mitten im Wald einen riesigen Krater ausgehoben und ein Fundament gelegt. Mitten in dieser Bauwut schickte allerdings der damalige sowjetische Generalsekretär Breschnew die Armee nach Afghanistan, wo sie gegen die Taliban kämpfen sollte. Heute gehört es zum guten Stil jedes zivilisierten Landes, Truppen nach Afghanistan zu schicken, um die Taliban zu bekämpfen. Doch vieles, was heute eine politische Selbstverständlichkeit ist, galt früher als verbrecherisch. Die halbe zivilisierte Welt zeigte sich empört und boykottierte die Olympischen Spiele in Moskau, allen voran die USA, die sich weigerten, ihre gedopten Profisportler in die Sowjetunion zu schicken.

Obwohl Kanada, Israel und die DDR trotzdem versprachen, dabei zu sein, verdarb der amerikanische Boykott dem Gastgeber kräftig die Laune. Er stoppte die meisten großen Bauvorhaben, und auch das Stadion neben unserem Haus wurde nie fertiggestellt. Die Natur und die Nachbarn nahmen die weiteren Bauarbeiten in die Hand. Ganze Berge von Baumaterial ver-

schwanden im Nichts, und die Baugrube verwandelte
sich erst einmal in einen Erlebnispark. Die Kinder
spielten dort Indianer und Cowboy, später füllte sich
die Baugrube mit Wasser und verwandelte sich in eine
riesige Pfütze. Innerhalb eines Jahres entwickelten sich
darin bereits eine vielfältige Wasserflora und -fauna,
und es kamen die ersten Frösche, wahrscheinlich zu
Fuß, aus einem nahe gelegenen Sumpf. Sie beschall-
ten das Fundament mit Nachtmusik. Dazu pfiffen die
über dem Wasser kreisenden Schwalben. Bald wurde
am Ufer der Baugrube der erste Angler gesichtet. Das
Gerücht, dass es im Fundament große Fische gäbe,
machte schnell die Runde. Die Angler kamen sogar
nachts zum Olympiasee, wie die Baugrube prompt
hieß, und bald wimmelte es rundum von ihren Autos.
Tatsächlich gab es eine Zeit lang Plötzen, Brassen und
sogar Karpfen in der Grube. Niemand konnte glaub-
würdig erklären, wie die Fische dorthin gekommen
waren. Die einen sagten, die Vögel, vermutlich Möwen, hätten sie dorthin gebracht – als Laich buchstäblich ausgeschissen. Aber Moskau ist keine Hafenstadt,
es gibt dort so gut wie keine Möwen, nur Spatzen und
Tauben.

Wie sollte man sich so etwas überhaupt vorstellen?
Da schwebt ein Spatz mit einer Brasse im Schnabel
über dem Fundament, trifft unterwegs einen anderen
Spatzen, ebenfalls mit einer Brasse, die Vögel sagen

zueinander »Na?« – und lassen ihre Fische ins Wasser fallen? Eine andere Erklärung lautete, die Katzen hätten die Fische in die Baugrube gebracht. Nur wo hätten die Katzen die Fische hernehmen sollen? Aus dem Aquarium ihrer Besitzer oder aus einem Fischgeschäft? Einige behaupteten, die Fische seien unterirdisch in die Baugrube gelangt, durch den stillgelegten und dann vollgelaufenen U-Bahn-Schacht einer geheimen U-Bahn-Linie, die angeblich direkt zum Stadion führen sollte, aber ebenfalls wegen des Boykotts der Olympischen Spiele nicht zu Ende gebaut worden war.

Ich hielt das alles für dumme Gerüchte. Wie sollten Fische in die U-Bahn kommen und wozu? Wo wollten sie hinfahren? Die Fische in der Baugrube waren ein typischer Hokuspokus der Natur, eine Laune. Vielleicht ihre Reaktion auf die ausgefallenen Spiele, vielleicht aber auch nicht. Nur die Natur selbst konnte die richtige Antwort geben, aber sie schwieg.

Nachdem die Baugrube mehr oder weniger leer gefischt worden war, entwickelte sich der Platz zu einem beliebten Sommerstrand. Die Erwachsenen mussten nicht weit laufen, um ihrem Nachwuchs das Schwimmen beizubringen. Sie taten es in der Regel auf die in der Sowjetunion traditionelle spartanische Art: Sie warfen ihre Kinder ins Wasser und sahen zu, wie sie von ganz alleine die modernen Schwimmtechniken erlernten. Manchmal gaben Eltern und Verwandte vom Beckenrand aus auch Ratschläge. So sollen es angeblich auch die unerschütterlichen Spartaner getan haben, um ihrem Nachwuchs das kleine ABC des Überlebens beizubringen. Das Merkwürdige daran war, dass diese kommunistische, menschenfeindliche Methode tatsächlich funktionierte, wenn auch nicht bei jedem Kind. Die Erfolgsquote lag ungefähr bei fünfzig Prozent. Auf jedes Kind, das wieder an der Oberfläche der Baugrube auftauchte, kam eins, das wie ein Stein unterging. Ich glaube, bei den Spartanern war die Quote auch nicht besser, nur haben sie ihre Misserfolge aus Propagandagründen verschwiegen.

Wenn ein Moskauer Kind sich unspartanisch benahm und nur noch Luftblasen von ihm zu sehen waren, entwickelten seine Eltern auf der Stelle erstaunliche Schwimm- und Tauchqualitäten: Sie sprangen ins Wasser, zogen den Nichtschwimmer an den Haaren ans Ufer, beatmeten ihn von Mund zu Mund und ergriffen gewissenhaft alle Maßnahmen, die zur Rettung von Ertrunkenen vorgesehen sind. Wenn das Kind zu sich kam, warfen sie es erneut ins Wasser. Die gemäßigteren liberalen Eltern, die den westlichen Werten gegenüber offen waren, benutzten wie in allen zivilisierten Ländern Schwimmreifen oder Schwimmflossen, auch Schwimmengel genannt, um ihren Kindern die Angst vor dem Wasser zu nehmen. Trotz der allgemeinen Warenknappheit gab es in unserem sozialistischen Vaterland überall, immer und in jeder Farbe Schwimmflossen zu kaufen. Sie wurden aus besonders reißfestem Gummi hergestellt, wahrscheinlich aus den Resten von Taucheranzügen, mit denen die sowjetischen U-Boote ausgerüstet wurden. Weil wir uns von Amerika und den Taliban bedroht fühlten, musste die Sowjetunion sehr viel für das Militär produzieren, und die Zivilprodukte entstanden quasi nebenbei. Besonders gut gelangen der sowjetischen Rüstungsindustrie die berühmten sowjetischen U-Boote, die plötzlich und ohne Vorwarnung überall auf der Welt auftauchten. In der Regel hatten sie sich in einem schwedischen Fischernetz verfangen oder wurden von einer großen Welle ans Ufer gespült. Ein Glück für Afghanistan, dass es dort keine tiefen Seen zwischen den Bergen gab, sonst hätten die Taliban uns noch heute am Haken. Denn ein sowjetisches U-Boot konnte man mit keinem Bulldozer vom Fleck bringen.

Wenn ein solches U-Boot auf Grund lief, sollte seine Mannschaft unverzüglich in Taucheranzügen das Boot verlassen und, wenn nötig, zu Fuß auf dem Meeresgrund nach Hause laufen. Es waren also sehr gute Taucheranzüge, in denen man dreimal um die Fidschiinseln gehen konnte. Aus den Resten dieser Anzüge wurden die Schwimmringe gemacht, mit denen der Autor dieser Zeilen schwimmen lernte. Diejenigen, die kein Geld für einen Schwimmring hatten, nutzten als Schwimmhilfe Reifenschläuche von *Kamas*-Lkws, einem Fahrzeug, das ebenfalls zu militärischen Zwecken, nämlich als Langstreckenraketenträger, gebaut wurde. Man konnte gleich ein Dutzend Kinder in einen solchen Schlauch packen und übers Wasser treiben lassen. Allein die Größe des Ringes vermittelte den Eltern bereits ein Gefühl von Sicherheit. Sie staunten deswegen nicht schlecht, wenn ihr Reifen leer ans Ufer trieb.

Ich selbst mochte diese riesengroßen *Kamas*-Reifen nicht. Ich habe mit einem ganz normalen schmalen Reifen schwimmen gelernt. Er hatte eine grüne Tarnfarbe und vorne einen Kopf mit Bärtchen. Meine Eltern meinten, es sei ein Schwan, ich behaupte dagegen noch heute, es sei Lenin gewesen. Mein Sohn kann übrigens im Schwimmring wunderbar schwimmen, er hat eine ganze Sammlung davon, in jeder Farbe und Größe. Doch die Zeiten ändern sich. Die Anforderungen an die heranwachsende Generation sind enorm gewachsen. Heute erwartet man von einem Jungen, dass er ohne Schwimmhilfen in zwei Stunden und vierzehn Minuten den Atlantik überquert. Hin und zurück, versteht sich.

Von diesem Gedanken erfasst, eilte ich völlig verschwitzt zum Schrebergarten, um ein Minimum an Ordnung herzustellen, bevor wir nach Ibiza abreisten.

Berlin meldete jeden Tag einen neuen Hitzerekord, die Kleingartenanlage wirkte wie ausgestorben, nur Günther Grass sah ich bequem mit einer Zeitung in der Hand im Schatten seiner Nadelbäume sitzen. Ich begrüßte ihn herzlich und erzählte ihm, dass wir für zwei Wochen in Russland waren und bald nach Ibiza fliegen würden. Günther reagierte wirr. Völlig unerwartet zwinkerte er mir zu und sagte: »Ist es nicht schön, im Wald spazieren zu gehen?«

Ich drehte mich um, in der Hoffnung, vielleicht auf dem Grundstück hinter mir jemanden zu sehen, mit dem Günther im Wald spazieren gegangen war. Auch wenn man sich das nur schwer vorstellen konnte, weil Günther aus Prinzip immer allein spazieren ging. Es war aber niemand da, außer uns beiden, und mein Nachbar wartete eindeutig auf eine Antwort. Ich hatte einmal in einem russischen wissenschaftlichen Magazin gelesen, dass Männer über fünfzig Hitze besonders schlecht vertragen. Wenn die Temperaturen länger als fünf Tage dreißig Grad übersteigen, finden bei den Männern im Gehirn Veränderungen statt, die nicht mehr rückgängig gemacht werden können. Jetzt hatte es offensichtlich meinen Schrebernachbarn erwischt.

»Ist es nicht schön, im Wald spazieren zu gehen?«, ließ Günther nicht locker.

»Schon schön«, murmelte ich und überlegte, wie ich ihm in dieser Situation helfen konnte.

Günther drehte weiter auf. Er sagte in einem Zug: Sehenswürdigkeiten, Spasiba, Druschba, Freundschaft. Ich brauchte eine Weile, um zu kapieren, dass Günther Russisch mit mir sprach, und alle Brocken, die in seinem Kopf noch aus seiner Kindheit und Jugend in der DDR gespeichert waren, sich nun in der Sonne langsam lösten und herausfielen. Weil ich wochenlang nur Russisch gehört hatte, konnte ich das erwartete Kopfnicken zu den nachbarschaftlichen Fremdsprachenkenntnissen nicht rechtzeitig erbringen.

»Es ist einfach klasse, im Wald spazieren zu gehen. Übrigens, Sie sprechen phantastisch Russisch«, reagierte ich spät, aber noch höflich genug.

»Ich hatte Russisch in der Schule, aber alles vergessen«, entschuldigte sich Günther.

Er erzählte mir die neuesten Schrebergartennachrichten, obwohl seit dem Ende der Fußballweltmeisterschaft nicht viel los gewesen war. Irgendwelche Schurken mit Kamera hatten in unserer Kolonie für einen Privatsender gedreht. Sie wollten die Gärtner als emsige Menschen darstellen, die wie Schnecken in ihren kleinen Häuschen saßen oder irgendwelche bescheuerten Gartenzwerge aufstellten. Unter anderem wollten sie auch Günther Grass filmen, als er gerade versuchte, mit einer Nagelschere seinen Rasen an den Ecken zu schneiden, die er mit einem Rasenmäher nicht erreichte.

Wie gut, dass ich die Dreharbeiten verpasst habe, dachte ich. Nirgends ist es leichter, sich zum Narren zu machen, als in einem Schrebergarten. In unseren urbanen Zeiten sieht jeder, der einen Wasserschlauch in der Hand hält, wie ein Idiot aus. Zum Glück konnte ich meine Identität als Schriftsteller in unserer Gartenkolonie weitgehend geheim halten. Sogar in dem kaukasischen Kurort Patigorsk war ich in einem Weinladen von Fans erkannt und letztes Jahr auf Mallorca direkt am Strand von Lesern umzingelt worden. Aber in der Schrebergartenkolonie »Glückliche Hütten« konnte ich mich sicher fühlen. Hier werden nur neue Gartenratgeber und alte Krimis gelesen.

Während ich meine Pflanzen goss, verglich ich unbewusst den kaukasischen Garten meiner Schwiegermutter mit unserem in Berlin. Sie waren wie Himmel und Erde. Unserer war übersichtlich: links Erdbeeren, rechts Äpfel, alle Bäume an zwei Händen zu zählen. Hier wusste ich genau, an welcher Stelle welche Pflanze stand. Der kaukasische Garten wirkte dagegen auch nach Wochen noch wie ein Dschungel auf mich. Nur meine Schwiegermutter konnte dort problemlos ihr Gemüse finden. Jeden Morgen verschwand sie im grünen Gebüsch und kam einmal mit frischen Tomaten, ein andermal mit einer Paprika oder Gurke zum Frühstück wieder. Und wenn eine Tomate nur fünf Meter bis zum Tisch braucht, schmeckt sie allemal besser als die hiesigen winterfesten aus Spanien oder Holland.

Ich vermisste diese frischen Lebensmittel, den tiefen Swimmingpool von Onkel Georgij mit den unsichtbaren grünen Delphinen auf dem Boden und den Patigorski-Erholungspark mit seinen Armeniern, die Spieße und Bier verkauften, und der alten Achterbahn, die nicht einmal mehr einem Säugling Angst einjagen konnte, und mit den Schießständen, an denen man mit umgebauten Kalaschnikows auf Konservendosen schoss. An der Parkmauer in Patigorsk hingen viele Ehrentafeln. *In diesem Park hat einst der berühmte Dichter X. eine Zeitung gekauft,* oder: *In diesem Park hat der berühmte Dichter Y. ein Eis gegessen.* Besonders viele Ehrentafeln hat der russische Schriftsteller Leo Tolstoi bekommen, der etliche Sommer im Kaukasus verbrachte. Auf der Parkmauer in Patigorsk hat er die größte Ehrentafel. Darauf ist ein Auszug aus seinem Tagebuch zu lesen. *Gehe heute in den Park,* schrieb Leo Tolstoi an die zukünftigen Bewunderer und Leser seiner Tagebücher. *Muss dringend ein paar Ideen für das neue Kapitel meines aktuellen Romans sammeln.*

Dieser Satz gefiel mir sehr, und jedes Mal, wenn wir an einem Weingeschäft oder einer Bierstube im Park vorbeigingen, sagte ich zu meiner Frau, ich müsse dringend da hineingehen, ein paar Ideen für das neue Kapitel meines aktuellen Buchs sammeln. Das war natürlich ein Witz. Die Ideen lagen hier auf der Straße; an jeder Kreuzung eine Erzählung, in jeder Markthalle ein Roman, und hinter den Bergen versteckten sich wahrscheinlich noch größere Schätze, wir waren bloß zu faul zum Klettern.

Am letzten Tag vor unserer Abreise nach Ibiza, als ich mithilfe der Familie unseren Schrebergarten endlich wieder auf westlichen Standard gebracht hatte, angelte ich eine Mahnung des Vorstands aus dem Briefkasten. Diese ehrenamtlichen Gartenzwerg-Aufseher ermahnten mich, auch die vor den Zaun gefallenen Äpfel aufzusammeln, obwohl die deutsche Gartengesetzgebung in diesem Fall klar und deutlich ist: Die abgefallene Frucht gehört demjenigen, auf dessen Grundstück sie gefallen ist, und nicht dem Besitzer des Baums. Die verdorbenen Äpfel meines Baumes, die außerhalb unseres Grundstückes lagen, sollte also eigentlich der Vorstand aufsammeln. Ich rief dort an, konnte aber wie immer niemanden erreichen.

Die folgenden zehn Tage, die wir auf Ibiza in einem Massenhotel verbrachten, haben wir dann jeden Tag an Tisch Nr. 29 zu Mittag gegessen, zusammen mit vier Leuten, die wir dabei erst kennenlernten. Unser Tisch war der lauteste im ganzen Restaurant. Der leiseste Tisch befand sich direkt daneben. Dort saß ein schweigsames Pärchen; beide trugen die gleichen schwarzen

T-Shirts, auf denen in weißen Lettern stand: *Frank und Silke. Hochzeit am 12.08.06.* Auf dem Rücken stand: *Und das ist auch gut so!!!* Sie aßen kaum etwas, schauten nachdenklich aneinander vorbei und sprachen nie.

»Nur drei Tage verheiratet und schon so traurig!«, wunderte sich meine Frau.

An unserem Tisch versammelte sich täglich eine größere Gesellschaft: ein junges Paar mit einem robusten Zweijährigen im Kinderstuhl und ein älterer Herr, der einen Spazierstock und eine dicke Brille trug. Wir stellten uns einander am ersten Tag vor, nur vergaß ich sofort wie üblich die Namen. Den Mann mit der Brille nannten wir unter uns »den Professor«, wegen seines akademischen Aussehens. Den Rest bezeichneten wir als »die Familie« beziehungsweise »der Vater, die Mutter, der Sohn«. Hauptpunkt jeder Mahlzeit an unserem Tisch war die Fütterung des Zweijährigen, an der alle Anwesenden teilnahmen.

»Iss doch was!«, redeten die jungen Eltern auf ihn ein.

Das Kind blickte misstrauisch aus seinem Kinderstuhl in die Runde, überlegte, wählte eine gelbe Serviette, rollte sie zusammen und biss ein Stück davon ab.

»Eine dumme Wahl!«, reagierte sein Vater enttäuscht.

»Oh, sagen Sie das nicht«, mischte sich der Professor ein. »Das Kind fühlt, was sein Organismus braucht.«

»Sie glauben doch nicht wirklich, dass in dieser Serviette irgendwelche Vitamine versteckt sind?«, unterbrach ihn die Mutter.

»Ich schließe das nicht aus«, sagte der Professor und machte ein ernstes Gesicht. »So suchen zum Beispiel Katzen oft nach einem bestimmten Gras, oder wir Menschen fangen plötzlich an, etwas zu essen, was anderen völlig ungenießbar erscheint«, fuhr er fort.

»Das stimmt. Als Kind habe ich zum Beispiel sehr gerne Kreide gegessen«, berichtete ich etwas unvermittelt. »Aber nicht die graue Schulkreide, die schmeckte mir nicht. Ich aß nur die weißen Stückchen aus dem Buntstiftekasten.«

»Sie sehen also!«, fasste der Professor zusammen, »nicht die Eltern, die Natur diktiert die richtige Ernährung.«

Das Kind war inzwischen mit der Serviette fertig und griff nach dem Bierglas seines Vaters. Der blickte fragend in die Runde.

»Ich bin mir nicht sicher, ob es die Natur ist, die das Kind zu meinem Bier zieht«, sagte er.

»Natürlich nicht! Das sind deine Gene!«, bemerkte seine Frau.

»Lass meine Gene bitte in Ruhe!«, erwiderte der Vater.

Das Kind legte sein Gesicht aufs Bierglas, schaute interessiert hinein, schüttelte es ein wenig und spuckte dann die Reste der gelben Serviette hinein. Wir beobachteten fasziniert, wie die Natur direkt vor unseren Augen neue Lebenselixiere zusammenmixte. Nur die Eltern waren dagegen. Sie nahmen dem Kind das Bier weg. Eine Weile schaute der Kleine lustlos auf unsere Teller und lutschte an seinen Fingern, dann erhielt er anscheinend von der Natur ein neues Signal. Es nahm ein gekochtes Ei, schälte es gründlich und polkte das Eigelb heraus.

»Ich habe als Kind auch nur Eigelb gegessen, ich war richtig versessen auf die gelbe Kugel. Das Eiweiß habe ich dagegen immer verschmäht«, erzählte ich.

Das Kind zerdrückte das Eigelb in der Hand und warf die gelbe Masse auf den Boden. Danach stopfte es sich den Mund mit dem Eiweiß voll und schaute uns fragend an.

»Falsch geraten!«, jubelte der Professor. »Sie haben das Verlangen der Natur nicht erkannt!«

Das Kind wandte sich ihm zu und spuckte ihm das Eiweiß auf den Teller.

»Sie aber auch nicht«, bemerkte ich dazu leise.

Unser Tisch verstummte kurz, beeindruckt von der Weisheit der Natur, bis der zweite Gang kam.

Nach dem Essen sonnten wir uns am Strand von Cala Pada, drei Euro fünfzig pro Schirm, vier Euro für eine Liege. Und natürlich widmeten wir uns der Aufgabe, Sebastian das Schwimmen beizubringen. Allerdings ließ er sich erst am fünften Tag überreden, den Schwimmring zur Seite zu legen, und auch das nur unter der Bedingung, stattdessen eine ibizanische Schwimmweste tragen zu dürfen. Noch später gab er nach und tauschte die Weste gegen kleine Schwimmflügel. Diese wollte er jedoch unter keinen Umständen mehr ablegen. Wir merkten überdeutlich, dass diese Art Urlaub uns inzwischen keinen Spaß mehr machte. Ibiza hatte ein paar schöne Ecken, Apfelsinenbäume im roten Sand, Weintrauben auf ungewöhnlich hohen Reben und Wassermelonen, die sich im Staub wälzten. Trotzdem schien die Natur auf der Insel unecht zu sein, nichts als eine weitere Attraktion, um Touristen abzuzocken. Einmal unternahmen wir eine Rundreise auf der Insel, zweimal waren wir mit den Kindern auf der Kartbahn. Wir haben eine Olivenöl-Verarbeitungsanlage aus dem siebzehnten Jahrhundert besichtigt und eine Minzlikörausstellung besucht. Mehr fiel uns nicht ein.

Jeden Tag brachte der Professor die regionale Bildzeitungsausgabe vom Vortag zum Frühstück (die frische Ausgabe kam erst nach sechzehn Uhr in den Kiosk) und las uns die skurrilsten Urlaubsmeldungen vor. Dabei sparte er nicht mit Kommentaren. Wenn man dieser Zeitung glauben durfte, dann waren deutsche Touristen für alle Arten von Pech besonders anfällig. In Australien war eine Deutsche von Koalas angegriffen, in Afrika eine ganze Gruppe von den dortigen Taliban entführt worden. Auf Ibiza hatte sich ein Mann die Hoden im Liegestuhl eingeklemmt: »Ein Deutscher sonnte sich nach dem Bad an einem FKK-Strand im Liegestuhl. Seine durch die Kälte geschrumpften Hoden rutschten durch die Holzstreben und dehnten sich in der Sonne wieder aus. Der Eingeklemmte rief per Handy die Strandaufsicht und musste aus dem Liegestuhl herausgesägt werden«, berichtete die Zeitung.

»Kluge Menschen mit großen Eiern nehmen immer ihr Handy mit, wenn sie an den FKK-Strand baden gehen«, kommentierte der Professor.

Wir beschlossen, den Rest des Sommers im eigenen Garten zu verbringen.

Notizen
zum Schrebergartenroman

In den Werbeprospekten großer Reiseunternehmen werden die potenziellen Kunden mit Versprechungen von »Erholung«, »Entspannung« und »Erfrischung« geködert. Die Menschen, die in Reisebüros ihre Urlaubstouren buchen, sehen aber gar nicht müde aus. Zur Frührente verdammt, haben sie in ihrem Alltag gar keine Möglichkeit, sich so zu überanstrengen, dass sie sich in Südafrika oder Nepal zwei, drei Wochen lang »erfrischen« müssen.

Vom Reisen verspricht man sich heute viel mehr als eine Entspannungstherapie, nämlich eine Lebensveränderung, eine Möglichkeit, sich selbst in einer neuen Umgebung in völlig anderem Licht erblühen zu lassen. Wenn ich nicht verreise, länger als ein Monat an einem Ort sitzen bleibe, bekomme ich das Gefühl, auf der

Stelle zu treten. Und jeden Tag sausen an mir Tausende von Reisenden vorbei, die meinen Neid wecken. Im Minutentakt durchbohren Flugzeuge den Himmel über Berlin, dutzendweise fahren in jedem Augenblick Züge ab, die Autobahnausfahrten sind schon am frühen Morgen verstopft, und von den Ökotouristen, die mit dem Rad verreisen oder gar zu Fuß gehen, will ich gar nicht erst anfangen. Sie alle werden nicht müde, nach dem Neuen zu suchen, obwohl sie ihr Altes noch nicht durchschaut haben. Sie haben es verlernt, die Wunder der Natur zu schätzen, den schnellen Strom, den schwarzen Wald, die Brache auf den Feldern. Wie Werwölfe warten sie auf ihre Verwandlung, sie glauben, im Ausland anders wahrgenommen zu werden als zu Hause. Dort können sie protzen. Sie können zum Beispiel ein armes Land als gütiger, bescheidener Gott besuchen, den dortigen Bewohnern Salz und Streichhölzer überreichen, den rituellen Tanz nackter Frauen am Feuer genießen, Fotos knipsen und sie Freunden zeigen. Viele westdeutsche Frührentner reisen so. Oder man fliegt umgekehrt als Pilger mit ex-sozialistischem Hintergrund in das von Gott verheißene Land, allen anstrengenden Sicherheitsmaßnahmen dort zum Trotz, um das, was man bisher nur von den Postern im sozialistischen Kinderzimmer kannte, mit eigenen Augen zu erleben: die Freiheitsstatue, rote Berge, Cowboys und Indianer, große Häuser, große Autos, große Pizzas. Fotos knipsen, sie Freunden zeigen. Viele ostdeutsche Frührentner reisen so. Sehr populär sind auch Reisen nach Sibirien. Die Warmherzigkeit der dortigen Bevölkerung, ihre Freundlichkeit, Empfindsamkeit und die Bereitschaft, mit Unbekannten zu trinken und zu feiern, haben sich inzwischen in der

Welt herumgesprochen. Viele Deutsche reisen so. Anschließend schreiben sie darüber.

»Nach dem Frühstück im Hotel Intourist verabschiedeten wir uns von unseren neuen Freunden. Wir drückten die Jungs, umarmten die Mädchen. Daniel musste zum zweiten Mal die Vitrine bezahlen, durch die er tags zuvor geflogen war.«

Mit solchen Worten beschrieb mein Nachbar seine sibirische Reise. Er ist der Autor des empfehlenswerten Buches »Auf ein Bierchen zum Ende der Welt« und hatte es letztes Jahr mit seinem Motorrad bis nach Wladiwostok geschafft.

Ein anderer Nachbar von mir, der als freischaffender Internetdesigner tätig ist, bucht jedes Jahr für teures Geld eine spirituelle Reise nach Tibet zum Berg Kailash. Dieser Berg, auch »Perle im Schnee«, »Leuchtender Kristall« und »Shivas Thron« genannt, ist das Ziel jedes buddhistischen Pilgers. Menschen aus der ganzen Welt laufen um den Berg herum und hoffen auf eine bessere Wiedergeburt. Je länger sie laufen, umso größer sind die Chancen, als etwas Anständiges und nicht schon wieder als Fischstäbchen wiedergeboren zu werden. Wer es schafft, den Berg hundertachtmal zu umrunden, wird von einer Wiedergeburt ganz verschont und landet direkt im Paradies. In einem buddhistischen Paradies versteht sich, das heißt keine Orgien, keine willigen Jungfrauen wie bei den Moslems, keine himmlische Musik wie bei den Christen, keine Garantie auf ewige Glückseligkeit, dafür zweimal am Tag kostenlose Meditationskurse und angenehme Gesprächspartner rund um die Uhr.

Bei uns in Prenzlauer Berg spielt das Jahn-Stadion die Rolle

162

des Berges Kailash. Hier reißen die freischaffenden Internetdesigner tagtäglich ihre rituellen Joggingrunden, um bessere Menschen zu werden. Aus fetten Bürohengsten macht das Stadion schlanke Messiasse, und wer hundertacht Runden schafft, darf am Berliner Marathon teilnehmen — dem direkten Weg ins hiesige Paradies.

Ich bin auf der Suche nach Neuem einen anderen Weg gegangen. Meine Reise führte nicht weit: Ich habe den Schrebergarten zu meinem Kailash erklärt. Der kleine Garten ist wie der große Berg — ein Abbild der Ruhe und der Ewigkeit. Er saugt meine Zeit auf. Jedes Mal, wenn ich im Garten auf die Uhr schaue, ist es später, als ich denke. Der Gärtner ist in Wahrheit ein Laubenbuddhist, er glaubt, seine Parzelle sei auf ewig eingerichtet und seine Bäume würden tausend Jahre alt. Sein Lebensstil, seine bevorzugte Kleidung haben etwas Mönchhaftes an sich: die zerfetzten Sporthosen mit Beulen an den Knien und die farblosen T-Shirts ohne Ärmel. Dem Einfluss der Haute Couture stellt er sich entgegen. Sein Geist ist nicht getrübt von den Regeln und der Geschäftstüchtigkeit der mondänen Welt, seine Natürlichkeit lässt ihn närrisch und dumm aussehen. Sein erklärtes Ziel — den größten Kürbis der Welt zu ziehen oder eine zwei Meter große Sonnenblume zu besitzen — wird in den Augen der Öffentlichkeit immer lächerlich bleiben. Sein heimliches Ziel, die Sonnenanbetung, die er jedes Jahr unter freiem Himmel vollzieht, seine Rituale, darf ich nicht verraten. Fragen Sie ihn doch selbst. Er wird Ihnen bestimmt auch nichts sagen.

Fremde, die sich zufällig in eine Schrebergartenkolonie verlaufen oder jemanden suchen oder Dünger verkaufen wollen, werden vom Gärtner in der Regel mit der Gleichgültigkeit buddhistischer Mönche behandelt. Auf jede Frage antwortet der Gärtner mit einem geheimnisvollen Lächeln und einem Kopfnicken, damit der Fremde sehen kann: Der Gärtner hat seine Frage weder verstanden, noch hat er eine Antwort darauf.

So sind meine Nachbarn — die Laubenbuddhisten. Die »Glücklichen Hütten« sind mein Nepal, Parzelle 118 mein Kailash. Ich habe sie längst hundertachtmal mit einer Harke umlaufen, denn ich will im nächsten Leben als Hummel wiedergeboren werden.

Die Apfelernte

»Was war denn bei Ihnen los, Herr Kaminer?« Die Klassenlehrerin meines Sohnes hielt mich im Korridor auf, als ich Sebastian von der Schule abholte. Es stellte sich heraus, dass mein Sohn schon wieder die Öffentlichkeit mit seinen Ausführungen irritiert hatte. Am ersten Schultag sollte jeder in seiner Klasse erzählen, wie er den Sommer verbracht hatte. Es sei der schrecklichste Foltersommer seines Lebens gewesen, hatte Sebastian mit vibrierender Stimme berichtet: Russland sei total chaotisch. Jeden Tag hätte es bei Oma im Garten gebrannt, aber die Feuerwehr kam und kam nicht, er musste alles allein löschen, zwischendurch musste er auch noch ständig in der Eis-höhle die hungrigen Eiszeitmenschen in Schach halten.

Das hatte mein Sohn erzählt und so getan, als würde er sich den Schweiß von der Stirn wischen. Ich war von seiner Auslegung des gemeinsamen Urlaubs etwas überrascht, versicherte jedoch der Lehrerin, dass Sebastian stark übertrieben hätte. In Wahrheit sei unsere Russlandreise völlig unspektakulär, geradezu ereignislos verlaufen, klärte ich sie auf. Bei Oma hatte es nur einmal gebrannt, und mit den wütenden Eiszeitmenschen hatte Sebastian wahrscheinlich Omas Nachbarn gemeint, weil sie lange Bärte, Westen aus Schafspelz und manche sogar Peitschen unter dem Gürtel trugen. Es seien aber gutmütige Menschen und alte Freunde von uns. Wir würden uns schon seit der Eiszeit, also noch aus der Zeit des Kalten Krieges kennen, und ich würde ihr beim nächsten Mal Fotos von ihnen zeigen.

Die Kinder aus Sebastians Klasse hörten neidisch zu. Die Geschichte von den Eiszeitmenschen hatte sie fasziniert, und sie wollten unbedingt die Fotos sehen. Ihre Klassenlehrerin nickte nur stumm, lächelte und glaubte mir kein Wort. Sie war nicht neu an der Schule und wusste bereits, wie sinnlos es war, mit Eltern über die Macken ihrer Kinder zu sprechen. Denn das meiste haben die Kinder ja von ihren Eltern abgeguckt, den Rest von *Harry Potter* und *Der Herr der*

Ringe. So neige auch ich dazu, das Leben abenteuer-
licher darzustellen, als es ist.

Der Apfel fällt nicht weit vom Baum, dachte die
Klassenlehrerin wahrscheinlich, und hatte recht. Man
musste nur bei uns über den Gartenzaun schauen, um
sich von der Richtigkeit dieser Weisheit zu überzeu-
gen. Dort fielen die Äpfel täglich zu Hunderten und
blieben unter den Bäumen liegen; wir waren kaum im-
stande, das ganze Fallobst aufzusammeln. Der Kompostbehälter quoll bereits über, die Mülltonne war mit
den vergammelten Äpfeln ebenfalls überfordert, und
alle Eimer und Tüten in der Laube waren voll. Dabei
sind wir so gut durch den Sommer gekommen: Der
Rhabarberfrage waren wir erfolgreich ausgewichen,
die Johannisbeerfrage war geklärt, die Kirschen- und
Pflaumenfrage mit den vereinten Kräften aller Famili-
enangehöriger beantwortet worden. Selbstgefällig dachten wir schon, nichts und niemand könne unser Gar-
tenleben noch aus dem Gleichgewicht bringen.

Die Freude währte jedoch nicht lange. Eine gewal-
tige Apfelfrage bahnte sich am Horizont an, die uns
unter den Erzeugnissen unseres eigenen Gartens zu
begraben drohte. Ich rief Freunde und Verwandte an,
flüchtige Bekannte und Schreibkollegen, das ganze
Telefonbuch querdurch. Ich brauchte dringend Menschen, die Äpfel mochten und möglichst viele davon
essen konnten. Meine Bemühungen waren nicht er-

folgreich. Entweder waren die Freunde noch nicht
aus dem Urlaub zurückgekehrt, oder sie mochten kein
Obst. Nur meine Tante in Kreuzberg freute sich über
mein Angebot. Sie hätte um diese Jahreszeit früher in
Odessa immer leckeren Apfelkuchen gebacken, meinte sie. Diese Tradition wollte sie nun in Berlin wieder-
beleben, deswegen würde sie am Wochenende zu uns
in den Garten kommen und drei nehmen.

»Was drei?«, schrie ich aufgeregt in den Hörer. »Drei
Säcke? Drei Zentner?« Meine Tante wollte jedoch nur
drei Äpfel. Entgeistert platzte mir beinahe der Kragen.
Zum Glück waren wir nicht allein von der Apfelfrage
bedroht: Alle Gärtner hatten Apfelbäume auf ihren
Parzellen. Schau doch mal, was die anderen damit machen, riet mir eine innere Stimme.

Herr Kern erzählte, dass man zum Beispiel einen
Kleinlaster mieten und die ganze Ernte zu einer Saft-
presse nach Buchholz bringen könne. Dafür bekomme man Saft – für dreißig Cent die Flasche.

»Allerdings mischen sie dort deine Äpfel mit fremden«, fügte Herr Kern enttäuscht hinzu. »Sie kommen
alle in ein und dieselbe Presse, sodass man nie sicher
sein kann, ob man seinen eigenen Saft oder den des
Nachbarn in der Flasche hat.«

Günther Grass meinte, die Russen wüssten doch
wohl am besten, was sich aus vergammelten Äpfeln machen ließe. Dabei zwinkerte er mir unanständig zu.

Ende August lebte unsere Gartenkolonie wieder auf. Vor allem die Gärtner, die Kinder im schulpflichtigen Alter hatten, waren rechtzeitig zum Schulbeginn aus dem Urlaub zurückgekehrt und sammelten nun bereits am Vormittag heruntergefallene Äpfel auf. Sie krochen auf allen vieren durch ihre während des Urlaubs verwilderten Gärten, und anschließend mähten sie das nachgewachsene Gras. Herr Kern nahm sofort seinen Kampf mit dem Unkraut vor dem Gartentor wieder auf. Erstaunlicherweise war das Unkraut ausgerechnet dort am stärksten nachgewachsen, wo er dessen Wurzeln höchst präzise mit dem Gasbrenner verkohlt hatte. Doch Herr Kern wirkte optimistisch, sein Glaube an den endgültigen Sieg über das Unkraut war nicht zu erschüttern.

»In Schweden – tollen Urlaub gehabt«, erzählte er zwischendurch. »Schweden ist ein Paradies! Die Luft, die Bäume, die absolute Ruhe!«, rollte er die Augen.

Familie Kern hatte die gleiche Holzhütte wie jedes Jahr gemietet, vier Kilometer vom nächsten Dorf entfernt, im ruhigen Teil Schwedens, wie Herr Kern betonte. Ich überlegte, wie wohl der unruhige Teil Schwedens aussehen mochte, konnte mir jedoch nichts Konkretes darunter vorstellen.

»Du hast recht«, gab Herr Kern zu. »Im Sommer ist in Schweden tote Hose, aber wir wollten trotzdem auf Nummer sicher gehen: keine Menschen, keine Autos, keine Flugzeuge am Himmel. Absolute Ruhe. Und den Kindern hat es auch gefallen.«

Die niedlichen kleinen Maispflanzen auf seinem Grundstück standen inzwischen eins achtzig hoch, seine Äpfel waren groß wie Kinderköpfe – die chinesische Biogartenlehre schien zu funktionieren.

Auch Familie Krause war in ihren Straßenbahngarten zurückgekehrt. Man hörte die Hunde von Weitem bellen und die Kinder schreien. Herr Krause inspizierte nachdenklich den Unkrautdschungel auf seinem Grundstück, während Frau Krause in bunte tibetische Seidentücher gewickelt im Liegestuhl saß. Sie rauchte, trank Kaffee, las, schrieb und strickte gleichzeitig.

»Wir wären beinahe für immer im Nordkaukasus geblieben«, erzählte ich. »Und wie war es bei euch in Palermo?«

»Wir waren nicht in Italien«, erklärte Frau Krause. Sie hatten sich im letzten Moment doch für Polen entschieden. Vier Wochen lang hatten sie in ihrem alten VW-Bus Polen durchquert, mit Hunden, Vögeln, Kindern und drei Koffern voller Belletristik, die Herr Krause immer in den Urlaub mitnahm.

»Mein Mann lebt in der Vergangenheit und in der Literatur«, beschwerte sich Frau Krause. »Er will ständig das gerade Gelesene nachahmen. Mich hat er damals nur geheiratet, weil er ein Buch über eine leidenschaftliche Ost-West-Beziehung gelesen hatte.« In diesem Buch wurde eine schwangere Frau an der Mauer erschossen, als sie zu ihrem Freund in den Westen fliehen wollte. Als er das gelesen hatte, fuhr Herr Krause in den Osten und lernte die zukünftige Frau Krause kennen. Sie wurde jedoch nicht erschossen.

In Polen wollte Herr Krause auf Spurensuche gehen, weil er gerade ein Buch von Günter Grass (von dem richtigen Schriftsteller, nicht von Nadelbaum-Günther) über Vertriebene gelesen hatte und ein Teil seiner Familie ebenfalls vertrieben worden war. Frau Krause schwärmte von Polen in den höchsten Tönen: Die polnischen Hotelbesitzer seien viel flexibler als die Deutschen, meinte sie. Die heulenden Hunde und kreischenden Kinder hätten ihnen überhaupt nichts ausgemacht. Nur die Deutschen täten immer so, als könnten sie nur bei absoluter Ruhe schlafen. Sie würden einfach nicht einsehen wollen, dass jedes Leben Krach macht und nur der Tod leise ist, schimpfte sie – und erinnerte an einen preußischen König, der nach dem Exerzieren seiner Regimenter enttäuscht gemeint hatte: »Sehr schön, aber sie atmen!« Ich kannte diesen Satz aus Russland, dort wird er dem Großfürsten Michael zugeschrieben.

Wie ein Blitz war die Familie Krause durch Polen gefahren. Sie war an der deutschen Grenze hinein- und an der russischen wieder herausgekommen – aus dem polnischen Wald. Dort hielten sie an dem gestreiften Grenzhäuschen, begrüßten die russischen Soldaten davor und fuhren weiter Richtung Ostsee. Da mieteten sie für ihr ganzes Geld ein Zwölf-Tonnen-Boot, weil Herr Krause gerade das Buch *Schiffbruch mit Tiger* gelesen hatte, und irrten damit eine Woche lang über die kleinen Seen. Mit all den Hunden, Vögeln und Kindern und den ganzen Vorräten ähnelte ihr Boot einer modernen Arche Noah, auf der immer etwas los war. Die einheimischen Fischer machten einen großen Bogen um ihr Schiff, wenn es in öffentlichen Gewässern auf sie zusteuerte.

»Was können wir noch auf die Schnelle pflanzen? Vielleicht Knoblauch oder Zwiebeln?«, fragte mich Frau Krause.

Ich fragte sie dagegen, ob sie jemanden kenne, der ein paar Tonnen Äpfel haben wolle.

Ich könnte die Ernte vielleicht beim Kinderbauernhof abgeben oder bei den Vietnamesen im Obst- und Gemüseladen? In der Schulkantine? Beim Verein der Anonymen Alkoholiker? – Frau Krause war in unserem Bezirk eine bekannte Persönlichkeit, sie kannte alle, und alle kannten sie.

Wir saßen in ihrem Garten und beobachteten, wie der Sommer langsam unterging. Der Wechsel der Jahreszeit war nicht mehr zu ignorieren. Die letzten Blumen in unseren Gärten verloren ihre letzten Blütenblätter, das Obst fiel von den Bäumen, das Mandelbäumchen verwelkte. Dieses unaufhaltsame Absterben der Natur in aller Öffentlichkeit stimmte mich melancholisch. Früher, als Nichtgärtner, hatte ich den Wechsel der Jahrszeiten anders wahrgenommen. Früher war der Sommer zu Ende, wenn die Eisdiele bei uns im Erdgeschoss dichtmachte.

Die Eisdiele unten in unserem Haus war stadtbekannt, wahrscheinlich weil sie dem Zeitgeist so sehr entspricht: Junge Leute machten etwas – nämlich Eis –, statt dem Staat auf der Tasche zu liegen. Beinahe jede Woche kreierten sie da unten neue, noch ausgefallenere Eissorten, um das eisinteressierte Publikum zu verunsichern, aber auch zu fesseln: Wodka-Zitrone-Vanille oder Chili-Minze-Nougat war hier längst eingeführt. Die regionale Presse hatte mehrmals lobend über diese Eisdiele berichtet, und immer mehr Eis essendes Volk sammelte sich unter unserem Fenster. An sonnigen Tagen konnte man keinen freien Platz mehr finden. Die zwei Bänke und vier Stühle, die draußen vor der Eisdiele standen, waren rund um die Uhr besetzt. Von meinem Balkon aus hatte ich den ganzen Sommer lang die Möglichkeit, umfassendes Material über die Gewohnheiten und Vorlieben der einheimischen Eiscreme-Esser zu sammeln, um vielleicht später einmal eine Doktorarbeit über das Thema zu schreiben.

Es gibt in Deutschland drei Arten, Eis zu essen. Am stärksten verbreitet sind die Eislecker – Menschen, die ihr Eis mit großer Sorgfalt konsequent von allen Seiten ablecken. Dabei strecken sie ihre Zunge so weit wie möglich heraus und lächeln ihre Nachbarn an, als wollten sie sie alle zu einer Leckorgie einladen. Die zweitgrößte Gruppe bilden die Eisbeißer – diejenigen, die ihr Eis erst einmal lange anschauen, bevor sie zuschlagen. In der Regel beißen sie gleich als Erstes ein großes Stück ab, dann sitzen sie manchmal sehr lange mit vollem Mund da und schauen ernst, als wollten sie sagen: Dich beiße ich vielleicht auch noch. Die dritte und kleinste Gruppe von Eisessern sind die Fingeresser: Menschen, die ihre Finger oder sogar Nase zu Hilfe nehmen, um mit dem Eis fertig zu werden. Das machen vor allem Grundschulkinder, Rentner und Aktionskünstler. Der Gerechtigkeit halber muss hier aber noch eine vierte Gruppe erwähnt werden, zu der auch ich gehöre: Das sind all die Menschen, die gar kein Eis essen, aber gern auf dem Balkon sitzen und beobachten, wie andere Leute Eis essen.

Unsere Eisdiele ist wie kein anderes Geschäft vom Wetter abhängig. Kaum fängt es an zu regnen, geht das Interesse zurück. Als Erstes verschwinden die Lecker, dann die Beißer, dann die Fingermenschen. Die Bänke draußen werden schließlich gar nicht mehr ausgeklappt, und jeden Tag steht ein Stuhl weniger auf der Straße. Bis eines Tages das Eisdielenfenster geschlossen bleibt, die Reklame abgeklebt und der letzte Stuhl hineingetragen ist. Die Passanten ziehen dann, fast ohne hinzusehen, an der Eisdiele vorbei, und jeder im Haus weiß, es ist aus mit dem Sommer.

Am letzten Samstag im August feierte die Schrebergartenkolonie »Glückliche Hütten« ihr 110-jähriges Jubiläum. Auf der Ankündigung empfahl der Vorstand allen Gartenfreunden, ihre Parzellen sauber zu machen und ordentlich zu schmücken. Mein Nachbar Günther Grass, dessen Superkürbis inzwischen fast so groß wie seine Laube war, schmückte seinen Garten mit roten Luftballons und einer DDR-Fahne. Ich ging sofort ebenfalls Luftballons kaufen. Hundertzehn Jahre – das war ein rundes Jubiläum. Anscheinend gehörte unsere Kolonie zu den ersten in Deutschland, zu den Vorläufern der heutigen Gartenbewegung. Nicht umsonst hatte Herr Krause neulich in seinem Garten einen Pfennig aus der Vorkriegszeit und einen sowjetischen Rubel gefunden, als er nach der Lektüre einer neuen Schliemann-Biographie eine kleine Ausgrabung im Garten vorgenommen hatte.

Ich stellte mir vor, wie sie damals ihre Parzellen geschmückt hatten, welche Fahnen hier schon mal geweht hatten – unter Kaiser, Hitler, Honecker – und was in diesen Gärten möglicherweise noch alles vergraben war. Auch ein Garten kann eine interessante Biographie haben – und dunkle, unaufgeklärte Flecken in seiner Vergangenheit. So wie in jedem Haushalt der Inhalt des Kellers mehr über die Familie erzählt als der aktuelle Möbelbestand. In solche Gedanken vertieft, blies ich ein Dutzend Luftballons mit Brandenburger-Torheiten-Motiven auf und befestigte sie vorsichtig am Stacheldraht vor unserer Parzelle. Zwei platzten sofort, die anderen blieben hängen.

Das Jubiläumsprogramm wurde nach altgriechischem Rezept zusammengestellt – Brot und Show. Geplant hatte man: das Wecken der Parzellen mit Pauken und Trompeten, Kaffee und Kuchen, Kindertheater, Sportwettkämpfe, Dartspiel-Wettbewerbe, den Auftritt eines Zauberers, Eisbeine aus der Gulaschkanone, einen Tanzball mit DJ Gartenzwerg. Mich interessierte vor allem das Theaterstück *Die wilde Prinzessin*, das Frau Krause persönlich schreiben, inszenieren und aufführen wollte. Ich kannte meine Nachbarin bereits als aktive Gärtnerin, politisch engagierte Bürgerin, liebende Mutter und eifersüchtige Ehefrau, als Tierschützerin, Veterinärin und Vorsitzende des Elternrates. Ich wusste, dass es in unserem Bezirk keine Bürgerinitiative und keinen Verein gab, in dem sie nicht aktives Mitglied war. Ich wusste auch, dass sie Harfen- und Strickunterricht nahm; auf einer Theaterbühne hatte ich sie jedoch noch nie gesehen. Da ich früher selbst engagierter Kindertheaterspieler gewesen war, wusste ich, welch enorme Verantwortung dieser Beruf mit sich brachte. Meine letzte Rolle in einem Kindertheaterstück endete, nebenbei bemerkt, mit einem Brand und einer Anzeige wegen vorsätzlicher Ruhestörung. Damals, vor fünfzehn Jahren, hatten wir, eine kleine, aber begabte Off-Theater-Gruppe, im Rahmen des Festivals »Theater nach der Diktatur« ein Tanztheaterstück – *Das Herz des Drachen* – mit großem pyrotechnischen Aufwand uraufgeführt. Und zwar mit freundlicher Unterstützung der damaligen Kulturbeauftragten des Bezirks, die sogar selbst an dem Abend bis auf die Unterwäsche mit abbrannte, weil der Pyrotechniker verschlafen hatte und niemand von uns so genau wusste, wo er seine Feuerwerkskörper und kleinen Bömbchen platziert hatte. Ich spielte damals den Drachen mit Herz. Es ging um eine unglückliche Liebesbeziehung, und die Rolle war zum Teil autobiographisch angelegt, allerdings ohne Text. Ich spuckte Feuer und wurde am Ende von den Soldaten der königlichen Garde hingerichtet. Noch heute habe ich Phantomschmerzen im ganzen Körper, wenn ich an meinen damaligen Theatereinsatz denke. Das Theaterstück von Frau Krause sollte jedoch kein pyrotechnisches Tanztheater werden. Ich stellte es mir eher als philosophisches Drama mit Gesangselementen vor.

Das Stück sollte um fünfzehn Uhr Berliner Zeit zur

Freude aller Kinder auf der großen Wiese vor dem Vereinsheim aufgeführt werden. Am Jubiläumsvormittag nieselte es, wie beinahe täglich in diesen Augusttagen. Die Parzellen wirkten übersauber und feierlich, alle Gartenfreunde saßen bereits auf der Wiese. Man konnte schon von Weitem Musik, Kindergeschrei und die kräftige Stimme von Frau Krause hören. Wir kamen ein wenig zu spät, die Eisbeine waren schon alle aufgegessen. Im Zentrum der Wiese, auf den besten Plätzen, saßen die Ältesten der Gemeinde an einem runden Plastiktisch unter einem großen *Pall-Mall*-Schirm. Vor sich auf dem Tisch hatten sie eine Burg aus leeren *Kümmerling*-Fläschchen aufgebaut, die unglaubwürdig hoch war. Gemessen an ihrer Höhe konnte man meinen, die Kolonisten hätten seit Gründung der Kleingartenkolonie an diesem Architekturwunder gearbeitet, mit der Aussicht, früher oder später ganz in diese *Kümmerling*-Burg einzuziehen. Die jüngeren Gärtner sorgten für Nachschub, der gleich kistenweise auf den Tisch kam. Trotz des *Kümmerling*-Rausches oder vielleicht gerade deswegen starrten die Trinker wie gebannt auf die Bühne, wo Frau Krause, verkleidet als Pipi Langstrumpf, herumlief. Weil das Mikrophon kaputt, die Kinder zu laut und Frau Krause zu aufgeregt war, konnte ich den Text des Märchens nicht verstehen. Die Schauspielerin wirkte nervös und von ihrem Publikum im Stich gelassen, obwohl die

Kümmerling-Trinker ihr durchaus wohlwollend zu-
schauten und bestimmt auch mit beiden Händen ge-
klatscht hätten, wenn sie dazu noch fähig gewesen wären. Bei den Kindern stieß das Stück dagegen auf
Desinteresse. Sogar Frau Krauses eigene Tochter wei-
gerte sich zuzuschauen.

»Ich kann es nicht mehr sehen«, quengelte sie.
»Mama spielt das Stück schon ewig und zu jedem
Anlass: im Kindergarten, in der Schule, bei meinem
Geburtstag, praktisch überall. Ich will, dass sie endlich
ein neues Stück schreibt«, meinte die Tochter, wäh-
rend ihre Mutter durch die Wiese lief und »Wo ist mein
Hubschrauber?« schrie. Das Stück neigte sich dem
Ende zu, Frau Krause stolperte über das Mikrophon-
kabel und verschwand von der Bühne.

Währendessen führten wir mit Herrn Krause ein
anregendes Gespräch über Bücher. Genau wie ich war
er abergläubisch, was Literatur betraf. Auch er wusste,
dass es Bücher gab, die Unglück brachten. In seinem
Fall war der Roman *Das Parfüm* ein solcher Unglücks-
bringer. Jeder, dem dieses Buch nicht gefiel, hatte zu
leiden, aber nur, wenn man seinen Unmut darüber
öffentlich äußerte. Entweder hatte man einen Autoun-
fall, oder man bekam eine schlimme Allergie, oder es
wurde einem gekündigt.

»Mir hat diese Geschichte über den durchgeknall-
ten Riecher überhaupt nicht gefallen, aber ich würde

das niemals öffentlich zugeben«, flüsterte mir Herr Krause ins Ohr.

Seine Frau kam an den Tisch, sie war mit dem Theaterspielen fertig – fix und fertig. In dem ganzen Durcheinander hatte ich so gut wie nichts von ihrem Stück mitbekommen. Nur über Gespräche mit anderen Kolonisten, ihren Kindern und einigen Mitgliedern des Vorstands gelang es uns, die Handlung zu rekonstruieren.

Das Mono-Kindertheaterstück *Wilde Prinzessin* von Frau Krause:

Es war einmal eine Prinzessin, die lebte zusammen mit vielen kranken Tieren (sie hatte einen leichten Knall). Sie stand bei Sonnenaufgang auf und ging durch die Schrebergärten spazieren. Jedes Mal, wenn sie ein krankes Tier traf, ob Elefant oder Maus, nahm sie es in ihre Parzelle mit. Auch Vögel, die nicht mehr fliegen konnten, und zerfledderte Menschen fanden bei ihr Unterschlupf und bekamen etwas zu essen. Alle Erniedrigten dieser Welt wussten darüber Bescheid und legten sich extra auf die große Wiese vor dem Vereinsheim der Schrebergartenkolonie, damit die Prinzessin über sie stolperte. Eines Tages ging die Sonne nicht auf, die wilde Prinzessin verschlief, und alle kranken Tiere und maroden Menschen starben. Damit das nicht noch einmal passierte, besorgte sich die Prinzessin einen

Hubschrauber und flog jeden Morgen steil nach oben, um die Sonne zu wecken. Das ging eine Zeit lang gut, bis ein böser Hase ihren Hubschrauber aus Langeweile klaute. Es war gerade ihr Geburtstag, deswegen regte sich die wilde Prinzessin besonders heftig darüber auf. »Wo ist mein Hubschrauber?«, rief sie immer wieder, lief hilflos umher, stolperte über das Mikrophonkabel und fiel hin. Aber niemand merkte etwas. Die kranken Tiere und lädierten Menschen feierten weiter.

Die Musik von Klaus Otto Maria Magnus Westerhagen tönte aus den Lautsprechern, Kinder spielten Fußball mit Luftballons, ein kleines schwangeres Hündchen zog einen Eisbeinknochen über die Wiese, die Toilettenfrau verkaufte nebenberuflich Kaffee und Marmorkuchen. Es gab wie im richtigen Leben kein Happy End, es ging einfach immer weiter. Gegen Abend wurde der Regen stärker, und langsam leerte sich das Festgelände. Nur die Gefangenen der *Kümmerling*-Burg blieben auf ihren Plastikstühlen unter dem großen *Pall-Mall*-Schirm sitzen – bis zum nächsten Jubiläum.

Deutschland aus Porzellan

Will jemand vielleicht einen Apfel? Nein? Ich auch nicht. Ich habe in den letzten Wochen zu viele davon gegessen. Anderswo feierten die Menschen längst Oktoberfest oder bereiteten sich auf den Karneval vor. »Nur noch hundert Tage bis Weihnachten«, warnte die Leuchtreklame in der Marzipanecke unserer Kaufhalle. Kaschmirpullover und winterfeste Bergsteigerjacken beherrschten bereits die Theken in den Kleidergeschäften, unser Alltag wurde dagegen noch immer von den Apfelbergen in der Wohnung beherrscht. Wir schafften es kaum, die Früchte zu verarbeiten oder zu verschenken, und das Ende der Ernte war noch immer nicht in Sicht. Alle zwei Tage schleppte ich einen neuen Apfelsack aus dem Garten nach Hause. Auf der Familienversammlung, die wegen der Apfelkrise einberufen wurde, beschlossen wir fast einstimmig, nicht aufzugeben und keinen Apfel am Baum zu lassen. Drei waren dafür, einer enthielt sich. Wie Tarzan kletterte ich die Apfelbäume hoch und schwer beladen wieder herunter. Dabei gewann ich stets neue Erkenntnisse über das weite Feld der Gartenarbeit. So bemerkte ich zum Beispiel, dass die größten Äpfel sich immer an der Spitze der Bäume befinden. Sie saßen fester auf den Zweigen als ihre Nachbarn unter ihnen, und sie gaben ungern nach, wenn man an ihnen zog. Dafür waren sie reifer und saftiger. Je höher eine Frucht hing, desto besser schmeckte sie – diese Erkenntnis kostete mich beinahe das Leben, weil unsere Apfelbäume hoch waren und die Leiter alt und wackelig.

Eigentlich wollte ich nichts mehr über Äpfel schreiben, sondern von meiner Schulklasse erzählen, die sich mitten in der Apfelernte nach einem Vierteljahrhundert des gegenseitigen Verschweigens und Verdrängens plötzlich und beinahe vollständig wieder zusammenfand. Lange hatten wir uns nur im Internet unterhalten, doch die Stimmen, die auf ein Klassentreffen offline bestanden, waren immer lauter geworden. Es musste nur noch der Ort der Begegnung geklärt werden. Russland, Amerika, Israel, Deutschland, Griechenland und Kanada standen zur Wahl. Moskau blieb aber Favorit, weil die meisten meiner ehemaligen Mitschüler noch immer dort lebten. Meine Schulklasse hatte alle russischen Abenteuer der letzten Jahrzehnte mitgemacht. Die Hälfte hatte sich Anfang der Neunziger ins Ausland abgesetzt, die andere Hälfte war in Russland geblieben. Dann kehrte die Hälfte der Auslandshälfte zurück in die Heimat und eiferte mithilfe ihrer neu gewonnenen Erfahrungen den kapitalistischen Errungenschaften des Westens zu Hause nach. Sie gründeten kleine Firmen – Modeboutiquen, Solarien, Kosmetikzentren, Computer-Reparaturwerkstätten –, wurden bodenständig und erfolgreich. Mein ehemaliger Schulbanknachbar zum Beispiel, der vor fünfundzwanzig Jahren Fotos von »Kiss« gesammelt und sich gelegentlich auf dem Mädchenklo in einer Kabine eingesperrt hatte, war inzwischen Opa und hatte einen Möbelsalon. Ein Trivialschicksal.

Nur sehr wenige aus meiner Klasse hatten sich tatsächlich im Ausland eingenistet – schlechte Schüler, Hinterbänkler wie ich. Einer war in San Francisco als Aushilfshausmeister in einem Hippie-Altersheim tätig, ein anderer machte in L.A. Soundchecks bei großen Festivals. Beide waren Ich-AGs mit ungeklärtem Familienstand, und niemand hatte es im Ausland zu einem anständigen Möbelgeschäft gebracht. In der Heimat dagegen hatten fast alle Schulkameraden mit vierzig schon Salons und Enkelkinder. Das ist meiner

Meinung nach etwas frühreif – Großvater mit vierzig zu sein. In Deutschland geht dieses Alter gerade noch als das Ende der Pubertät durch. Hier lässt man sich Zeit mit dem Heiraten. Eine solche Entscheidung wiegt schwer, sie muss aus Sicherheitsgründen erst einmal ein paar Jahre lang diskutiert, mit dem Hausanwalt und dem Hausarzt besprochen und mit den zuständigen Behörden geklärt werden, sie muss letztendlich die Prüfung der Zeit überstehen, und wenn ein Paar es dreißig Jahre lang miteinander ausgehalten hat, erst dann ist es hier nicht ausgeschlossen, dass sie einander das Jawort geben und einen Ehevertrag unterzeichen. Die Russen dagegen heiraten auf der Stelle, wenn sie verliebt sind, sie verlieren gern den Kopf. Kaum haben sie sich vom Liebesrausch erholt, schon sind sie Opa.

Vier Schüler aus meiner Klasse sind tot. Zwei hatten sich vor zehn Jahren angeblich zu Tode gesoffen, einer war als Freiwilliger im zweiten Tschetschenienkrieg umgekommen, und einem war ein Stein von einem vorbeifahrenden Zug direkt an den Kopf geflogen.

Während die Toten eher in Frieden gelassen werden wollten, planten die Überlebenden eine große Party. Dieses Klassentreffen stellte ich mir spannend vor, als eine Art Angeberzusammenkunft mit Fotoaustausch. Wir würden in einem Moskauer Restaurant einen

»Klassentreffensaal« mieten und unsere Fotos herumreichen. »Meine Bücher, meine Frau, meine Kinder«, hörte ich mich bereits sagen. Mein Schulbanknachbar wird seinen Stapel Fotos auf den Tisch knallen und siegreich lächeln: »Meine Frau, meine Kinder aus erster Ehe, meine Enkelkinder, mein Möbelsalon, meine Sekretärin und meine Filiale in Donezk.«

Es gab nichts, womit der ausländische Gast diesen Lebensreichtum übertrumpfen konnte. Fast nichts.

Ich zücke meine letzte Trumpfkarte. »Na gut. Aber wir haben einen Schrebergarten in Berlin, wir ernten zwei Tonnen Äpfel pro Jahr.«

Erstaunte Blicke, tosender Applaus.

Einmal hatte ich sogar einen durch die Apfelernte bedingten Albtraum: Meine gesamte Klasse besuchte mich im Garten. Ich stand gerade auf Zehenspitzen ganz oben auf einer Leiter und versuchte, einen unglaublich großen und roten Apfel zu pflücken. Mir war schwindelig. »Schau bloß nicht nach unten, bloß nicht nach unten gucken«, sagte ich noch zu mir – und schaute nach unten. Meine gesamte Schulklasse stand vor dem Zaun, angeführt von unserer Klassenlehrerin Frau Krut, die einen Holzkorb in der Hand hielt, und den beiden toten Trinkern. Ich sagte »Hallo« und fiel vom Baum.

In der Realität bekam ich ebenfalls Besuch, mein

Schulkamerad Andrej, der Aushilfshausmeister im Hippie-Altersheim in San Francisco ist, war nach Berlin gekommen und wohnte zwei Tage bei mir. Vor dreizehn Jahren war er aus Neugier mit einem Touristenvisum nach Amerika eingereist und hatte sich in San Francisco niedergelassen. Amerika wurde für ihn zu einem schönen Knast. Ohne richtige Aufenthaltserlaubnis konnte er dort leben, arbeiten, Auto fahren und Steuern zahlen, aber er durfte Amerika nicht verlassen. Nach dreizehn Jahren bekam er endlich die Staatsangehörigkeit und durfte nun fast überall hin und ohne Visum verreisen wie ein normaler Amerikaner. Andrej genoss diese neue Reisefreiheit und nahm sich extra zwei Monate Urlaub, um sie voll auszukosten. Ich hatte keine Zeit, ihn durch Berlin zu führen, dafür organisierte ich einen Spaziergang durch die Schrebergartenkolonie – mit einem anschließenden Dartspiel im Vereinsheim.

Andrej erzählte wenig von seinem Leben, immer wieder beschwerte er sich über die emanzipierten amerikanischen Frauen, die er wegen ihrer selbstsicheren Art nicht mochte. Aber alle seine Versuche, stattdessen eine Landsfrau via Internet kennenzulernen, endeten im Desaster. Als Aushilfshausmeister hatte Andrej wenig Aussicht auf eine lukrative Karriere. San Francisco war eine politisch korrekte Stadt. »Eine richtige Hausmeisterstelle kannst du nur als schwuler Chinese mit

nachweisbarer Diskriminierung daheim ergattern«, erklärte er mir. Als Aushilfshausmeister verdiente er jedoch auch nicht schlecht: fünfundzwanzig Dollar die
Stunde. Das Geld ging fast vollständig für seine Inter-
netbekanntschaften drauf, die alle aussahen wie Julia
Roberts.

Andrej wurde angeblich ständig von diesen Inter-
net-Bräuten geprellt. Einmal lernte er eine schöne
junge Julia Roberts aus der Ukraine im Netz kennen.
Sie erzählte, ihr Bruder, ein Bergarbeiter, sei gerade
verschüttet worden, der ukrainische Staat ließe seine
Menschen schnöde im Stich, deswegen bräuchte sie
dringend fünfhundert Dollar, um den Bruder sozusagen eigenhändig auszugraben. Andrej schickte ihr
das Geld per Express. Auf diese Weise hat er schon un-
zählige Leben gerettet – Kinder, Väter und Brüder von
vielen Julia Roberts, die wahrscheinlich gar keine Frau-
en waren, schon gar keine Landsfrauen, sondern bloß
Internetprogramme, extra gemacht, um solche Dep-
pen wie Andrej um ihren Aushilfshausmeisterlohn zu
prellen. Aber er lässt sich anscheinend gerne von Julia
Roberts täuschen.

Im Schrebergarten erntete Andrej interessierte Bli-
cke der Nachbarn, vor allem wegen seines T-Shirts.
Darauf waren Indianer mit Pfeil und Bogen in ihrer
Nationaltracht gedruckt. Darunter stand: *Homeland
Security. Fighting Terrorism since 1814.* »Wir sind gegen

Bush und gegen den Irakkrieg«, erläuterte mir Andrej die sozusagen offizielle Position der Bürger von San Francisco. Er persönlich war mit der aggressiven Politik der Amerikaner auch nicht einverstanden, fand Bush aber menschlich in Ordnung. »Ein Politiker muss eine Macke haben, eine Schwäche für irgendwas«, meinte er. »Sonst werden sie in ihrem Ernst schnell unerträglich, wie in Deutschland.«

Hier wirken Politiker oftmals wie freundliche Roboter. Sie sagen immer das Richtige, immer mit der gleichen Betonung, sie haben keine Affären, keine Leidenschaften, keine Hobbys, die sie menschlicher wirken lassen. Manchmal stolpern sie ungeschickt vor dem Auftritt über ein Fernsehkabel oder fallen von der Bühne, stehen aber sofort lächelnd wieder auf – nicht einmal ihrer Frisur ist etwas anzumerken. Ihre russischen Kollegen sind anders, sie zeigen sich gerne menschlich, temperamentvoll, sind sportlich, aber auch zerbrechlich. Wenn sie über ein Kabel stolpern, stehen sie in der Regel nie mehr auf. Ihre Hobbys sind landesweit bekannt. Der russische Präsident lässt sich beim Judokämpfen filmen, auch wenn er gerade gegen stärkere Gegner antritt, die ihn in aller Öffentlichkeit zu Boden schleudern. Etliche russische Minister schreiben Gedichte und lassen sie in Zeitungen abdrucken, andere interessieren sich fürs Boxen, oder sie spielen Schach. Der Moskauer Bürgermeister ist zum

Beispiel Bienenzüchter, deswegen ist Moskau bis zur Kante voll mit Honig, und zweimal im Jahr gibt es zusätzliche Honigverkaufsmessen. Anstatt seine mit Schweiß und Fleiß verdienten Milliarden für teure Yachten, international bekannte Fußballspieler oder für Julia Roberts auszugeben, finanziert der Bürgermeister aus seiner eigenen Tasche Bienenzüchterkongresse. Er entwickelt neue ovale Bienenstöcke mit verbesserter Innenraumaufteilung und setzt sich vehement für der Erhalt der russischen Bienenkönigin ein, die er zärtlich »die Russin« nennt. Egal, zu welchem Anlass der Bürgermeister eine Rede zu halten hat, früher oder später kommt er immer auf Bienen zu sprechen.

»In der letzten Zeit werden die Russinnen stark vernachlässigt. Viele wollen sie nicht haben. Man beschwert sich, sie würden zu laut summen und zu langsam fliegen«, erklärte der Bürgermeister neulich einem Politmagazin in einem Interview zum Thema Nahostkonflikt. »Die Russinnen bringen angeblich weniger Honig und stechen häufiger. Deswegen entscheiden sich viele für die graue kaukasische. Die sei fleißig, schnell, robust und steche nicht. Wer so etwas sagt, hat nichts aus der Geschichte gelernt! Die Russin muss erhalten bleiben«, und so weiter. Über die Staaten bildenden Bienen kann der Bürgermeister stundenlang reden, ähnlich wie Fidel Castro früher über den Sozialismus. Und beide haben ja auch viel gemeinsam. Die Folge seiner Macke ist: Alle Moskauer kennen sich inzwischen im Imkerwesen aus, die Bienen werden als Menschenfreunde wahrgenommen und haben immer freien Flug über Moskau.

Nicht in jedem Land können sich Bienen eines solchen süßen Lebens erfreuen. Auf Island zum Beispiel sterben sie jedes Jahr aus. Der isländische Imkerverein gibt trotzdem nicht auf und importiert sie immer wieder aufs Neue. Die neuen Völker aus Norwegen bringen es gerade noch auf zehn Kilo Honig in der Saison, bevor sie den Löffel abgeben. Die Bienen sind auf Island aber nicht nur kurzlebig, sondern auch sehr aggressiv. Wahrscheinlich weil sie sauer sind, dass man sie aus dem sonnigen Norwegen an einen solch trostlosen Ort verschleppt hat, wo sie keine Überlebenschance haben.

Dafür haben die Hummeln, die nur einen Sommerstaat bilden, diese Insel buchstäblich erobert. Letztes Jahr habe ich dort besonders viele Hummeln gesehen, auf jeder Blume saß mindestens ein Dutzend. Ich besuchte die Insel auf Einladung des *Edda*-Verlags, der mein erstes Buch auf Isländisch veröffentlicht hatte. Mit Frau, Freund und Verleger gingen wir durch Reykjavik spazieren. Die Einheimischen gaben sich große Mühe, um ihre von den Wikingern abgeholzte Insel in eine grüne Oase zurückzuverwandeln. Sie legten große Blumenbeete an und pflanzten jedes Jahr acht Millionen Bäume, wie mein isländischer Verleger Kristján Bjarki Jónasson behauptete.

Es wehte ein starker Nordwind, daher waren weder Schmetterlinge noch Libellen oder Bienen zu sehen. Auch die Menschen gingen an diesem Tag in Reykjavik nicht ohne Not auf die Straße. Nur der verrückt gewordene Schachweltmeister Bobby Fischer, der in Island politisches Asyl bekommen hat, saß mit Schachbrett und einem Radioweltempfänger vor dem größten Antiquariat der Insel, und Hummeln in rauen Mengen schwebten über seltene Blumen am Straßenrand. Bobby Fischer und die Hummeln, beide waren auf Island neu.

Der Schachweltmeister war aus einem japanischen Gefängnis nach Island gekommen. Er hatte gegen das von Amerika gegenüber Jugoslawien verhängte Handelsembargo verstoßen, indem er in Belgrad noch einmal gegen Boris Spasski Schach gespielt hatte. Dabei hatte er viel Geld gewonnen. Als die Amerikaner ihn vor ein Gericht stellen wollten, tauchte er erst in Jugoslawien unter und floh dann nach Japan, wo er eine Frau kennenlernte, die er heiratete. Als sein Visum abgelaufen war, kam er in den Knast. Ihm drohte die Auslieferung. Das uralte Schachland Island – angeblich sollen die Vorfahren der Isländer schon zu Zeiten der Edda-Sage Schach gespielt haben – rettete ihn, indem es Fischer politisches Asyl anbot. Seitdem lebt er in Reykjavik, wo ihn inzwischen jeder kennt und grüßt.

Wie die Hummeln nach Island kamen, ist dagegen noch nicht so klar: Wahrscheinlich mit den ersten Siedlern – es brauchte dazu ja nur eine befruchtete Hummelkönigin. Die Isländer waren ansonsten an Insekten nicht gewöhnt, meinte Kristján Bjarki Jónasson. Sie fühlten sich oft von Hummeln angegriffen, hatten vor ihnen Angst, zogen sich die Jacke über den Kopf und machten sich davon. Vor Kurzem hatte eine isländische Zeitung eine Fotostrecke veröffentlicht, die zeigte, wie der isländische Ministerpräsident sich vor Hummeln in Sicherheit brachte. Diese Bilder wurden von der Bevölkerung politisch aufgenommen, denn die Hummeln standen für eine sozialverträgliche Gesellschaft – ohne Arm und Reich, erklärte uns der Verleger. Die skandinavischen Länder Dänemark, Finnland, Schweden, die Faröer Inseln und Island hatten nicht umsonst die Hummel als Hauptelement für ihr gemeinsames Wappen gewählt. Sie soll die Überlegenheit der nordischen Länder symbolisieren: allesamt erfolgreiche Volkswirtschaften mit hohen Steuern und einem dichten sozialen Netz.

Bezüglich der Hummel behaupten einige Biologen, sie dürfe wegen ihres Gewichts und ihrer Flügelgröße eigentlich gar nicht so gut fliegen können, wie sie es tue. Und einige US-Ökonomen behaupten, die skandinavischen Staaten dürften mit ihrer Sozialpolitik eigentlich gar nicht so erfolgreich sein, wie sie es seien. Das machte die Hummeln zu einem Vorbild in puncto Überlebensfähigkeit – nicht nur für Island. Auch in unserer Schrebergartenwelt waren sie autonom und sachkundig. Sie wussten, was jeweils anlag. Ich war doch selbst schon eine alte Hummel – das heißt fast ein Jahr im Schrebergarten. Ich kannte die meisten Gärtner, Wege und Ausgänge östlich des Vereinsheims. Ich wusste, wer auf unserer Seite die dicksten Kartoffeln hatte und sogar, warum. Es machte mir überhaupt nichts mehr aus, wenn mir die suizidgefährdeten Hunde-Invaliden von Frau Krause mit lautem Bellen unter die Räder sprangen. Trotzdem wunderte ich mich jedes Mal noch, wenn ich das hölzerne Aushängeschild unserer Schrebergartenkolonie sah: »Leinenzwang, Fahrradfahren verboten, Betreten auf eigene Gefahr«. Ein Gefühl beschlich mich, als würde man mitten in Berlin eine Staatsgrenze überqueren. Das andere Deutschland lag hinter diesem Schild, ein Deutschland, in dem statt des Grundgesetzes das Kleingartengesetz galt und die Würde jedes Gärtners von der Größe seiner Früchte abhing. Ein Deutschland, das auf keiner Karte eingezeichnet und nirgends auf der Welt diplomatisch vertreten war – ein Hobbitland mit unheimlichen Festen, auf denen sehr kleine

Schnäpse mit sehr großen Bieren zusammen getrunken wurden. Man kannte sich hier nie ganz aus. In dem Moment, wo man zu sich sagte, ich bin eine alte Hummel, ich kenne Deutschland wie meine eigene Westentasche, wurde einem plötzlich ein ganz anderes, völlig unbekanntes Deutschland präsentiert. Es reichte manchmal schon, nur mal eben kurz um die Ecke zu biegen, ohne Vorwarnung zu wenden, von der gewohnten Route abzukommen oder auf längst Bekanntes etwas aufmerksamer zu schauen – und schon offenbarte sich einem eine völlig fremde Landschaft beziehungsweise Lebensart. Es gab mehrere Deutschlands. Es gab ein Deutschland, in dem sich die Menschen regelmäßig mit Äpfeln überfraßen, bis sie Hautausschlag bekamen, und es gab zum Beispiel eins, in dem alte Menschen mit Holzgewehren von Haus zu Haus marschierten, mit Schrotflinten auf eine Plastikente schossen und Getränke meterweise bestellten.

»*Mein Leben als Schützenkönig* wäre bestimmt ein spannendes Buch. Das schreibe ich als Nächstes, wenn ich mit dem Schrebergartenroman fertig bin«, sagte ich zu meinem Nachbarn Herrn Krause, der so freundlich war, mir die Leiter zu halten. Kaum war mein amerikanischer Freund weg, ging nämlich die Ernte wieder weiter.

Wir kriegen das hin, beruhigte ich mich.

Das Eindringen der Äpfel in alle Lebensbereiche

war deutlich zu spüren. Einen Rucksack voller Äpfel schleppte ich in die Russendisko, wo er innerhalb von Minuten geleert wurde. Natürlich nahm mir auch Günther Grass zwei Eimer ab, jetzt waren die Krauses an der Reihe.

Er fände ein Schützenkönigbuch keine so gute Idee, rief Herr Krause nach oben. Er mochte dieses Deutschland der Volksfeste nicht, hatte es noch nie leiden können. Als Junge war er gezwungen worden, bei Volksfesten in seinem niedersächsischen Dorf Trompete zu spielen. Die Männer tranken dabei Lüttje Lagen, ein Getränk, das wie eine Wasserfallkaskade funktioniert, indem ein Schnaps in ein Bier fließt und das Bier in den Mund. Man muss dazu sagen, dass Schnaps mit Bier grundsätzlich das Lieblingsmixgetränk des Deutschen ist, nur mixt man es in jedem Bundesland anders. Die einen nehmen dafür ein dunkles, die anderen ein helles Bier. Mal werden der Schnaps und das Bier gleichzeitig, mal nacheinander geschluckt, nur das Ergebnis ist immer gleich. In Berlin versenkt man meines Wissens den Schnaps im Bier.

Herr Krause hasste nicht nur das Trompetespielen, auch der Spaß des Schützenfestes blieb ihm verborgen. Er bewunderte aber die Durchsetzungskraft und die Widerstandsfähigkeit der alten Traditionen. Früher dachte er, wenn die Alten tot wären, würden sich die Jungen schämen, in diesen idiotischen Kostümen herumzulaufen, das Wochenende durchzusaufen und dämliche Volkslieder zu singen. Niemand würde diesen Quatsch mehr mitmachen wollen, man würde von dieser Pein nur noch aus Geschichtsbüchern erfahren, so hatte Herr Krause gedacht, damals ein pummeliger Knabe, der mit voller Kraft in die Trompete blies. Doch vor Kurzem besuchte er sein Heimatdorf und sah dabei viele junge Leute, die mit Schrotflinten auf einen Holzadler schossen und dabei großen Spaß zu haben schienen. Auch traf er seine ehemaligen Schulkameraden, Leute, die früher nach Holland gefahren waren, um dort in entspannter Atmosphäre einen Joint zu rauchen, die für ihr Dorf nur Verachtung gefunden und die Tage gezählt hatten, bis sie weggehen konnten. Nun feierten sie begeistert den frisch gewählten Schützenkönig. Nur die Musik hatte sich geändert. Man hörte jetzt öfter die »Scorpions« auf Schützenfesten, meinte Herr Krause.

Die kulturelle Rückständigkeit lässt sich durch den Fortschritt nicht bekämpfen. Selbst wenn morgen fremde Planeten erobert und besiedelt werden müssten, hätte man spätestens in einem Jahr den ersten Schützenverein auf dem Mars und irgendwelche traditionsbewussten Bayern oder Niedersachsen, die mit Holzgewehren und Schnapsflaschen von Krater zu Krater marschieren. Spätestens nach der zweiten Pubertät würde man in Deutschland konservativ, patriotisch und traditionsbewusst, meinte mein Nachbar. Er selbst blieb allerdings den Überzeugungen seiner Jugend treu. Er wollte noch immer nicht Trompete spielen und ekelte sich vor folkloristischen Fernsehsendungen, in denen alte Männer und Knaben mit Blasinstrumenten auftraten. Überhaupt Sendungen, bei denen in den Werbepausen Menschen gezeigt wurden, die einen Fahrstuhl brauchten, um von der Küche ins Schlafzimmer zu gelangen, Menschen, die sich über ein Abführmittel freuten, das einen sanften, aber pünktlichen Stuhlgang garantierte, Menschen, die gesundheitlich geschwächt aussahen und geistig instabil – kein Wunder nach so viel Bier und Trompete. Solche Musiksendungen erinnerten Herrn Krause an seine eigene Kindheit. Er nannte sie verächtlich »Altersheimmusik«.

»Wenn wir ins Altersheim kommen, wird dort nur noch Rock 'n' Roll gespielt, da wackeln die Wände«, versprach mir Herr Krause.

Ab 2030 wird in Altersheimen nur noch Rock 'n' Roll gespielt, Hard Rock und Heavy Metal, ab 2040 Breakdance, ab 2050 Techno, später Hiphop. Der Fortschritt ist unaufhaltsam und unausweichlich, pünktlich, aber sanft. Ich kenne viele junge Leute in Berlin, die in Altersheimen als Pflegebruder oder -schwester arbeiten. Dort werden immer Arbeitskräfte gebraucht, der Pflegedienst ist sowieso die Branche der Zukunft mit Wachstumsprognosen, die jeden Computerhersteller oder Maschinenbauer alt aussehen lassen. Die Pflegebrüder und -schwestern teilen mir gelegentlich mit, was für eine wichtige Rolle die Musik im Altersheim spielt. Ein Freund von mir, der mit Alzheimerpatienten zu tun hat, erzählte zum Beispiel, wie leidenschaftlich gern sie singen. »Es sind Leute unter ihnen, die ihre Nach- und Vornamen vergessen haben, sie haben vergessen, wie ihre Kinder aussehen, was sie ihr Leben lang gemacht haben und wie der Planet heißt, auf dem sie leben. Aber ›Die kleine Kneipe‹ von Peter Alexander und ›Griechischer Wein‹ haben sie nicht vergessen. Als wären diese Zeilen ihnen direkt ins Herzen gebrannt, auf die Seele, an unzerstörbare Orte, die für keine Krankheit erreichbar sind. Sie singen ihre Lieblingslieder gern vor dem Frühstück, während des Frühstücks und nach dem Frühstück. Sie vergessen, dass sie sie gerade eben gesungen haben, und singen sie immer wieder, bis die Toleranz der nichtsingenden Nachbarn und des Personals erschöpft ist und die Sänger in ihre Zimmer gesperrt werden.«

Das Deutschland der Altersheime, der Schützenvereine, der Dauercamping-Areale und der Schrebergärten ist letztendlich nicht schwer zu erkunden. Fast jeder kommt früher oder später damit in Berührung. Ich habe einmal bei einem Japaner ein viel selteneres

Deutschland gesehen – ein Deutschland aus Porzellan. Was zum Teufel knipsen die Japaner hier eigentlich?, fragte ich mich jedes Mal, wenn eine Reisegruppe mit Fotoapparaten an mir vorbeizog. Sie knipsten wirklich wie verrückt nach allen Seiten, selbst dort, wo gar nichts war, machten sie ein Foto. Der knipsende japanische Tourist ist zum Weltklischee geworden, jeder hat ihn schon einmal irgendwo gesehen, aber hat irgendwer auch nur ein Foto gesehen, das von ihm geschossen wurde? Jedenfalls niemand, den ich kenne. Deswegen dachte ich lange Zeit, die Japaner hätten gar keinen Film in ihren Kameras, beziehungsweise keine Digitalspeicherkassette. Sie knipsten einfach so – aus Höflichkeit, damit die Einheimischen nicht denken, sie würden sich von ihren Sehenswürdigkeiten und Denkmälern nicht angesprochen fühlen. Die ständige Knipserei sei eine Geste des Respekts dem fremden Land gegenüber – je peinlicher und unbedeutender die Denkmäler seien, umso mehr würden sie sie fotografieren.

Möglich wäre natürlich auch, dass die Japaner doch auf Digitalspeicherkassette, also quasi echt, fotografieren. Aber kaum überqueren sie die Grenze, löschen sie den ganzen Mist. Es könnte natürlich auch sein, dass sie die Fotos tatsächlich mit nach Japan nehmen, sie sortieren, katalogisieren, archivieren und überall in ihren kleinen Wohnungen aufbewahren. Im Schrank, auf dem Fensterbrett und unter dem Sofa. Am Wochenende holen sie die Fotos heraus und gehen in Fotoklubs, wo sie ihre eigenen Bilder mit denen der anderen vergleichen und manchmal auch Fotos untereinander tauschen: Paris gegen Berlin oder Moskau gegen New York. Oder sie ziehen zusammen und gründen Familien, um ihre Fotosammlungen zu verdoppeln. Wenn sie irgendwann keine Arbeit haben und das Leben hart wird, können sie noch immer ihre Fotosammlung auf den großen Fotoauktionen in Kobe und Yokohama anbieten. Und wenn sie sterben, werden sie nach einem alten japanischen Brauch mit ihren Fotos bestattet beziehungsweise eingeäschert, sodass ihre Erinnerungen mit ihnen gehen und sie sich auch im Himmelreich ihre Fotos ansehen können – den Kreml, den Reichstag, die Freiheitsstatue.

Doch das alles sind bloß haltlose Vermutungen. In Wirklichkeit knipsen die Japaner das, was die Einheimischen nicht sehen. Die Japaner sind schwermütig und sentimental, kleine zerbrechliche Dinge reizen sie sehr. Sie knipsen zum Beispiel sehr gerne Schnecken auf alten Mauern, Wassertropfen auf hundertjährigen Kastanienbäumen, kleine graue Spatzen auf einem Denkmal. Am liebsten knipsen die Japaner aber Porzellan. Dafür fahren sie nach Meißen, die Hauptstadt von Porzellandeutschland. Diese Stadt mit einer Burg, einem Dom und einer Porzellanmanufaktur ist klein und zerbrechlich, genauso, wie die Japaner es mögen. Porzellantourismus ist Tagestourismus, die Japaner kommen am frühen Vormittag, knipsen alles durch und fahren am späten Nachmittag wieder weiter. Sie bleiben nie über Nacht in Meißen, sehr zum Ärger der dortigen Kneipen- und Hotelbesitzer. Sie hätten die Japaner noch gerne mit dem selbst gebrauten Bier abgefüllt und auf Sächsisch gefüttert. Aber die Japaner interessieren sich eben nur für Porzellan. Deswegen steht die Meißner Brauerei jedes Jahr kurz vor der Insolvenz, und jedes Jahr im Sommer heißt es dann für die Einheimischen: Die Brauerei muss gerettet werden. Die Abende werden länger, der Weg nach Hause anstrengender, denn man darf in Meißen nicht zu sehr torkeln, sonst geht alles kaputt.

Die Einheimischen haben sich inzwischen an den Porzellantourismus gewöhnt, nur einmal ließen die Japaner die Stadt völlig im Stich – als die Elbe ausuferte und etliche Straßen in den unteren Stadtteilen überflutet waren. Das Jahrhunderthochwasser, eine Naturkatastrophe höchsten Grades, sorgte für abenteuerliche Tage in Meißen. Zwei Wochen lang gab es keinen Strom, und die seit der Wiedervereinigung mit Sonderangeboten prall gefüllten Tiefkühltruhen fingen an aufzutauen. Die Stadtbewohner grillten ununterbrochen, es war wie bei einem nicht enden wollenden Volksfest, das aus Versehen auf zwei Wochen verlängert worden war. Die Porzellantouristen mögen aber keine Volksfeste, sie mieden die Stadt. Stattdessen kamen die Katastrophentouristen. Das sind Menschen wie du und ich, die es dorthin zieht, wo andere leiden. Sie bleiben immer stehen, wenn ein zerbeultes Auto auf der Straße liegt. Und wenn einer vom Fahrrad fällt, schauen sie sich die Blutspuren auf dem Asphalt an. Sie fliegen extra nach New York, um die zerstörten Twin Towers zu besichtigen, oder sie fliegen nach Thailand, um die Spuren des Tsunami zu rekonstruieren. Die Katastrophentouristen haben einen sechsten Sinn für Katastrophen, sie können sie buchstäblich riechen, so wie Japaner das Porzellan. In Meißen herrschte aber zur Hochwasserzeit eher Partystimmung, und so blieben die Katastrophentouristen nicht lange an der Elbe. Enttäuscht zogen sie weiter, Richtung Süden, auf der Suche nach dem ganz großen Knall.

Wenig später ging die Elbe zurück, und die Japaner kamen wieder. Viele Meißner erinnern sich noch heute an das Hochwasser, als wäre es die spannendste Zeit ihres Lebens gewesen. Es wäre schön, ab und zu eine solche Unordnung und ein derartiges Durcheinander zu haben, aber das gibt's hier nur einmal in hundert Jahren, sagten die Porzellanstadtbewohner, die zu meiner Lesung in die Bibliothek kamen. Sie erzählten von Hochwasserabenteuern, ich über die nicht enden wollende Apfelernte.

In der letzten Zeit hatten diese Früchte weitgehend mein Leben bestimmt. Ich schrieb über Äpfel, ich las Apfelgeschichten vor, ich aß Äpfel, und ich sammelte sie ununterbrochen. Inzwischen brauchte ich gar keine Leiter mehr, mächtige Krallen waren mir an Händen und Füßen gewachsen, die es mir erlaubten, mich in jeder Höhe fast problemlos festzuhalten und, wenn nötig, sogar von Baum zu Baum zu springen.

In meiner Freizeit sammelte ich Material über andere Apfelbesessene. In Russland gehörte zu diesen zweifellos der so genannte Apfelakademiker Ivan Mitschurin, der sein Leben damit verbrachte, den perfekten Apfel zu züchten. Dreihundert Sorten hatte er kreiert, die ihm aber alle nicht schmeckten. Entweder waren sie zu süß oder zu klein oder zu schön, zu hässlich oder zu wenig haltbar. Mitschurin züchtete eine Mischung aus Apfel und Birne, außerdem den im Süden inzwischen beliebten Zwiebelapfel und den in den nördlichen Regionen verbreiteten Zedernapfel. Sein spektakulärstes Projekt, ein sternförmiger Megaapfel, wurde von Stalin persönlich gefördert und sollte auf der großen Militärparade im Mai 1953 vor das Mausoleum getragen werden. Kurz davor starb der sowjetische Führer, Mitschurins letztes Apfelprojekt wurde abgewickelt.

In Deutschland war Korbinian Aigner ein solcher Apfelfanatiker, in Bayern auch bekannt als »Apfelpfarrer«. Er war Priester und Antifaschist und kam deswegen ins KZ nach Dachau. Dort gelang ihm die Zucht von vier neuen Apfelsorten, die er KZ-1, KZ-2, KZ-3 und KZ-4 nannte. KZ-3 war seine beste Sorte, sie erhielt 1985 zum hundertsten Geburtstag Aigners (er selbst war 1966 gestorben) den Namen »Korbiniansapfel«. Diese Sorte soll in süddeutschen Schrebergärten sehr verbreitet sein, habe ich gelesen.

Ich möchte mein Leben nicht als Apfelschriftsteller fristen, mein Enthusiasmus schwankt – erlahmt. Gut, ich pflücke vielleicht noch zwanzig bis fünfundzwanzig Kilo, den Rest buddle ich aber ein.

Lulu ist tot

Wenn ich Papst wäre, würde ich die alte Kirche sofort auflösen und eine neue ins Leben rufen – eine basisdemokratische göttliche Kirche für gesundes und abwechslungsreiches Leben. Sportliche und lebensbejahende Bräuche wie Fasten im Kerzenlicht, gemeinsames Schlagersingen, Babytaufe auf lustige Doppelnamen, kollektive Suche nach der Wahrheit mit abschließendem Pilgern zum Arsch der Welt würde eine solche, von mir favorisierte Kirche selbstverständlich übernehmen. Lebensverachtende und gewalttätige Sitten wie Verbrennen, Köpfen, Auspeitschen, Steinigen, Kreuzigen sowie jede Art der theologischen Auseinandersetzung darüber, wessen Gott besser ist, würden

dagegen nicht geduldet und mit sofortigem Raus-
schmiss bestraft. Die Schwerpunkte unserer Kirche
wären die gerechte Aufteilung der Ernte, die Bekämp-
fung der globalen Erwärmung und eine gesunde Ernährung. Den Rest der Zeit sollten die Gläubigen über
die Endlichkeit nachdenken. Der Gedanke, dass jedes
Leben kurz und zerbrechlich ist, kann groß und stark
machen.

Der Gedanke der Endlichkeit ist mein Lieblings-
gedanke, allerdings denke ich nur im Spätherbst über
ihn nach – angesichts der vielen Fruchtfliegen, die in
dieser Jahreszeit alles dominieren und deren Zeit viel
knapper als meine bemessen ist. Niemand aus diesem leise summenden Volk wird mit uns Weihnachten verbringen. Noch bevor ich dieses Kapitel zu Ende
geschrieben habe, werden sie wahrscheinlich alle tot
sein, und niemand wird ihnen eine Träne nachwei-
nen.

Die Fruchtfliegen gingen in den letzten Wochen mit
ihrer hektischen Rumfliegerei vielen auf den Geist. Sie
waren überall; in der Küche, auf dem Bildschirm, im
Bad und auf der Toilette. Sie schwammen in jedem
Glas Bier, Wein und Cuba Libre, das man bestellte.
Man konnte weder Fruchtiges noch Alkoholisches zu
sich nehmen, ohne dabei mindestens zwei Fruchtfliegen mit zu verschlucken. Sie waren penetrant und
ekelhaft. Trotzdem sind meine Hände sauber geblie-

ben, ich habe mich mit den Fruchtfliegen nicht angelegt, ich habe keine Einzige von ihnen umgebracht. Ich
konnte gut nachvollziehen, warum sie so nervös waren. Ihre Lebenserwartung ist zum Durchdrehen kurz,
in einer solchen Situation würde jeder ins Glas fallen.
Und wer würde es schon wagen, unter solch tragischen
Umständen einer Fruchtfliege die letzten Tage oder
gar Stunden zu vermiesen? Nur ein Faschist, jemand
ohne Gewissen. Ich rettete sie, wann und wo ich nur
konnte. Ich fischte sie aus meinem Glas, warf sie in die
Luft, aber die meisten waren bereits tot und fielen wie
Zigarettenasche zu Boden. Nur die wenigsten über-
lebten. Sie flogen sofort weg – bloß keine Zeit verlieren. Denn auch eine Fruchtfliege hat viel vor, wenn sie
auf die Welt kommt. Sie braucht erst einmal ein paar
Stunden, um sich umzuschauen und um die eigene
Pubertät zu überstehen. Dann fliegt sie herum, lässt
sich wie ein Blatt in den Wind des Schicksals fallen
und wird mal in das eine oder andere Glas Bier gedrückt. Na toll, jetzt kann ich eigentlich langsam mit
der Lebensplanung beginnen, jetzt geht es los, denkt
die Fruchtfliege und landet im Schaum.

Wenn es mein Bier ist, hat die Fliege vielleicht noch
Glück gehabt. Wenn sie aber im Bier eines Faschisten
absäuft, dann nutzt ihr ihre ganze Lebensplanung
nichts mehr. Ich möchte an dieser Stelle mit einer
Schweigeminute der vielen Fruchtfliegen gedenken,

die nicht mehr unter uns sind. Noch gestern bebte die Erde von ihrem leisen Summen, nun sind sie von uns gegangen. Es ist Spätherbst. Tja. Wenn die Buddhisten recht haben mit der Wiedergeburt, dann wünsche ich niemandem, als Fruchtfliege wiedergeboren zu werden. Sie haben ein hektisches Leben und sehen scheiße aus. Viel besser ist es, als etwas Knackiges, ewig Junges und Liebenswertes wiedergeboren zu werden. Nur was kann das sein? Fischstäbchen vielleicht? In der Tat, viele Kinder und sogar manche Erwachsene mögen sie, dabei können sie locker hundert Jahre in einem Gefrierfach verbringen. Ich habe schon Fischstäbchen gesehen, die laut Etikett älter waren als der Kühlschrank, in dem sie lagen. Trotzdem sahen sie noch knackig aus. Aber sie rochen nach Fisch, als man sie auftaute. Wer will schon sein Leben lang nach Fisch riechen, ohne einer zu sein? Eigentlich schmecken Fischstäbchen nach Pappe, und gut aussehen tun sie auch nicht. Die Kinder lieben sie trotzdem. Sie lieben sie nicht für irgendwelche besonderen Eigenschaften, sondern aus reinem Herzen – einfach so. Die echte Liebe ist immer unvernünftig, sie entsteht dem eigenen Vorteil zum Trotz. Deswegen spielt es in dieser Liebe überhaupt keine Rolle, wie Fischstäbchen wirklich schmecken. Sie werden mit reichlich Ketchup und Senf heruntergemetzelt.

In früheren Zeiten, als sich die drei Generationen

noch regelmäßig sahen und beim Frühstück, Mittag-
essen und Abendbrot nebeneinander am Tisch saßen,
konnten die Kinder ihre Liebe direkt an ihre Eltern
adressieren. In einer Leistungsgesellschaft sind die
Generationen nicht mehr aufeinander angewiesen, sie
haben sich mithilfe von Pflege- und Rentenversiche-
rung und zig anderen Versicherungen abgepolstert
und driften immer weiter auseinander. So spielen auch
die Eltern in der Realität ihrer Kinder kaum noch eine
Rolle. Ihre ersten Begegnungen mit dem Leben und
dem Tod finden jenseits der Familie statt. Die Fischstäbchen ersetzen die erste Liebeserfahrung. Die erste
Begegnung mit dem Tod, für den früher der Großvater
verantwortlich war, der im Krieg am Bein verletzte,
halb taube, röchelnd hustende Großvater, der während des Essens immer den Ehrenplatz am Tisch bekam und irgendwann abkratzte. Dann lag er festlich
gekleidet und ungewöhnlich ruhig mit kreidebleichem
Gesicht auf ebendiesem Mittagstisch, zum Abschied
freigegeben, und sorgte für erste gruselige Todeserfah-
rungen bei der heranwachsenden Generation. Seit
aber die Großväter in Altersheime verfrachtet werden,
sobald sie ein Anzeichen von Schwäche zeigen, hat in
den meisten Haushalten das Meerschweinchen die
Rolle des Großvaters übernommen.

Das Meerschweinchen ist zum einen äußerst zerbrechlich, zum anderen neugierig. Diese explosive

Mischung sorgt dafür, dass die Meerschweinchen und der Tod Hand in Hand gehen. Wenn Großväter sterben, sind sie in der Regel alt und in der Welt herumgekommen. Meerschweinchen sterben dagegen oft jung und unerfahren – wie Rockmusiker. Nichts tun die Meerschweinchen lieber, als an Stromkabeln zu knabbern, es liegt ihnen sehr, sich an Orte zu begeben, von denen es keine Rückkehr gibt. Ich kannte Meerschweinchen, die in einer Mikrowelle eingeschlafen waren, und Meerschweinchen, die es geschafft hatten, ihre Nase in einen Aktenvernichter zu stecken. Ich erinnere mich außerdem an eine Meerschweinchenfamilie, die in ihrem kleinen Strohhäuschen auf dem Balkon während des großen Festes von einer Silvesterrakete getroffen wurde. Bagdad war nichts dagegen.

In der Regel nimmt das Kind den Verlust des Meerschweinchens viel tragischer auf als den Verlust des Großvaters, weil Meerschweinchen niedlicher und in jeder Hinsicht bemitleidenswerter sind. Doch das gilt nur für das eigene Tier. Wenn die Kinder gleichaltrigen Freunden von ihrem schmerzhaften Verlust erzählen, dann lachen die sie bloß herzlos aus.

»Mama steht in der Küche und sagt nichts. Papa schaut aus dem Fenster und sagt nichts. Ich dachte, Lulu schläft, aber sie schlief nicht.«

Einen ganzen Tag lang berichtete die Tochter von

Frau Beere vom Tod ihres Meerschweinchens und ging damit allen auf die Nerven.

»Wie alt war es denn? Hatte es eine Ohrenschmalzentzündung? Frag deine Mutter, sie kauft dir bestimmt ein neues!«, kicherten die anderen Schrebergartenkinder und brachten die Tochter von Frau Beere dadurch noch mehr zum Weinen.

Kinder sind anscheinend unfähig zum Mitleid. Ich dagegen hörte mir die Geschichte von Lulu in allen Einzelheiten an, mehrere Male hintereinander, ohne nur einmal zu kichern, und äußerte sogar halb aufrichtig mein Beileid. Lulu war drei Jahre alt geworden. Sie hatte sich beim Spielen an einer Playmobil-Figur verschluckt. Ich hatte Lulu nicht besonders gut gekannt und nur einmal im Garten von Frau Beere gesehen. Die Tochter von Frau Beere hatte ihr Meerschweinchen manchmal dorthin mitgenommen. Lulu sah damals komplett überfordert aus. Sie freute sich wahrscheinlich über die frische Luft, wusste aber überhaupt nicht, wohin mit der plötzlichen Freiheit. Im Kreislauf des Schrebergartenlebens sowie in der natürlichen Nahrungskette hatte ein Meerschweinchen keinen Auftrag und keinen Platz. Niemand brauchte es – nur das Kind. Lulu lief sinnlos fröhlich auf dem Grundstück im Kreis und kackte ununterbrochen vor lauter Begeisterung über ihr gelungenes Leben.

Die meisten Gärtner in unserer Kolonie halten

nicht viel von Haustieren. Ich kenne hier ein paar Katzen, und manchmal bellt es auf der einen oder anderen Parzelle. Vor allem ältere Ehepaare schaffen sich gern einen Hund an, damit sie jemanden haben, der ihnen zuhört. Das ist verständlich. Nach einem halben Jahrhundert des Zusammenlebens haben ältere Ehepaare einander in der Regel nicht mehr viel zu sagen. Die klugen Gedanken über den Sinn und den Inhalt des Lebens sind mehrmals ausgetauscht worden, die alten Witze schon tausendmal erzählt und neue komischerweise nicht entstanden. Die Kinder sind erwachsen und weggezogen. Oder sie sind geblieben, hören aber nicht zu. Deswegen reden sie gern mit ihrem Hund oder ihrem Fernseher. Auf Hund und Fernseher ist immer Verlass. Es ist in der Geschichte der Kommunikation noch nie vorgekommen, dass ein Hund oder ein Fernseher ihrem Gesprächspartner widersprochen haben.

Die Schrebergartenkatzen sind keine Schmusetiere. Sie sind den Gärtnern in ihren Rechten gleichgestellt und ähneln im Gang ihren Besitzern. Die Schrebergartenkatzen sind gepflegt, oft etwas mollig, und tragen gern Schmuck, zum Beispiel ein Halsband mit einer kleinen Glocke oder mit der Nummer ihrer Parzelle. Ihre Lieblinsbeschäftigung ist es, eine anstrengende Jagd zu simulieren, in dem sie eine Beute ausspähen, die sie eigentlich nicht brauchen. So wie die

Gärtner harte Landwirtschaftsarbeit simulieren, als müssten sie sich von den Produkten ihres Gartens ernähren, so laufen ihre Katzen kleinen schwarzen Vögeln hinterher, die sie weder fangen noch fressen können. Sie scheitern bei ihrer Jagd. Wegen der Glocke und ihres Übergewichts gelingt es ihnen nicht, die Vögel zu überraschen.

Wir hatten lange Zeit keine Tiere auf unserem Grundstück, abgesehen von zwei Riesennacktschnecken, die im Kasten der Wasseruhr wohnten. Die Kinder tauften sie auf Uwe und Thomas, unseren Freunden zu Ehren, die uns geholfen hatten, den alten DDR-Zaun mit Stacheldraht in den Mischmüll-Container zu entsorgen und einen neuen, kinderfreundlichen aufzustellen. Die ganze Operation dauerte drei Tage. Löcher graben, Pfeiler einbetonieren, Netz aufspannen – es waren harte Tage. Allein hätte ich es nie geschafft. Die beiden Männer nahmen die Sache sehr ernst, aber niemand von uns hatte schon einmal einen Schrebergartenzaun aufgestellt, und jeder hatte eine andere Vorstellung, was zu tun wäre. Wir stritten über die Tiefe, Länge und Geradlinigkeit des Zauns. Unsere Arbeit fand außerdem unter erschwerten technischen Bedingungen statt, das heißt unter ständiger Beobachtung von Günther Grass, der uns zwar Schubkarre und Brechstange auslieh, sich dafür aber mit Kommentaren nicht zurückhielt.

Die größte Frage des Zaunbaus ist, wie viel Beton gegossen werden muss, damit die Pfeiler sicher stehen. Noch Tage nach unseren Bemühungen verschickte Uwe an Thomas SMS-Botschaften mit Provokationen wie »Deine Pfeile alle umgefallen, meine stehen noch.« Der Zaun ist uns letzten Endes gut gelungen, doch auf meinen Vorschlag, auch gleich das Dach der Laube zu erneuern, wo wir doch gerade so schön beisammen seien, reagierten meine Freunde mit Rückzug. Der eine erinnerte sich plötzlich an einen wichtigen Termin zum Schachspielen, der andere musste dringend ins Stadion – Fußball gucken. Meine Freunde hatten keine Lust auf Gartenarbeit, sie drückten sich davor, woraufhin wir fortan unsere Nacktschnecken nach ihnen benannten. Die Kinder versuchten, sie in ihre Spiele einzubeziehen. Doch die Nacktschnecken waren wahrscheinlich hundert Jahre alt und wollten nicht spielen. Während Uwe noch gelegentlich seine Fühler ausstreckte, bewegte sich Thomas überhaupt nicht.

Im Oktober kam Mia. Zuerst sah ich nur eine große Walnussschale unter dem Apfelbaum auf unserer Wiese liegen. Merkwürdig, dachte ich, wir haben keine Walnussbäume auf unserem Grundstück, und wir essen auch keine Walnüsse. Ich konnte mir auch nicht vorstellen, dass meine Nachbarn ihre Walnussschalen zu uns über den Zaun warfen. Am nächsten Tag fanden wir noch mehr Walnussschalen unter dem Apfelbaum und daneben ein tiefes Loch, das über Nacht entstanden war. Ein fremdes Wesen hatte sich in unserem Garten einquartiert. Mein Sohn tippte auf eine Menschen fressende Riesenkakerlake, meine Tochter auf ein unterirdisches Einhörnchen, meine Frau auf eine Maus. Wir kauften eine Packung Walnüsse und legten achtzehn Nüsse neben das Erdloch. Über Nacht waren elf weg, einfach verschwunden – aufgegessen oder eingebuddelt von unserem Schrebergartentier, das wir inzwischen Mia nannten. Mia erwies sich als sehr hungrig, wahrscheinlich kam sie aus Afrika, vielleicht aber auch vom Nordpol. Sie vernichtete in kürzester Zeit jede Menge Nüsse, Pommes, Chips und darüber hinaus auch so ziemlich alles, was die Kinder ihr neben ihrem Versteck auslegten, blieb aber weiterhin unsichtbar.

Ich erzählte Günther Grass von unserem neuen Haustier, der eine gezielte Tötung durch Vergiftung empfahl. Letztes Jahr hätte auch er Mäuse in der Laube gehabt. Er hätte sie mit einer guten »Schemikalie« behandelt: Nur einmal die Ecken seiner Laube damit ausgespritzt, und seither war keine Mäusekacke mehr zu sehen. Er hätte noch jede Menge von der »Schemikalie« übrig und könnte mir ein paar Liter davon umsonst geben. Ich verzichtete und erzählte, dass wir die Maus im Garten gerne behalten würden. Das hätte er noch nie gesehen, schüttelte Günther

Grass den Kopf, dass man die Mäuse im eigenen Garten fütterte.

Trotz der globalen Erwärmung wurde es im November doch etwas kälter. Mia verschwand aus dem Garten, gleich nachdem der erste Schnee gefallen war, der deutsche Pünktlichkeitsschnee am dreizehnten November, der sich innerhalb von Stunden auflöste und eher als Warnung vor dem unmittelbar bevorstehenden Winter zu verstehen war. Wahrscheinlich ist Mia in den Süden gezogen, nach Dahlem, wo es das ganze Jahr über genug zu knabbern gibt.

Die Kolonie bereitete sich auf den Winter vor, die Wasseruhren wurden abgelesen, das letzte Obst aufgesammelt, und es war auch für mich an der Zeit, meinen Schrebergartenroman zu beenden. Ich überlegte: Was ist nun die Botschaft dieser Arbeit? Wer war Doktor Schreber wirklich? Warum Rhabarber? Wie wird sich die Schauspielkarriere von Frau Krause weiterentwickeln? Und welche Lehre ziehen wir, verdammt noch mal, aus dem Ganzen? Einpflanzen? Auspflanzen?

Ich sprach meinen Nachbarn Herrn Kern an, der wusste, dass ich einen Schrebergartenroman schrieb, ob er vielleicht eine Idee für das Ende hätte.

»Das ist noch nicht das Ende!« Herr Kern zeigte Richtung Vereinsgebäude. »Du hast das Wichtigste noch nicht mitgekriegt, die alljährliche Vollversammlung der Kleingartenkolonie – ein Spiegel unserer Gesellschaft!«

Ich hielt seine Aussage für etwas pathetisch – schließlich kann man jede Menschenversammlung als Spiegel der Gesellschaft bezeichnen –, beschloss aber, für alle Fälle mit dem Romanschluss bis zur Vollversammlung zu warten.

Ende November war es so weit. Die Vollversammlung, die das Ende des Gartenjahres markieren sollte, war für den letzten Samstag des Monats angekündigt. Trotz Regen kamen sehr viele Gärtner zur Versammlung, einige erkannte ich, viele sah ich zum ersten Mal. Das Publikum strömte in das kleine Café des Vereins. Hunderte waren gekommen. So viele werden doch nie im Leben in ein solches Café passen, dachte ich. Ein Mann im roten Pullover bohrte sich durch die Menge, holte ein Bündel Schlüssel aus der Hosentasche und öffnete eine unauffällige Hintertür neben der Toilette. Ich hatte diese Tür früher schon einmal bemerkt. Nach meiner Vorstellung von der Architektur des Hauses musste sich dort ein winziges Zimmerchen befinden, eine Abstellkammer, in der man kaputte Gasbrenner und ausgebrannte Rasenmäher lagerte. In Wirklichkeit verbarg sich hinter dieser Tür ein Konferenzsaal, in dem man selbst die Sitzungen des vergrößerten UNO-Sicherheitsrates abhalten könnte.

Zwei Blondinen führten Protokoll darüber, welche

Parzellen vertreten waren. Frau Krause, Herr Kern, Günther Grass und ich setzten uns ganz nach hinten. Vier Vorstandsmitglieder nahmen ihren Platz auf der Bühne ein: der Mann im roten Pullover, Frau Engel und zwei weitere, mir unbekannte Frauen.

Der Mann im roten Pullover eröffnete die Sitzung. Er nannte die Anwesenden nicht Damen und Herren, Genossen und Genossinnen oder Brüder und Schwestern – er nannte uns »liebe Gartenfreunde« und fing mit Lob an.

»Aus meiner Sicht war dieses Jahr deutlich besser als andere Jahre davor!«, verkündete der rote Pullover. »Das Jubiläum ist uns gelungen, wir haben viele positive Reaktionen erhalten«. Dabei schaute der Redner kurz nach oben, als wären die positiven Reaktionen direkt vom Himmel gekommen.

Nach dem Lob kam die Kritik. Nach dem Jubiläum hatte der Vorstand beschlossen, mit dem Rest des Geldes ein paar Wege in den »Glücklichen Hütten I« mit Natursteinplatten auszulegen. Diese seien jedoch über Nacht verschwunden. Einige Gartenfreunde aus den »Glücklichen Hütten I« behaupteten gegenüber dem Vorstand, vereinzelte Natursteinplatten in Parzellen der »Glücklichen Hütten II« gesehen zu haben, wobei die dortigen Gartenfreunde behaupteten, ihre Natursteinplatten selbst vor langer Zeit gekauft zu haben. Im Konferenzraum wurde die Luft mit jeder Minute dicker. Auf jeden Fall ging man hier weit weniger diplomatisch vor als bei der UNO, obwohl die Probleme ähnlich gelagert waren. Der Natursteinplattenkrieg war der erste von vielen Kriegen der Gartenkolonie, die sich die »lieben Gartenfreude« gegenseitig lieferten. Es gab noch den Fahrradkrieg, den Leinenzwangkrieg und etliche andere.

Ein großes Problem stellten auch die so genannten Schurkenparzellen dar.

Diese Parzellen, gut zwei Dutzend an der Zahl, weigerten sich hartnäckig, ihre Wasseruhren auf den aktuellen Stand zu bringen, wie es alle anderen längst getan hatten. Bei siebzehn Parzellen zeigte die Wasseruhr noch immer den Stand von 1997, als hätten sie seitdem keinen Tropfen Wasser mehr verbraucht. Bei elf weiteren Gartenfreunden zeigte die Wasseruhr sogar einen Stand, dem gemäß der Verein ihnen sogar noch Geld schuldete. Ihre Wasseruhren gingen in die falsche Richtung. Niemand aus den Schurkenparzellen war bei der Versammlung anwesend. Der Wasseruhrenkrieg war alt, und die Schurken waren längst mit allen möglichen Embargos belegt worden. Sie bewegten sich seither in vollkommener Illegalität, jenseits von Gut und Böse.

Bei der Generalversammlung musste auch ein neuer Fachberater gewählt werden, nachdem der alte aus gesundheitlichen Gründen gekündigt hatte. Einige Gartenfreunde hatten aber anscheinend mit dem Scheidenden noch eine Rechnung offen.

»Als ich Sie gefragt habe, ob ich neben meinen Zierapfel die Uschirose pflanzen darf, haben Sie mich abgewiesen!«, rief ein Gartenfreund laut.

»Lassen Sie das bitte«, verteidigte sich der Exfachberater, »Sie haben gar keinen Zierapfel in Ihrem Garten. Ich habe Ihnen das schon mehrmals gesagt. Was Sie für einen Zierapfel halten, ist ein Weißdorn – die Pflanzen sind sich nicht einmal ähnlich!«

»Erzählen Sie mir nicht, was ich in meinem Garten habe! Was sind Sie denn für ein Experte, der einen Zierapfel nicht von einem Weißdorn unterscheiden kann!«

»Lassen Sie das!« Der Exfachberater bekam einen nervösen Tick. »Sie haben keinen Zierapfel, haben nie einen gehabt, werden auch nie einen haben. Sie haben nur Weißdorn! Weißdorn! Weißdorn!«

»Zierapfel!«, tönte es aus dem Saal.

Ein Mann in schwarzer Jacke kam auf die Bühne, er hielt einen zerschnittenen Müllsack in der Hand. Es stellte sich heraus, dass nicht alle Gartenfreunde Mülltonnen im Garten besaßen wie wir. Viele hatten bisher spezielle Laubmüllsäcke benutzt, die sie sich bei der BSR – unserem Umweltdienst – besorgt hatten. Der Mann mit der schwarzen Jacke hatte sich die Mühe gemacht, die Müllsäcke Jahr für Jahr zu vermessen und dabei Folgendes entdeckt: Die Laubmüllsäcke waren dieses Jahr zwölf Zentimeter kürzer als im Jahr davor, wurden aber von der BSR zum gleichen Preis verkauft. Das roch nach einem Müllkrieg. Der anwesende Vertreter der BSR war anscheinend gut mit Militärtaktik vertraut, hatte Clausewitz und Suworow gelesen und wusste, dass manchmal eine Attacke die beste Verteidigung ist. Er ging gleich auf die Bühne, schlug mit seinem Schuh auf das Pult und sagte, die Gartenfreunde sollten überhaupt froh sein, dass die BSR ihre Laubsäcke überhaupt noch abholte, während die übrige Welt schon längst auf moderne Mülltonnen umgestiegen sei. Statt die Müllsäcke jedes Jahr zu vermessen, sollten sie lieber an die Zukunft der ganzen Welt denken, die sie jetzt schon mit ihren Säcken zuzumüllen versuchten.

Es wurden eine gemeinsame Resolution sowie eine Absichtserklärung verabschiedet, wonach eine weitere Zusammenarbeit mit der Müllabfuhr angestrebt, gleichzeitig aber deren Politik der verkürzten Müllsäcke scharf kritisiert wurde. Der Vorsitzende im roten Pullover schaffte es, mit einem einzigen Satz die Situation immer wieder zu entschärfen. »Dit bringt jar nischt«, erklärte er und erntete stets Applaus von allen Seiten.

Nach vier Stunden im Konferenzraum waren alle Gartenfreunde fix und fertig und wollten bloß noch nach Hause. Plötzlich sprang ein mir unbekannter

Gartenfreund auf die Bühne und forderte den Vorstand laut auf, sich bei ihm zu entschuldigen. Sein Vorzeigegarten war bei der letzten Begehung verleumdet, falsch kritisiert und öffentlich als unaufgeräumt und verwildert angeprangert worden. Dahinter sah er den bösen Willen des Vorstandchefs und wollte nun, dass der ganze Vorstand zu Kreuze kroch. Die Versammlung war aber nicht mehr in der Lage, sich mit Problemen einzelner Parzellen zu beschäftigen.

»Machen Sie hier nicht auf dicke Mücke!«, rief ihm der Vorsitzende zu. »Dit bringt jar nischt! Die letzte Begehung war doch vor drei Monaten. Dit kann jeder: seinen Garten aufräumen und danach behaupten, dit wär schon immer so jewesen!«

Die Gartenfreunde hatten derweil den Konferenzraum verlassen. Wir gingen noch ein letztes Mal in den Garten, um die Gartenmöbel wegzuräumen. Familien mit Kleinkindern, ältere und jüngere Ehepaare, Männer in Gummistiefeln und Frauen mit Kinderwagen zogen an unserem neuen Zaun vorbei. »Und? Haben Sie noch Äpfel?«, fragten einige. Wir hatten noch ein paar und gaben sie gern weiter. Ich wollte noch nicht nach Hause. Mit Herrn Kern, Herrn Grass, Frau Krause und ihrem Mann saßen wir vor unserer Parzelle, tranken Bier und von Günther mitgebrachten Johannisbeerschnaps. Schnell wurden wir berauscht. Das Leben kann so schön sein, wenn man sich einfügt in die Natur, dachte ich. Ohne Versammlungen, ohne Misstrauen, ohne diese ständigen gegenseitigen Gartenbegehungen. Entspannt saßen wir vor unserer Laube und tranken, tranken, tranken Johannisbeerschnaps. Es regnete nicht mehr, die Sonne schaute durch die Wolken. Sie brachte kaum Wärme, nur ein bisschen Licht. Die Sonne ist nur ein Morgenstern, erinnerte ich mich. Die Erde ein Schrebergarten, und wir sind ihre Freunde, die Gartenfreunde, die sich zwischen den nassen Rhabarberblättern einquartiert haben. Und darauf trinken wir noch einen.

Monsters
and Men

Monsters and Men

Bob Long and
DCI Bob McLachlan

Hodder & Stoughton
LONDON SYDNEY AUCKLAND

British Library Cataloguing in Publication Data
A record for this book is available from the British Library

ISBN 0 340 86213 0

Printed and bound in Great Britain by
Clays Ltd, St Ives plc

The paper and board used in this paperback are natural
recyclable products made from wood grown in sustainable forests.
The manufacturing processes conform to the environmental
regulations of the country of origin.

Hodder & Stoughton
A Division of Hodder Headline Ltd
338 Euston Road
London NW1 3BH
www.madaboutbooks.com

CONTENTS

v

PREFACE

A young assistant producer, Charlotte Howarth, walked into my office and, naïvely I felt, suggested we make a programme about the Paedophile Unit at New Scotland Yard. I was very busy as an executive producer of fifteen different series at the time, but to humour and encourage her I told her that if she got me a meeting with the head of the unit, I would take it from there. After three months of dogged persistence and tactful badgering, Bob McLachlan agreed to meet me. The programme became a series, and Bob and I became friends. It was the beginning of a three-year journey which started with Charlotte's idea, and through incredible access based on a growing trust it became the television series that we were privileged to make. I am only sorry that Charlotte could not work on the series because she moved to America.

I am extremely grateful to Bob and his team of detectives and civilian staff who grew to trust us and did so much more than simply let us film them. They worked closely with us, openly and generously, to make the series an incredible insight into their world.

One of the best decisions I ever made as a programme-maker of twenty years' experience was the selection of the team to make the series. Ben Rumney, Clarissa Wilson, Juliette Murray, Daniel Markham, Glenn Chappell and Chloe Pettersson all had several things in common. They were young with only a fledgling experience in television, but they were committed, very talented and had highly sensitive social skills. They were also unselfish, supportive team-workers. Without the relationship they developed with the Scotland Yard team the series would have had only a fraction of the depth and insight it achieved. I want particularly to thank Ben Rumney, whom I informally promoted to head the small team of digital video directors. He took on much more than his job description and became a highly valued creative partner in the making of the series.

Caroline Long (no relation) became a valued member of our team: as a project manager, she helped us find our way through a range of logistical problems.

As far as writing the book is concerned, another creative partner emerged. Chloe Pettersson started by agreeing to type up my contribution and this developed into correcting, guiding and encouraging me. Whatever the quality of the final writing, it would have been half as good without her help.

Finally an apology to Judith Longman from Hodder & Stoughton. The other Bob and I gave her a hard time. Neither of us are writers and both of us have very busy professional lives that always took priority over delivering the manuscript. Her gentle persistence and very necessary encouragement is the reason the book was ever finished at all.

BOB LONG

Writing about child sexual abuse and those who commit it is not easy; reading about it is even harder. But being a victim of it must be unbearable. The words of my contribution to this book have not been easy to find. This is because of frustration – because sexual abuse should not happen – and because of powerlessness, because although my colleagues and I can do *something*, the one thing we cannot do is stop it. Every keystroke and word concerns a real victim or someone who thinks it his right to rape and assault our children.

The origins of the documentary series and the pages that follow lie in 1999 when Charlotte Howarth from the BBC contacted me: 'Would you be prepared to make a video diary?' 'No', I instinctively replied. But after many meetings and trust-building sessions, Bob, Juliette, Clarissa, Ben, Daniel and Glenn from the BBC moved into my offices at New Scotland Yard and stayed with us for over a year. Supported by Caroline,

Chloe and the editing team, Guy and Mark, the programmes they produced were created through their dedication and professionalism and Bob Long's leadership. We will miss their company.

My contribution to this book has been written at the end of some long working days and at the beginning of others. It has not been the intention to scare parents and carers, but at the same time it is a book of fact not fiction – and all of it is scary. My chapters are a narrative of extreme human behaviour written in the only way I know; I am, after all, a detective and not an author. I know that the programmes and this book will be shared between those who try to convince themselves and others that sex with children is acceptable, but looking for clues on how to avoid being caught will be fruitless as there aren't any. We will catch you.

To Judith Longman of Hodder & Stoughton a huge thankyou for your courage and support in taking this project forward. My thanks also to DCS Derrick Kelleher for supporting the need to increase the size of my squad.

I have been extremely fortunate in my professional life to have worked alongside a body of people who have made a significant contribution to the protection of children from exploitation. It is their efforts that should be recognised. I am extremely proud of the men and women, present and past, of the unit at Scotland Yard who have fought against the monsters and men whom we know as paedophiles.

BOB MCLACHLAN

THEY'RE NICE MEN OR WHY WOULD CHILDREN LIKE THEM?

Bob Long

A young girl screamed from the corner of the room. It sent a shiver up my spine and I realised that I had never heard a real scream of terror before. I had heard screams of anguish or bereavement, but not the genuine scream of somebody who was terrified of what was about to happen to them. Nothing in horror films had prepared me for the authenticity of the sound. I looked out of the window and wondered what we were doing here; had we bitten off more than we could chew? Everybody had warned us that you could not imagine how bad it was until you experienced it.

I was sitting in the open plan office of the Paedophile Unit of the Serious Crime Group at New Scotland Yard, in a screened-off area where a team of four civilian employees spent every day viewing tapes seized from suspects' homes, looking for child pornography as evidence against them. Hundreds of hours of tapes often have to be viewed all the way through because paedophiles regularly try to hide their child pornography behind other material. So a tape entitled *EastEnders* may have two episodes of the soap opera first and then two hours of men having sex with children. The tapes are viewed several at a time each on a bank of TV screens, often in fast forward. Above these screens are two TVs showing regular daytime programmes – 'sanity sets' to bring the watchers back to a kind of reality in the form of daily TV.

I looked around me. A candidate for a new job at the unit was sitting next to me in a suit and tie, nervous about his interview and obviously thinking of the ever-increasing screams coming from the tape. We both wondered what we were getting into. He was DC Kevin Green from the Sex Offenders Registration Office in Wimbledon; I was from the BBC. Both of us were hoping to work with the Paedophile Unit over the next year: he would be a member of the team of detectives and we would be observers, filming their activities.

As we exchanged worried looks, DI Dave Marshall walked past us to the viewing corner, where he stood watching the screens for a few moments. Although he had spent over two years in the unit, perhaps being immune to much of the horror, a look of resigned disgust swept his face. He turned to pass our desks, and without thinking I asked him, 'What's going on, Dave?' He shook his head – 'You don't want to know, Bob' – not rebuking me for my curiosity but literally meaning that it would be better for us not to see.

It was later decided by DCI Bob McLachlan, the head of the unit, that we should be exposed to some of the material to prepare us for what we would inevitably witness, this acting as a kind of vaccine to protect our brains from some of the things we would see. He also explained that some of the material might trigger off a forgotten or denied episode of abuse from our own childhood, which it would be better to handle under controlled conditions. So I arranged counselling for the BBC crew.

The BBC employs an external counselling agency that puts employees in touch with the right kind of counsellor in their home area. The first three sessions are free and names are not reported to personnel, so it is genuinely confidential. After three sessions the employee can opt to pay for more, but on special productions such as ours the number of sessions is not limited. The detectives in the Paedophile Unit attend two compulsory sessions with a psychologist each year; I told the BBC team that although I would have no way of checking, they should also consider their counselling to be compulsory.

> A small boy, dark haired and aged between eight and ten years old, lies back on a bed in T-shirt and jeans. He is at a stage of development at which only his hairstyle and a few subtle features distinguish him as a boy. When the camera is switched on he is playful and mischievous, eyes sparkling, a delighted grin on his face; then he looks up to the camera with concern and asks, 'But what is this?' in perfect English with a Scandinavian accent. A man's voice tells him not to worry, it will be OK. But the boy is still worried. The man betrays a hint of excited anticipation in his voice. This is fun. He asks the boy to take his jeans off, as if this is a game that they've played many times before.
>
> The boy understands his role and without hesitation strips off his jeans and T-shirt, being left in a pair of Y-fronts. Playfully, the boy pulls quickly at the elastic and for less than a second reveals his penis while looking intently and expectantly at the man's face. He giggles in delight at the reaction, enjoying the power he can have over the man with such a simple gesture. But he is still worried and points to the camera. The man's tone says, 'Trust me, I'm your friend; what harm can it do?' The man is fighting to keep the desperation in his lustful voice under control, still trying to keep the tone right. This is just our game, our secret bit of fun. He asks the boy to take off his pants. The boy does so and lies with his hands behind his head as the man lowers his face to the uninterested, flaccid penis of his child lover.

An act of gross indecency is then committed. It is rape, but not in the technical, legal sense that requires anal penetration. It is sex without consent because the boy is not able to give consent. He has not spent enough time on earth and gained the experience to discern or question the motives of grown-ups. The man has raped the life of the little boy. The stakes of their secret game are extremely high, and the boy will almost certainly be hugely changed by it. Growing up will now be so much more difficult. Even his chances of going to prison have multiplied. And he may become a paedophile himself.

The video was seized by the Dutch police on a raid of a paedophile, but not the one on the videotape. It was remarkable that the man in the video, who was obviously English, had his face in the shot. He was later identified by Bob McLachlan as Mark Enfield, believed to be based on the south coast of England. So three months after we first visited the office, we were driving to Southampton to film the search of his home. We had no idea that this arrest would turn out to be so incredibly revealing of the mind and lifestyle of a committed paedophile. We fully expected the detectives to find child pornography, but we did not expect also to meet a victim, raped at the age of four, passed around by a paedophile ring when he was nine and then later raped by a woman. And we had no way of imagining that what started as a routine search of the home of a confirmed paedophile would end tragically in the discovery of a dead body.

Mark Enfield was a serious child abuser. He was wanted by the Dutch police but also had a long history of sexual offences against boys in Britain and Denmark. That his life-long commitment to sex with little boys was broken only by spells in prison was not unusual for a paedophile, but what was special about Mark was that he liked to 'star' in his own movies. Most paedophiles who record their abuse are obsessed with keeping a record but are careful to hide their identity. Enfield, however, had a compulsion to see himself in photos and videos of himself raping boys, usually around eight years old.

The case started out like all the others, one paedophile among the thousands lining up for arrest as they surfed the Internet, safe at home, quietly abusing in cyberspace. We soon learned from the unit team not to ask: 'Is it just pornography?' Many of the arrests we had covered were just that – men in offices and homes looking at pornographic images of children – but as Bob repeatedly made clear with the passion of a man fighting a cause, 'It's never just pornography. Every pornographic image of a child is the captured moment of a child being sexually abused.'

When we started the project for BBC2, the working title of the series was 'Operation David'. Like many working titles, this did not mean much, but we did need some sort of title. We knew we would come up with a better one before broadcast, and I offered a bottle of champagne to whoever came up with the one we would finally use. We believed Operation David would be a highly realistic and detailed observational series, a 'fly on the wall' documentary based primarily in a big, open plan office. We knew there would be 'raids' and all sorts of drama, but we expected to weave a tale of intrigue and detection around the operations room of an enquiry, a sort of documentary version of Prime Suspect meets The Bill. This projected image was reinforced when I had first visited the unit and heard one of the detectives saying 'All right Guv', a reassuring confirmation of our TV drama view of them when other incidents acted to shatter the cosy stereotype. With all this in mind, I coached the camera directors to focus on the process and fine detail of the underlying detective work. But Operation David was not destined to be an office-based interweave of subtlety, detection and dialogue.

The moment the access details were finally agreed and we started filming, we were knocked off our feet with arrest after arrest. All the searches happened in the very early morning with a briefing at a local police station beforehand. The camera teams had to get up at 4 am to get their equipment together before covering the police briefing. The search could take all day and sometimes go on into the evening.

We could have tried to select our searches from the unexpected conveyor belt of arrests, but nobody could tell how a particular day would turn out. Each search had the potential to be a one-off incident or the start of a long and extensive investigation with a mushrooming number of paedophiles linked in a 'ring' and a victim list exploding from one to hundreds. To ensure that we always had a record of the beginning of our final selection of stories, we had to film every arrest, so within a few weeks we had hundreds of hours of tape and an exhausted camera team. Ben, Clarissa, Glenn, Daniel and Juliette had been carefully picked from many programme-makers who wanted to work on the series; despite their exhaustion several months later, they remained highly motivated. When I told Bob that my team were getting tired, he laughed and said, 'Wait until it gets busy.'

When we started working at New Scotland Yard, detectives again and again told us: 'Paedophiles aren't monsters; they're nice men, otherwise why would kids like them?' We discovered that there were basically two main strands of child sex abuse defined by the character and the method of the paedophile. We have all read in newspapers or seen on TV the nightmare of families whose children go missing and are later found raped and murdered, but this actually represents a very small minority of cases. Reported child sex abuse that happens within families is handled by Child Protection Teams in police forces all over the country. The Paedophile Unit has as its remit the investigation of child sex abuse occurring outside the family and on children up to the age of sixteen.

Most paedophiles without a family connection do not 'snatch' children; they 'groom' them. They may spend years becoming friends with the parents and children before any abuse takes place. The paedophile often then justifies it by saying that the sex was consensual. Some arrested suspects told us children are very sexual and enjoy having sex with them – if only society would understand and catch up with the idea of paedophilia. They have even compared themselves to the gay community, who were for so many years misunderstood until society finally came to its senses.

Single parents are a particular target. They are often women who appreciate the romantic attention of a man who likes their children; even more pleasing is that the children like the man. The parents may appear naïve to let a paedophile get so close to their children, but how were they to know? We started to meet life-long paedophiles committed to a lifestyle of child abuse, often polite, intelligent, well educated, sensitive and generally charming. Nice men in fact.

Mark Enfield, 'The Ferret Man', lived in a Southampton council housing estate in a one-bedroom flat he shared with his five ferrets. Although the Paedophile Unit at Scotland Yard are there to serve

London, they sometimes operate outside the Metropolitan area, in this case liaising with Interpol and the Southampton police. The night before the arrest, the two teams booked into a hotel near Mark's home. The detectives were Bob McLachlan, DC Kevin Green, DC Terry Bailey, who had arrested Enfield before, DC Dave Page and DC Fitzroy; the camera team Daniel Markham, Glenn Chappell and myself. I planned to operate a separate camera to film extra shots. That evening, Terry did a 'drive past' of Enfield's flat and reported that the lights were on and there were signs of life. It was strange to be sitting there discussing the search the house of somebody just down the road who was oblivious to what was in store for him.

The next morning, it was still dark when we got into our cars at 6.30 am to drive the short distance to the low-rise council estate where Mark lived. The chat in the car was casual, but there was a sense of anticipation as we all seemed to expect a fairly active day. Mark was not dipping his toe into the recesses of his fantasies like some of the men we had seen arrested. He had fully taken the plunge as a teenager and had devoted his life to sexually abusing small boys. Under several identities, he travelled around Europe, abused, was caught and jailed, was released and abused again. It was highly likely that he had a large collection of fresh pornography, and it was possible that he had been abusing boys locally, which the Southampton police wished to follow up.

It was the first arrest I had attended, so I was taken by surprise that one minute we were driving along chatting, then the cars suddenly stopped, and while I was assembling my equipment, the team were already approaching Mark's door. Dave, Terry and Bob McLachlan stopped short of the flat's outer door. Dave knocked. Although doors often need to be rammed, Terry knew Mark and was convinced he would answer; however, because they knew each other, Terry took the precaution of keeping out of sight in case Mark saw him and rushed to his computer to erase any evidence. As soon as the door was cracked open, Terry and Bob were there and, after a very brief introduction, were inside the house. Mark took one look at Terry and knew what it was all about.

We waited outside for the next development – in our previous experience, usually one of the policemen coming out, thumbs down, to tell us that the suspect has declined to be filmed. This time Dave came out gasping for air – the flat was a mess and stank of ferrets. Bob had reassured his team that 'ferrets don't smell', but apparently ferret droppings do, and the place was littered with them. Seconds later, Terry popped his head out, took a big swig of fresh air, gave us a beaming smile and told us Mark had given permission to enter his flat and film him providing we 'pixilated' his face to disguise him. We immediately went in. This was a very small, one-bedroom flat, stinking and full of rubbish. The bedroom door had a child's stair-gate across it, but Mark's children were five ferrets who had the freedom of the room. It was difficult to see where the bed was in the mess of clothes, papers and general clutter. Everything was littered with ferret droppings, many of them old and crushed into the carpet.

Enfield was in his small living room, sitting in an armchair, dressed only to the waist and holding a bucket in his lap. His body was covered with scratches, some of them severe and many of them very recent: he slept with his ferrets. When we walked into the room, he acknowledged us with a friendly nod and a look as if to say what a shame everyone was wasting their time over such a big mistake. I confirmed with him on tape that he had given permission for us to enter the premises and film him on the understanding that we would 'smudge' or 'pixilate' his face.

Mark was a nice man who was immediately eager to please, to put us at ease and help in any way he could. He was in his early forties, a bit overweight with a big round face, bright eyes and a neurotic desperation to be liked that was obvious and sad. I would have bet a month's salary that he was bullied at school. As he looked around, there was even a sense that he had not really grown up and felt himself to be surrounded by adults. I sat down in a nearby chair. This was not the place for a conventional interview, and in an observational style of programme it would not have worked, but we had decided the best approach would be to ask questions throughout the filming. The police team, some of them now wearing face masks because of the smell, were busy searching the flat. They knew that if I started to talk to Mark they could interrupt at any time with their own business.

I asked Mark whether he'd mind my asking a few questions. Daniel on camera and Glenn on sound were already positioning themselves. Mark said he was happy to talk but then I realised that I didn't know what to ask. I have always believed that the most important guide in any interview is my own curiosity. If I want to know something, it is a safe bet that the audience will want to know too, but there was so much I wanted to find out here. This was our first opportunity to sit down and talk to a paedophile during a search. So to get things started, I asked Mark simply to describe what was going on.

He was almost apologetic – the police had obviously found an old picture of him in an act of abuse for which he had already 'done time', or perhaps they had found a picture of a man they thought was him. He explained that when Terry had arrested him five years before, it had initially been a mistake. On that occasion the paedophile team had a picture of a man abusing a boy in a bath. They thought it might be Mark, got a warrant and searched his house. He was not the man in the bath, but during the search the team found a stash of child pornography and Terry arrested him. Looking around for Terry, Mark said, 'I told him at the time if it was me in the picture, you'd see my face.' He was almost proud that he was one of the rare paedophiles who puts himself, including his face, in the record of abuse. Most images of abuse including the abuser show only their penis.

Mark Enfield, last arrested in 1995, had a long record of paedophile activity dating back to 1976. He was only sixteen when he was first convicted for indecency with a child; he was sentenced to three years' probation. At the age of eighteen, while still in probation, he was convicted for indecent assault on two small boys and given 120 hours community service. In the same year, he was convicted of indecent assault on two more boys and received a six month suspended sentence. He either behaved himself or did not get caught for a few years, surfacing next in 1982 to be convicted for seven counts of gross indecency with a child, for which he received two years in prison.

At this stage Mark was only twenty-two, but he already had a well-established CV as a child abuser. After being released from prison he went abroad in 1990, being sent to prison in Amsterdam for 'indecent practice with a child' (six months) and distributing indecent material (six months). Soon after his release, he was re-arrested, again charged with 'indecency with a child' and sentenced to three years' imprisonment. He then visited other countries in Europe, but not for long, because in 1993 he received probation for distributing child pornography. Then in 1995, Terry knocked on his door and charged him with possessing and distributing child pornography, so he went to prison for six months. He had obviously been busy since his release because the Dutch police now wanted him.

I asked Mark about his earlier time in Denmark and he explained that he had befriended a couple and then sexually abused their three little boys. He said he had made a video of it and that it involved 'a bit of buggery'. I asked if he had abused children after that event, and he strongly denied it. Since then, he said, he had been trying to get control of it. While in prison he had had 'various therapies', counselling and sessions with psychologists. He said there was no cure for his condition: it was about 'getting control'. He was trying to change his fantasies, trying to 'up' the age of the boys to get to the point at which his fantasies were of boys above the legal age of consent. I asked him how he was doing: 'Not very well', he said.

Terry interrupted to ask him what they were going to find. Mark said, 'Just old stuff, nothing new'. At this point, the postman arrived to an open door and this astonishing scene. Bob took Mark's letters and immediately opened one from Wandsworth prison. It was from a friend whom Mark had met in prison. Bob asked what he was in for. Mark said 'same as me', and that he didn't know how long he was sentenced to but he had already done five years. It turned out that Mark was keeping his things and that the man was doing nine years for sexually abusing his own daughter. In the letter, he told Mark that his recent application for parole had been turned down and that his daughter was still not responding to his letters. At this point, we had no idea of the significance of the relationship between the two paedophiles and how soon this man would emerge as a character in Mark's story.

As the police settled back to the steady routine of the search, I asked Mark the question that everybody wants to know about paedophiles: was he abused as a child? I told him that I had recently asked a life-long paedophile whether most paedophiles have been abused as children; He had said that was 'bollocks', he had not been abused and most paedophiles (and he was an authority on this) only said that to try to get some sympathy from the courts. Mark gently said that whatever happened to anybody else, he had been abused at the age of four by an uncle, and it was the most important memory of his life. It had been terribly painful and traumatic, but it became pleasurable. He was then abused by other men not known to his uncle.

But how could he be so unlucky; why would other men, strangers, abuse him if they were not introduced by his uncle? I was astonished by his answer. 'I think it's the way you react around adults – they sort of realise that you're vulnerable, you make a point of being friendly with them . . . that's what I did.' I later asked him whether he meant that paedophiles had a sense for 'a likely child to target who had already been abused'. It was as if the child were giving off signals by being friendly and trying to please. He said it was 'like a scent, and paedophiles can smell it'.

While making the series, I tried to correct myself every time I felt I was playing amateur psychologist and postulating within an expertise I did not have. But I could not avoid making the link between the Mark as a little boy who was always trying to please the adults around him and the forty-two-year-old Mark in front of me who was still doing it. He kept trying to ingratiate himself with the policemen. He called Terry by his first name, made terrible jokes that fell flat and explained the search process to the novices from the BBC, always desperate to please. He would make cliché comments and look around for approval, but the policemen just ignored him.

It became clear that Mark was only really comfortable in the company of little boys. They, he felt, accepted him as part of the gang, and he was isolated from people older than twelve. Ironically, and in direct contradiction to this desperation to be accepted, he committed acts that society considers the most unacceptable and antisocial. He was also absolutely aware of the abuse he had done. It was damage that had been done to him – in his own words 'terrible' and 'you never get over it' – yet paradoxically the boys he did it to were the only people he liked or, it seems, liked him.

Mark was full of contradictions. When he was questioned about recent abuse or pornography, he lied with ease and it was easy to see he was lying. At other times, especially late that day, his honesty was chilling as he gave an articulate insider account of his own and others' paedophilia. The honesty grew with the unfolding of two key discoveries, after which we could feel his change in tone, as if he had made a decision that all was lost and he *wanted* to tell the truth about himself. With hindsight, it may be at that point that he decided to take an extreme step to put a permanent stop to his 'uncontrollable' and 'terrible' need to sexually abuse little boys.

2

COME AND STOP ME

Bob Long

During the search, Fitzroy had been methodically working his way through Enfield's computer hardware and software, asking him technical questions. It was all highly uneventful, Mark just admitting he had some 'very old stuff'. But then Fitzroy came across some well-hidden zip disks, each capable of containing the information of seventy floppy disks. These had alarming titles like 'Party', 'Boys', 'Sex' and 'Suck'. Fitzroy asked what was on these zips, and Mark's tone immediately changed. His body language had been saying 'Who, me?' all morning; now this changed to 'Oh, shit!'

Fitzroy read out the titles to Dave, who was responsible for cataloguing all the evidence and making a written record of the day. As he listened, Dave turned to me, winked and whispered 'Result', and then 'He had to have something somewhere . . . he just can't not do it.' Fitzroy then spoke to Terry, who came into the bedroom. Looking over his bifocals, Terry spoke to Mark like a naughty boy who had been lying, and Mark slipped into the role with something approaching pleasure. It was obviously a role he was comfortable with. Terry leaned towards him, wagged his finger and said, 'You told me a lie then didn't you?' Mark jumped into the game: 'I forgot.'

'You didn't forget. I asked you if you had any indecent

photographs of kids; you said no . . . you lied to me last time.'

'I knew you'd find it.'

The zips were bagged up, and Mark started to look much more disturbed. He could barely get a sentence out without taking a swig of water, his mouth was so dry. When Dave asked him what was on the disks, he said, 'J-peg images of boys.'

'How old are the boys?'

'Can't remember; they're around twelve, I think.'

'Are they naked?'

'Yes . . . some are sexual as well.'

'You were asked before if you had any indecent images of children; you said no.'

'That's correct.'

'Why did you lie?'

'My mind was otherwise engaged.'

'Did you download the images yourself on your computer?'

'I did, yes.'

Without a pause, Dave interupted: 'You are being arrested for making indecent images of children under sixteen. . . .' Dave then cautioned Mark. The word 'making' was highly significant here. If a paedophile has a photograph, he is charged with possession. If he downloads material from a computer, he has 'made' the image and the offence is much more serious. Mark of course knew this. We were all surprised that with five experienced, specialist policemen searching his flat, he thought they might not find this evidence.

Even at this stage, Mark was acting as if the detectives would not look at the zips later. He was still lying too. The disks had much more on them than downloaded images from the Internet: they were full of horrific pictures of Mark having sex with a very small boy, and Mark knew this.

A short time later, Terry found some partly used children's colouring books. He turned to Mark in disbelief and disappointment, and asked why he had them. Mark said he took them to the ferret club for the 'younger members'. Terry asked him if the club knew his history; they of course did not, and Terry was exasperated.

The team then started to find all kinds of testimony to Mark's lifestyle. The flat was full of children's magazines, scout annuals, children's underwear sections from catalogues, anything with images of little boys in underwear, swimming trunks or shorts. There were even unopened packets of underwear with small boy models on the packaging. Mark's home was a living museum to his obsession.

Enfield had looked merely like a sad character when we entered; now he looked depressed and pathetic. He fingered a white bucket that he kept at his side. I asked him what it was for; I was concerned about how odd it looked in some of the shots. I felt a little embarrassed when he told me that he was worried he would be sick at any moment. Even then, in a state of anxiety such that he felt so sick, he offered an air-freshener spray because we were all taking turns to escape outside to recover from the smell of the ferret droppings. He noticed too that Daniel was stopping to clean his camera and offered him some proper cleaning tissues.

As I was talking to Mark, events took a sudden and sinister turn that caused the detectives to stop their search and exchange meaningful glances. From the corner of the room, Terry held up a set of boy's football shorts. Mark said he had bought them for two local boys who were the sons of some friends. Another pair was found, and then a whole selection of shorts and other children's clothes. Mark gave the names and addresses of the boys, who were aged seven and ten. He then admitted that the local Child Protection Team had been concerned about his relationship with them. He claimed that the parents did not know his history but that he had never been alone with the boys. Another lie. It was all unravelling. Mark knew that the local police Child Protection Team would pursue his relationship with the boys, and he knew what was on the zip disks.

As the search settled down again, I restarted my interview. I had previously felt a reluctance on Enfield's part to give away too much, but he was now totally resigned, and as we spoke I knew he was being honest. It was an incredible interview, maybe not to psychologists treating paedophiles, but as a public admission of his history and as a look inside the head of a life-long paedophile, it was a rare recording.

I had earlier filmed the ferrets in the bedroom. Despite the smell, the ferrets were actually quite cute frolicking around and playing; I could understand for a moment the thrill of a natural history cameraman in the field. I complimented Mark on the animals and asked him whether he really liked ferrets or just used them to attract children to his flat. Without taking the slightest offence, he told me he had liked ferrets since he was a child. That gave me an opening: 'Were you happy as a child?' Mark laughed, 'Not really, no', and then after a little pause: 'I'm possibly less happy as an adult.'

In this vein, I picked up on something Mark had said earlier to me that suggested he was almost pleased that the police had arrived: 'This is the funny thing, I always seem glad when they turn up; it's strange, it's a relief, you know you're not hiding behind anything any more, it's like a clean sheet.' He looked around him, grinning like a naughty boy at the police, and added 'until I go and bugger it up'. Literally, I thought. I said it was as if he were saying 'Come and stop me.' He said it was 'a game for a lot of paedophiles; you just keep going until the police catch you'.

'So if you have a compulsion you can't control and they catch you, they've stopped you.'

'Yes, which is always a good thing anyway.'

'Why?'

'Because it means the cycle of abuse has broken.' He looked around and added quickly: 'Not that I've abused anyone . . . but it's like a new start . . . start again.'

All around us, clear plastic evidence bags the size of bin liners were filling with videos, magazines, books, computer disks, catalogues and leaflets. The sheer volume was intriguing, tens of thousands of images often being collected in a single search. I said to Mark, 'What I can't get my head around is the quantity of imagery that you collect.'

'It gets boring after a while, so you've got to keep getting more stuff so that it satisfies the hunger.'

Forever helpful, Mark tried to translate this into terms he thought I might understand: 'It's like if you had one *Playboy* magazine, you'd soon get bored of that wouldn't you?'

'But you keep your old stuff?'

'Yes, but you can keep going back to it; you store it for later looking at.'

'Why do you look at them?'

'It helps fuel the sexual fantasies.'

'But you said you were trying to control it all.'

'I am, I'm trying to get it to older boys. If you try and raise the age you're interested in to older boys it's slightly better, so that at one point you might reach the legal age limit.'

'Where are you now?'

'About twelve to fourteen-year-olds.'

'But it used to be younger?'

'It did used to be younger, yes.'

'So you're trying to get it so that you fantasise about boys over eighteen?'

'Yep.'

'Do you think you'll make it?'

'Who can tell?'

I kept quiet, but Mark sat patiently looking at me for the next question. 'What do you think is going to happen to you now?'

'I don't know. I think the whole thing will be re-evaluated. It's outside of my control anyway.'

'What do you mean "re-evaluated"?'

'How much of a risk I am and everything, so I will probably have to do a sex offenders' programme, which should change matters a bit.'

'Do you think you'll go to prison?'

'It's more than likely, I would imagine.'

Mark looked around for a reaction. I asked him how the prospect of prison felt: 'Not very pleasant.'

'Have you been to prison in the UK before?'

'Yes.'

'What for?'

'Same things.'

'When you think of the rest of your life, where's this all going?'

'Absolutely nowhere; I seem to be stuck in a rut. It was something that happened when I was a lot younger. I was first arrested when I was sixteen. So if something had happened then, this might be different now.'

'What were you arrested for when you were sixteen?'

'Indecent assault with a "juvenile".'

'How old?'

'He was twelve.'

'What happened?'

'It was a boy I met playing in the park; we'd been friends for a long time and then we started doing sexual things together and then one of his friends joined in, went home and told his mum and dad. So I got sent to court, no support from anybody, including parents, and I wasn't mature enough to know what was actually happening. It was a crazy situation really.'

'You're sort of blaming other people in a way?'

'No, I'm blaming myself there because I should have done something to stop it. I suppose I could have had I wanted to but I didn't; I just carried on.'

'But even now you're saying – if only there was somebody to go to; why can't you do it yourself?'

'Because it's like giving up smoking. I think a lot of people can relate to how hard that can be. This is possibly harder because the sex drive is a very very strong drive.'

'Paedophilia is a kind of broad band of activities; are there any areas of paedophilia you disapprove of?'

He thought about this very briefly as if he were waiting for the question. Perhaps somebody else had asked him this before, in prison, a counsellor, or maybe it was common chat among other paedophiles. Like many paedophiles, Mark was isolated in society before he went to prison where, for his own protection, he spent his time on special wings and met other paedophiles who became friends to share fantasies and future contacts. They, like many subcultures, formed their own hierarchy based on the type of activity they indulged in. The bottom of the social pile in prison, they created their own social pile instead. Mark clearly disapproved of many other paedophiles, but in fairness I believe he also genuinely disapproved of himself. On the spectrum of abuse, he just saw himself as not such a bad abuser as others he knew.

'Well, I'm not into S and M, which has come up a few times. I'm not really into buggery, with me it's just masturbation and oral sex, that's my, as they say – kick.

In the middle of the frankness lay a little fib. Mark might not 'really' have been into buggery, but, as we were to discover later from pictures, he seemed to have a distinct preference for it. I asked him what he thought about other paedophiles that he knew.

'Some I get on with, some I wouldn't go near, like Sidney Cook; he was bad, he was hurting. Bit of a cliché, but a lot of paedophiles say we love the boys which is right, they do. In their eyes, we do love the boys.'

'But you hurt them?'

'This is it . . . we do.'

'And you know that, don't you?'

'Yes.'

'Because it happened to you.'

'Exactly.'

Mark stared at me, looking at me until I filled the silence.

'So what next?'

'I don't know. I've got to take a long hard look at things and sort things out and see what is available in the future.'

Mark sensed some kind of sympathy in me, and at the time I felt it. He was unhappy, lonely and, although it was no defence, aware that what he was doing was harmful. It was as if he could understand why people hated him because he already hated himself. He responded by trying to explain further.

'I think that's the problem; everybody thinks paedophiles are sinister people that go round grabbing kids off the streets willy nilly, and it doesn't work like that. Some paedophiles take years to get a boy to co-operate . . . others do grab kids off the streets, which I've always thought was wrong, very wrong. I've always said that if a partner's not willing, then you shouldn't do it.'

I was aware at that moment that the 'partners' he was talking about were boys as young as eight. 'So your way of doing it is to get to know them, then get their trust, and then by the time you're having sex with them they're willing?'

'Yes, but sometimes I get involved with boys and I don't want any sexual contact with them. It's just the friendship side of it.'

'Why?'

'I think I relate more to boys than anyone else.'

19

'Than to adults?'

'Yes, I find it very hard, or would find it very hard, to have a sexual relationship with an adult . . . I only seem to be attracted to boys . . . or very young men.'

'And you just can't get that age limit up?'

'No . . . it seems a very, very hard slog.'

'Have you had sex with men above the age of consent?'

'Yes, I didn't enjoy it.'

'Why?'

'I don't know, perhaps it's because I wasn't in control of the situation.'

'Is it about power?'

'In some cases it can be, yes, but in some cases you're not just sharing the sexual experience, you're sharing life things like enjoyment, you've got hobbies that are the same . . . or joys like football or whatever . . . so it's not just the sexual part of it.'

'You like their company?'

'Yes, their company, their conversation, their whole way of life really . . . the Peter Pan principle . . . I don't want to grow up.'

'What about family?'

'Nothing to do with my family, I haven't had contact with them for years.'

'Is it because they know you're a paedophile?'

'I think that's part of it, but I didn't feel I belonged there and I don't think I belong anywhere really. I've got no roots down anywhere, and that doesn't help the situation, because of course with no roots you look for companionship in possibly the wrong people.'

'Going back to your way of finding boys, which is spending a lot of time getting to know them so they're willing partners, isn't that worse in a way than picking them up off the street, because in the end you're betraying their trust?'

'Yes, but . . . it's a big but here, I think that if you take somebody off the street and virtually rape them, that's more hurtful – in a lot of ways because you're actually damaging them there and quite brutally sometimes. I don't think that's right at all . . . you should never force anybody into sex.'

'So what you do is seduce them?'

'Yes, but it's not . . . any time they could say no and that's the end of it. I have had boys that have been very good friends and we haven't had sex . . . no sex, no contact at all.'

'But you're leaving behind a trail of traumatised children.'

'Devastation is the word I would have used.'

Mark's voice changed subtly: 'Which is why I haven't abused any children for a long time because I can see the damage it does now.'

It was as if he had one voice for the truth and another for the spin he was trying to put on events. It was remarkable that he knew the police had his zip disks yet he was still denying abuse. We went on to discuss the Internet, and Mark switched to 'political paedophile', with the familiar argument that at one time some people disapproved of naked women in *Playboy*, but men don't go raping women because they've looked at such magazines. I argued that the women in *Playboy* are of an age at which society deems them able to consent. He said: 'Yes, but some cultures in the world deem paedophilia to be OK, or at least sex between boys.'

I was interested in his position on the issue of reducing the age of consent for boys to sixteen and was actually not surprised at the contradictions in his answer. Would he be pleased if they reduced the age of consent?: 'Yes and no . . . I think if they brought it down, too many sixteen-year-olds would be pressured into gay sex, which I think is wrong, but on the other hand it might open the doors to people like me.'

Poor Mark, I could not help myself feeling sorry for him despite the reason for our visit. It's one thing to read about paedophiles in the papers, but he was sitting in front of me. He was ready for my next question, eager to co-operate. Sad, pathetic, lonely, still sending out a constant signal that he would do anything to be liked. There was no arrogance or violence in him. He seemed to be a victim of something, but I could not work out exactly what. From being abused to becoming an abuser, he had somehow lost his way and pursued the only course that could give him pleasure, a sense of belonging and a feeling of control. It was ironic that he felt out of control over his need to feel in control. Mark struck me as one of those people who go to great lengths not to kill a spider in the house, instead capturing it and releasing it outside, yet he badly damaged small boys and forever hurt the parents who had trusted him.

Something then occurred to me. This was a rare and mostly honest interview that would appear in a series in which the most common sight of a paedophile would be him coming out of his home with his hands over his face. I expected to use a large chunk of Mark's interview, and the pixilating to which we had agreed can become irritating if it is used for too long. Also, although hiding people's identity in a programme can add to the drama and often not affect the message, with Mark being so open I believed it would help to see his face. So I asked his permission not to hide his identity. We both knew at the time he was going to go to prison and would be protected from vigilante attacks in prison by being put on 'Rule 43' with other convicted paedophiles held in a special unit. I also explained to him that I believed that he had been open and honest, and that pixilating would just make him look sinister. It would add to the myth of the paedophile as someone being different in appearance from 'ordinary men'. Mark looked at me and said that he would think about it and get in touch soon with his answer. He did this sooner than I thought and in a way I could never have imagined.

But now the search was more or less over. Mark was told to get dressed to go to the police station to be formally interviewed. He had already removed the ferrets from the bedroom for the search, and they were running around the kitchen. Terry asked him about feeding them and Mark said not to worry, there were some old chips on the floor that had not made it into the bin. Mark used the toilet under supervision and, after a quick search of his car, which revealed nothing, they set off. During the journey, Mark looked around smiling, apologised for taking up so much space and directed the London policemen along the best route to the local police station.

After being cautioned, Mark was interviewed by Terry and Dave in the presence of his solicitor, and I was later able to listen to the recording. The two detectives started with why the Dutch police wanted Mark. They had a tape of him clearly abusing a little boy. Terry said that he had seen that tape in a number of 'collections' on other searches. Mark said, 'I was waiting for that', and then tried to clear up what he felt was a terrible misunderstanding obviously now wasting everybody's time. The videotape was of him sexually abusing a little boy, but it had been made in Denmark and Mark had already done a prison sentence for that. He did not know how the tape had got into circulation. Dave went to talk to him about the material seized that day. He asked Mark how many images they would find. He replied, 'I wouldn't say hundreds but quite a few.' He was asked if they were 'naturist' or 'sexual' acts depicted. Mark said, 'A bit of both', and admitted the boys were under the age of sixteen. There was a sense of ritual to the interview. Mark had no reason to own up to more than the police already knew, and the detectives had no reason to believe him. They would want to wait to see what was on the recordings to consider the evidence.

There was now urgent concern for the boys Mark had befriended locally. The Child Protection Team had visited him a year earlier and interviewed the boys' mother. The team had found no evidence of abuse, but what is remarkable is that, even then, the mother believed him when he, as he put it, 'bluffed it out with her', so he was able to continue his contact with the boys.

Mark was released on bail while the Metropolitan and local police held a debriefing session, during which the main worry was obviously any local boys whom Mark might or might not have abused. The Southampton team were luckily already investigating the situation.

We all went for a Chinese meal to celebrate a good day's work. The police were convinced they had a huge amount of evidence against Mark and that what was on his zip disks might lead to other arrests. We too were very satisfied with what we had got. We had had two cameras running for most of the time, we had gained rare access to the home of a life-long paedophile, and we had an incredible interview that shed much light on the history and motivations of an 'incurable' abuser. I briefed Glenn and Daniel on the next morning's shots; it was also important for them to follow up the local enquiry into Mark's possible abuse of the two boys. That should have been that. It had been a 'good' day for us, but while we all slept in our comfy hotel, Mark Enfield was active.

3

THE BODY IS FOUND

Bob Long

The next morning, we sat over breakfast in the hotel restaurant. I was talking to the BBC team about the 'rushes' from the day before. Having seen an hour's worth of our tapes, I was excited about the results. I was also cursing the unwelcome and constant presence in the shots of Mark Enfield's fish tank, with its disproportionately loud bubbling noise and its light, which had caused a flare on my lens. It had occurred to me during the shoot to ask Mark to switch the aquarium off, but with all that was going on it might have been pushing him too far to ask him to be cruel to his fish.

As we discussed such trivia, Bob McLachlan approached us and, despite the informality of the group tucking into the full monty, spoke very formally. 'The Southampton Police have just phoned me. A body was found at approximately 5 am; the identity has now been confirmed as Mark Enfield. It is believed he committed suicide.'

We were all naturally quite shocked. The detectives exchanged neutral but knowing glances; one of them murmured, 'That's my sixth.' I stayed as blank as possible to let the police take the lead. We were further confused by our own reactions as programme-makers: no doubt other producers would secretly envy us this dramatic ending to our story.

Bob explained what he knew so far, that Mark Enfield had driven a car to the New Forest and, having stopped in a deserted car park, had attached a hose-pipe to the exhaust. When he was interrupted by a park official, Mark drove off to find another deserted spot in the forest. This time he succeeded in killing himself, leaving a suicide note. He was discovered around 5 am by a policeman who noticed that there was a fresh footprint that was not Mark's outside the car, the car door being open. It seemed that somebody else had discovered the body and left the scene unreported.

We sat quietly while the detectives talked about suicide being an occupational hazard. For many paedophiles, the arrival of the unit signals the end of their life. Their partners, family and friends desert them. They are often immediately sacked from work. Within twenty-four hours, they may be homeless, jobless and friendless, facing the humiliation of being dragged through the legal system for such a despised offence.

We immediately began to speculate on Mark's reasons and inwardly asked whether we were to blame – was it that he could not face another prison sentence, or did the filming somehow contribute? Did the interview make him confront himself and plan the final solution to the trail of damage he had left behind him? He himself had said that he was incurable and that he was almost relieved when the police arrested him; perhaps this time he had decided to stop himself forever. Or perhaps he could not face the consequences of what was on the zip disks. He also knew that the boys he had 'groomed' for years would be subject to investigation. I could not yet form my own conclusion, but I got the impression that the detectives had been there so many times before that they knew better than to speculate over such an unanswerable question.

Strangely, no-one's appetite seemed to have been affected. We finished a breakfast so big that you would only ever eat it at a help-yourself buffet, and left for the police station. The officers went inside to be briefed while we waited outside as the Southampton police had not granted us access to film inside the station. After an hour or so, the detectives emerged and Bob approached our waiting camera to explain, quite formally, what had happened.

'I've just been in for a briefing at Southampton Police Station, where I was told that about 5 o'clock this morning a body was found in the New Forest, which my information tells me is that of Mark Enfield, who we arrested yesterday. The circumstances are not clear yet, but it would appear that he was found in his car with a hose-pipe attached to the exhaust, and until such a time a post mortem is carried out we don't know the cause of death. A number of letters were left, one of which says nothing critical about our actions yesterday. Another letter says he's quite happy for the BBC to show the film in the fullness of time.

'So as I speak, the coroner will be looking after the investigation into how he died; we'll need to provide information to him and we'll await the outcome of his investigation. Obviously in terms of his criminal abuse of children, we have to carry on investigating that because there may be child victims who still need looking after. So it doesn't alter anything we do; it just means he won't be facing any prosecution for obvious reasons.'

Daniel, on camera, asked Bob whether this kind of thing happened regularly in their line of work.

'Of course, by the very nature of what these men are about – they are committing the worst crimes it is possible to commit, and I suppose what we do is bring this home to them when we see them. They all recognise what they are doing, and some deal with it through denial, some accept it, and it's quite clear yesterday that what he was doing was accepting his own problems. The fact is that he was an abuser of children so he's decided to deal with it.'

I was thrown by our mention in the suicide note. What did it actually say? Was this Mark's way of getting in touch with me as he had promised regarding the pixilation of his face. I would have to see the note. After twenty years as a TV producer of all kinds of programmes, I had never been granted consent to an interview in such a strange way.

I briefed Glenn and Daniel to go to the two places Mark had visited in his bid to commit suicide and get some general shots that we could use as a background in the programme while explaining what had happened. Bob and I returned to New Scotland Yard. The suicide was part of a coroner's enquiry and we were both aware that the tapes recorded in Mark's flat would be valuable evidence, especially in showing that the police team had followed the correct procedure and that Mark's suicide was not a response to their mistreating him in any way. As it turned out, Bob's caution over the cause of death was well placed, but suicide was still confirmed.

With all this in mind I delivered the tapes to one of the digital video directors, and asked her to log them and copy them in case they were going to be used. Back at the Yard, everybody was surprised, but the response was mixed: to some it was nothing new; others said things such as, 'That's good; that will stop him abusing children.' The team then arrived from Southampton with some of the evidence taken from Mark's flat, all of us curious to see what was on the zip disks. It became obvious very early on that Mark had many hundreds of images of extreme abuse, including photographs clearly showing him, some of which had been made more recently than his last conviction.

Later that evening, Dave Marshall contacted me. He was concerned about how upset several members of our team seemed to be at Mark Enfield's death. One of them had never met Mark, but just by logging the tapes and taking in every word of the interview, she had felt sorry for him, and his suicide had disturbed her. I suggested to both of them the confidential counselling we had arranged at the BBC. However, Terry Bailey, who knew Mark's history better than anybody, felt that if our team reacted like this, the audience might do the same. However much we knew about Mark, the television audience would know less, and Terry felt that it would be unfair to show such sympathy-arousing images to an audience that had no real idea of what Mark had done. So he showed us some of the images taken by Mark of himself with children, and our mouths dropped open in horror. We saw picture after picture of Mark with boys as young as five or six in a variety of sexual acts, including buggery.

We had seen the 'briefing tape' shown to everybody who works in the unit, video footage of the real and violent rape of an eight-year-old girl by a man in his fifties, the rest of the tape being a collection of unimaginable images and sounds. Yet one particular picture of Mark with a little boy was somehow more haunting than anything on that tape. Mark is lying on his back with a little boy lying on him and facing him; both are naked. The little boy has his arms around him while Mark is trying to push his penis into the little boy's anus. But the most deeply disturbing element for me was not the sexual act itself but the fact that the little boy's arms around Mark appeared to be forming a loving embrace. I think Mark had groomed the boy until he did these acts for his grown-up friend because he loved him. A selfless painful sacrifice for love. It was also a sign of the long-term psychological effect on the little boy that far exceeded the physical sexual abuse.

Such swings between sympathy and disgust happened frequently while making the series. We would meet various paedophiles and talk to them, sometimes film them talking to us, and we could just not help ourselves feeling sorry for them as they sat there with their life suddenly crumbling around them. But we would later see some of the material seized and be terribly shocked by the acts that these men had committed. Out would go yesterday's sympathy; today we just wanted to lock them up and throw away the key.

As programme-makers, this posed us a problem. If we were to show interviews in which paedophiles came across as sad, lost souls, without there being any sense of what they had done, the balance would lean heavily towards an inappropriate empathy with the abusers. We realised it was vital to reality that the audience should be exposed to the kinds of activity in which these men had been involved. This would, however, raise huge issues related to producers' rules and guidelines, within both the BBC specifically and television in general, but we had to try to give an impression of the abuse within legal and ethical limits, obviously protecting the children's identities and pixilating the genitals of all parties.

This would, however, in turn make us vulnerable to accusations of gratuitousness and solaciousness, and it could be argued that paedophiles watching the series might enjoy the images. We knew that thousands of paedophiles would in any case be our most loyal viewers, but we were hoping that the programmes would put them off rather than turn them on. Yet Mark himself had told me that, in paedophile units in prison, men fight over the *News of the World* newspaper, with its frequent reports on paedophile activity, which are, according to him, used for 'gratification'. We decided to do what programme-makers do in such circumstances – film everything and make the tough decisions during the final editing. We could not let the sick response of child abusers determine our editorial content, but we had to give the audience a sense of how bad it all was. We were convinced that, like us, the audience would have no idea of how prevalent and extreme such abuse is.

Several weeks later, we travelled to Southampton Coroner's Court. I was with Bob McLachlan, who would be giving evidence, while Ben was filming Terry Bailey, who needed to visit the ferret club and possibly give evidence. Mark had been the membership secretary of the club, and its leaders were obviously concerned about the revelation that he had been a life-long paedophile; it turned out that Mark had regularly taken a small boy to club meetings. In the car, Ben took the opportunity to ask Terry what he thought about Mark's suicide. Terry answered quietly, without anger but with growing emotion: 'I've got no feelings really . . . If people have been abusing children in that way, then they have what's coming to them. Adults have a choice, children don't, and the adults make a choice to abuse the children. If they decide they can't face up to what they've done, then so be it – if that's the case then the streets are safer for children.

'I've had several cases where the people have committed suicide and not one of them could you say it was sad . . . because they all abused children. When we talk about [Enfield], we're talking about a guy we've got pictures of committing an act of buggery on a boy of six or seven. I can think of nothing worse in life than that.

'So when he comes over in your interview as maybe a sad and pathetic character, I'm thinking about the interview on the day of the search, you must remember this is the guy who is capable of taking a boy of six or seven, maybe younger, maybe a little bit older, and inserting his penis into their anus, and that is the most horrendous crime I can think of. So no, I have no feelings for him whatsoever; it's safer for kids now that he's not here.'

The session at the Coroner's Court was a sombre and difficult process. A man had killed himself, but this was no ordinary man. I was impressed by the coroner, who somehow managed to tread the delicate line between an appropriate respect for the dead and a recognition of Mark's activities and the fall-out from his life. Statements were made by the local police and by Bob McLachlan; there was no suggestion from anyone that Mark had been mistreated during the search. A pathologist who had examined Mark reported on the cause of death, which to our surprise was not the car's exhaust fumes. Mark was taking no chances. Before he set up the hose-pipe, he had taken a large quantity of the antidepressant amitriptyline; the tablets killed him before the exhaust gases did. With two suicide notes sitting beside Mark in the car and all the other evidence, the coroner ruled that he had died by suicide.

That should have been a full stop to Mark Enfield, but a man in the public gallery wanted to talk to Terry afterwards. He was a close friend of Mark's who was named on one of the suicide notes. Mark had left everything he owned to him, but he was also the father of the two boys Mark had befriended and he was now concerned about them. Up until then, he had not believed the suggestions from the local police that his boys might have been abused. Perhaps the formality and the professionally objective tone of the court brought home to him that he really should worry. I was then allowed to see the two suicide notes and film them, the first being to this friend.

> To whom it may concern. I Mark Enfield authorise Mr [name of friend] of [address of friend] to act on my behalf and any of my property now becomes his should he want it.
>
> I also authorise the BBC to use the interview done today as they see fit, but after my solicitor has acted to ensure my interests are covered.

I suppose this was a very simple last will and testament; all Mark had to leave behind was some junk in his apartment and his interview with us. The second note, to his friend in jail, was more personal, but its language was not that of a desperate and disturbed man.

Dear –

If you are reading this letter then I have taken another option other than going to jail!

Today I was raided by the police at 6:55 hrs. They had seen a video of me and a boy and wanted to know more. So after arresting me we all went to the main police station. They took all my things and of course I have porn on my computer. I know it means a long jail term this time. I have no intention of serving it. Really feel I have now blown my own life and it will never be any good again. Sorry to depress you like this but I thought you needed to know why I was not writing to you anymore.

I am going to have [name of friend] take all my stuff. I will tell him to contact you as well regarding your stuff.

Look after yourself mate, and I hope your life goes better than mine was.

Yours

Mark

It was somehow very practical. Enfield said that he did not want to go to prison, but I believe there was much more to face up to than that. Had he stayed alive, he would have had to confront the immediate shock of the parents whose children he had been in contact with and perhaps abused. They had seen him as friend, and this was the ultimate betrayal. He would also have had to face up to the disgust of his immediate neighbours and those in his home town when the case was publicised. He would never again meet the boys he had been grooming for years; these were the only people he really loved, and they would sooner or later be confronted with the truth. But most of all, Mark was disgusted with himself. I think that he looked into his future and found himself staring into an abyss. He was destined to be hated by everyone, to damage beyond repair the people he loved and to loathe himself forever. Suicide has sometimes been described as the permanent solution to a temporary problem; in Mark's case, I think he saw it as the only solution to a permanent problem.

A few weeks later, I read a report on Mark dated October 1993, written when he was in prison awaiting sentencing for the possession and distribution of child pornography. Just when I thought I had Mark tidied up in my own mind, I was confronted with details of his life from an interview that was incredibly frank and revealing. I realised that our interview on camera had only scratched the surface of Mark Enfield. If his death was tragic, his life was worse. All the key moments of his childhood and adolescence had been sexual, his life story a catalogue of abuse with himself as both victim and perpetrator. A report on a sex offender is obviously going to concentrate on sex, but with Mark there seems to have been little else to his life – no significant moments such as a first day at school, a first love, marriage, a first mortgage.

Mark had been brutally raped by an uncle when he was a small boy. He remembered the 'bleeding and screaming'. He then learned to 'sexually flaunt' himself in return for sweets and money, but he 'insisted the men did not bugger him'. When he was nine, he became involved in a paedophile ring. Men 'passed him around' and used him for child pornography and prostitution. His own sexual interest never changed from very young boys. When he was fourteen, he was seduced by a fifteen-year-old girl on two occasions. He 'did not take to it at all', but the girl became pregnant and Mark, when he died, had a son somewhere who was in his late twenties. At the age of seventeen, Mark was raped by a woman. He said she got drunk and he 'only responded partially to her efforts at fellation'; he said he 'protested throughout and did not reach orgasm'.

So when Mark was still a teenager, he had had more sexual experience than most people have in a lifetime, none of it consensual or in any way normal. According to the report, Mark also had a 'remarkably strong libido': 'He masturbates up to five times a day, he has often persisted in these efforts even though he has managed to bruise himself and the act has become too painful.' In the report Mark said, 'I have to change – I'm going to destroy myself.' He 'pleaded to be put on libidinal suppressants as he fears when he is eventually released from prison he will be at a particular risk of re-offending'.

The report went on to describe Mark as 'an extremely high-risk offender', concluding that prison would serve no purpose for him, 'and indeed he appears to adjust reasonably well to prison life and explained he found it no hardship'. The report recommended that Mark receive long-term careful supervision as an out-patient because prison could not provide the expertise to deal with his condition. Mark was kept in prison, released and started abusing all over again.

After meeting Mark Enfield and other paedophiles, I realised I was no nearer to any understanding than I had been before we started the project. I was, if anything, more confused. I was grateful we had never suggested that we would answer any of the big questions – the series would certainly raise many more than it solved. Our remit was to show the work of the Metropolitan Police Paedophile Unit, whose clear function was to catch paedophiles, gather evidence and hand suspects over to the judicial system to convict them, a hugely complicated field, but at least one free of ethical questions surrounding the treatment of sex offenders.

At New Scotland Yard, we were lay people who found ourselves surrounded by experts in a field that was at the edge of our experience. We quickly learned more than most members of the public, but I remained intrigued by some of the central myths and assumptions concerned with the subject of child sexual abuse. Many of us hardly think about it, and we are too wrapped in emotion to think clearly when we are confronted by a Sarah Payne-type story that forces its way into the public consciousness. But the subject is full of apparent contradictions. If it is true that many paedophiles were themselves sexually abused as children, and if that experience was, as they themselves claim, a horrible nightmare, a lasting trauma, why do they do it to others?

A paedophile abuses a child, who may then grow up to be a paedophile who will abuse another child, who might grow up to abuse, and on it goes. As a single paedophile may abuse many children, this points to an alarming and uncontrollable expansion of child abuse. In the report Mark Enfield confessed that he had, by 1993, personally abused over 200 boys. Bob McLachlan, who has by experience become an expert on the subject, told me that the generally accepted figure for the number of abused children who themselves become paedophiles is one in eight. Mark permanently damaged the lives of over 200 boys, so it is a fair estimate that twenty-five of Mark's victims will go on to sexually abuse children, and so on and so on. Pyramid paedophile creation. Mark was at the top of the expanding pyramid. He knew he had to be stopped, and he stopped himself.

4

THE SQUAD – PAST AND PRESENT

Bob McLachlan

'So you're going to work at Dirty Books then, not a job for a real detective, but I suppose the perks are that you get to see some good videos – would be good for a stag night.' The comment was of course made in ignorance rather than with malicious intent. 'I suppose it depends on what ages you want to see in the videos, five or six maybe', I said. 'What do you want, boys or girls?', the answer designed to shock and show the individual the reality of what the squad has to deal with.

It was 10 in the morning on the 6th April 1991 when I arrived at New Scotland Yard. As I emerged from St James's Park underground, the shining headquarters of the London police extended for nineteen floors above me. 'Scotland Yard', so near to the Houses of Parliament and the River Thames, is known throughout the world. In my then nineteen years of being a detective, I had worked there many times before, but now there was a new reason. I briefly glanced at in the revolving 'cheese', the wedge-shaped New Scotland Yard sign outside the building, an image transmitted alongside every news story or television account of policing in the capital, and stepped inside.

Emerging from the lift to the seventh-floor offices of the Obscene Publications Squad, I began a Detective Inspector's job that I thought would occupy me for three years. Today, as a Detective Chief Inspector, I have chosen not to pursue further promotion, and the squad has now been part of my life for nearly a third of my thirty years' service. Too long some may say, but for me, that ten years has felt like the three I initially signed up for. I and my colleagues – a couple of whom have been there longer than me – still look forward to Monday mornings. This may seem bizarre considering the horror we encounter daily, but we have a real reason for doing our job: to catch those who hurt children. We are there to hunt paedophiles.

There had originally been sixteen applicants for the forthcoming vacant post of Inspector in the Obscene Publications Squad. Open for the first time in a long while to detective (and uniformed) officers, the advertisement described the job as demanding, requiring commitment, enthusiasm and high levels of leadership and integrity. Fifteen uniformed officers and myself, then a Detective Inspector at Notting Hill Police Station in West London, applied. No other DIs sought the job, but then they didn't know the squad like I did.

My appointment as the Inspector in charge of operations represented a significant shift from previous appointments to the squad. For historical reasons, which I will describe later, these had for many years been uniformed officers. The change in selection criteria came about because of the forward thinking of Mike Hames, the Superintendent of the squad, a pioneer in policing paedophiles, and DCS Fergus 'Fergie' MacLintock, an extremely shrewd senior detective who was in charge of a number of departments, including the Obscene Publications Squad. Mike Hames describes in his book *The Dirty Squad* (Little, Brown & Company, 2000) how he had recognised that the future direction of the squad was to tackle child pornographers and paedophile offenders and reduce the level of activity towards 'dirty books' – the title by which the squad had become known. This would inevitably involve the investigation of complex serious crimes committed against children, requiring a DI at the helm. Mike Hames and Fergie MacLintock formed my interview panel; they wanted a career crime investigator and picked me for the job.

The Obscene Publications Squad had initially been established as a Scotland Yard unit in the late 1950s. Staffed by detectives, it was in theory responsible for all pornography investigations in the Metropolitan Police District - Inner and Greater London. In practice, however, the five officers who comprised the squad in 1957 tended to concentrate on the trade in Soho, the notorious square mile of sex trade in central London. As the 1950s became the 1960s, the squad grew in size to deal with the increasing number of 'adult porn shops' springing up in that area.

What is immediately obvious on looking back is that society's barometer of acceptability has shifted from what was illegal forty years ago. Ignoring the debate of whether it is right or wrong, what was defined as pornography then is now commonplace, seen everyday in our newspapers and on our TV screens. What you could be prosecuted and jailed for selling in the 1960s and 70s now legally penetrates our daily lives. That was a time when only the BBC seemed to produce television, and then only in black and white. The word 'video' was not in our vocabulary, and the Internet would have been thought of as the ramblings of a madman. Because of this technological infancy, pre-Internet days held a demand for pornography that outstripped the supply available.

The pornography marketplace had its own way of describing the illicit content of this sought-after material. Photographs were known as 'smudges' and were mainly for sale to the heterosexual customer. There were, however, other 'smudges' to satisfy the customers' range of 'natural' and 'unnatural' sexual interests - 'gay smudges', 'bond and flag' (bondage and flagellation) material, for example. Magazines showing graphic sexual contact within their pages, which were generally imported from Scandinavia, were known as 'scans'. If the magazines contained a vague story to accompany the photographs, they became known as 'yellow backs'. Hardcore films were called 'rollers'.

It was at the edges of the adult market provided by the Soho porn shops that such extreme pornographic material could be bought. This was where the paedophile of yesterday sought out his visual record of child abuse, irreverently referred to as 'juve smudges'. In those days, you had to go to a shop if you wanted to buy illegal material, and with customers willing to pay just about anything, it is not surprising that Soho boomed. Criminals ran the businesses then, and police corruption was rife: you have only to read Barry Cox's, Martin Short's and John Shirley's book *The Fall of Scotland Yard* (Penguin, 1977) to understand the extent of the corruption that existed. Obviously, not all the squad's officers were crooked, but those who were operated a 'licensing system' to allow the pornography dealers to continue trading. If the Obscene Publications Squad raided a shop to 'keep the numbers up' for police statistics, the material might well be sold straight back to the pornographers afterwards.

The Commissioner at the time of this disgrace was Sir Robert Mark, whose successful enquiries into the corruption sent detectives to jail and placed the Obscene Publications Squad under the control of the uniformed branch. The central criminal character in the conspiracy of corruption – the pornographer Jimmy Humphreys – seemed to welcome the transfer of control away from the detective branch: 'Uniformed seem to be taking over [the squad]. Must be cheaper!', he wrote in his diary. In 1977, at the trial of two senior officers involved in the corruption, the trial judge Mr Justice Mars-Jones said that the two controlled 'an evil conspiracy which turned the Obscene Publications Squad into a vast protection racket'. Thankfully, those dark days have gone.

When clearing out the old guard, now sixteen instead of fourteen officers, Sir Robert Mark announced that there would in future be eighteen policemen, all uniformed officers. He pointed out: 'There was no need for detectives to do this work, which does not require their special training or skill.' How times have changed, but then so has the work. It is, however, ironic to think that the squad, which is now at the forefront of policing paedophiles, is made up of fewer police officers than it was in the days of investigating adult pornography offences; most of these officers are of lower rank, yet they deal with infinitely more complex enquiries. Although I realise that competition for resources is always a problem, I feel that my continued plea for more officers is like 'justifying the obvious': if there is one area of criminality in which the public expect the police to act, it is surely the protection of our children from those who might abuse them.

When I joined the squad in 1991, it comprised a unique set of individuals: they had to be unique because they were then the only police unit in the country investigating this uniquely different aspect of human criminal behaviour. I had come to know many of them a few years before, sharing the same space during what we affectionately referred to as the 'debriefing sessions' held in the secure environment of the 'Tank', the ground-floor bar essentially provided for civilian employees of the Metropolitan Police but inhabited by the police themselves. The Tank has now become a fitness centre, another testimony to the changing culture of policing and the characters of modern policemen and women.

The Tank, humble and devoid of any of the usual comforts of a profit-making pub, was the haunt of many. It was often remarked on that the Commissioner would get an extra hour's duty (unpaid of course) out of us while we discussed the day's events and tomorrow's plans before the drink kicked in. The only decoration in the Tank, apart from the spilled beer and a replastered hole from an accidental incident involving a stray bullet many years before, was a large framed photograph of the Queen Mother pulling a pint of beer. Gazing towards the assembled mass, her eyes would find the Special Branch officers huddled at one end of the room, which we christened the 'Wailing Wall'. The Flying Squad officers, stereotypically talking out of the corner of their mouths as in a scene from *The Sweeney*, occupied another strategic position, everyone wanting to have sight of the door to spot any of the Guv'nors (Inspectors and above): tradition dictated that the Guv'nor was bought a drink, a practice that unfortunately seems to have disappeared now I am one.

Bruce Middleditch, a Sergeant with whom I had worked on the Serious and Organised Crime Squad in the early 80s, introduced me to the men and women of the Obscene Publications Squad. He was at that time part of an enquiry into gambling and organised crime in the West End. I was investigating conventional but organised crime in the form of drug smugglers and counterfeiters, including the first ever video piracy investigation following the shooting of a man who had released the film *ET* ahead of a rival gang. Later on, I was part of a team looking into the failed trials of the football hooligans arrested at several London football clubs. As the investigation was being conducted at New Scotland Yard, I and my colleague Ian Horrocks would adjourn to the Tank at the end of the day, where we would find Bruce and the rest of the squad. I never realised that these people would change my professional and personal life beyond imagination and bring me friends whom I will never forget.

The majority of police officers have no real understanding of the work of, as it is now, the Paedophile Unit. Even though we have finally reached an age of some enlightenment in which it is recognised that child protection is a 'real policeman's job' and not a soft option solely for women officers, what we do is not an attractive career choice. Let's face it, who would want to volunteer for a job that brings you into daily contact with the worst excesses of man's inhumanity to man? But this is why the squad has always been made up of dedicated, loyal and professional people, those who once there, do not want to leave.

As I listened all those years ago to such officers, many now retired, I became one of the few to recognise their vision, their absolute commitment and their intense pride in doing 'the job'. Their enthusiasm was, without exception, infectious. Although they were all uniformed officers working in plain clothes, it did not take me long to recognise that they were all in fact professional detectives, albeit lacking the formality of having attended Detective Training School courses. But then what would learning about the Forgery Act of 1913 benefit those who hunt paedophiles? Listening to the wise words of Bernie Meaden, one of the older Sergeants on the squad, as he traced a line with his index finger through the spilled Guinness on the Formica bar top while he emphasised what he was saying, I decided that I would one day, given the opportunity, work with them. The only question was whether they would work with me.

The arrival of a new officer, especially a Guv'nor, demands a settling-in period as it inevitably interrupts the dynamics of the existing group. As a new Guv'nor, you bring your own ways of working, your own limits of acceptable practice and your professional experiences, biases and hopefully new ideas as you are promoted or move to a new group. But I was also new to the squad's work. I was without question keen to learn as quickly as possible so threw myself in at the deep end and to the mercy of my staff. This worked, but not without a few minor injuries on the way.

The policing of criminal sexuality has its own language, generally borrowed from psychiatry, psychology and criminology. When I joined the squad, I grappled with trying to understand what makes those sexually offending against children 'tick'. As part of the learning process, I had to consider what had been reported elsewhere because sex offending is such a unique criminal (when it is criminal) behaviour. I found out that that most of the men we investigated were psychiatrically referred to as 'paraphiliacs'. The following definition is taken from a dictionary of psychology.

['Paraphilia'] Is an umbrella term for any mode of sexual expression in which sexual arousal is dependent upon what are generally considered to be socially unacceptable stimulating conditions. Typically a paraphiliac is not one who simply enjoys an exotic passing fancy with something 'off-beat' but is rather obsessively concerned with and responsive to the particular erotic stimuli of his or her sexual mode. Human sexual expression is extraordinarily varied and a large number of paraphilias has been identified and studied.

I encountered such terms as 'zoophilia' (in which one's preferred means of sexual gratification involves animals), 'coprophilia' (in which sexual arousal is obtained from faeces), necrophilia (sexual contact with human remains), which I am told is soon to be made illegal, and of course 'paedophilia', defined as 'recurrent intense sexual urges and sexually arousing fantasies involving sexual activity with a prepubescent child or children'. 'Hebephilia' is a similar attraction to children who are post-pubic. It does not, however, matter what we call such individuals; what is important is to remember that their actions hurt children. The Paedophile Unit was thus established to confront these predators.

So, because a squad is only as good as its members, who are the people who police paedophiles? The squad have been a bunch of characters that any fictional programme producer would cut his right arm off for. In 1991, the squad was operated on a Sergeant/Constable partnership model that had its origins in the investigation of vice crime. That has now changed, a CID model of investigation, with a Detective Sergeant supervising the activities of three or more Detective Constables, having been introduced. I took the place of Chief Inspector Stuart Baker, who had successfully moulded the squad into an efficient police unit. One thing I learnt from him, with hundreds of presentations to a wide range of professional audiences throughout the world now under my belt, is that the acquisition of knowledge creates the confidence and authority to speak on any subject – particularly paedophilia.

Sergeant Bernie Meaden, now retired, was a stalwart, old-fashioned copper, whose experience in convicting violent 'pimps' was second to none. DC Phil Hills, known as 'Pip', was Bernie's partner, complementing him with his quiet, methodical, intuitive and trustworthy approach to his work. Phil had a huge capacity and skill for the handling and management of intelligence. Although he left the squad in 1995, having been headhunted to work with the National Criminal Intelligence Service, he reapplied to rejoin us a few years later when a vacancy arose and was, in the face of stiff competition, successful.

Alan Oliver, another one of my sergeants and now training police officers, was a huge man with a wonderful Irish brogue. Affectionately known as 'The Hod', Alan was able to add brightness to our sometimes dark environment. While sucking largely on his pipe – we could smoke in the Yard then – his often-quoted remark of 'That's nice' when a problem had been solved put everything into a simple perspective. Alongside Alan was Dave Page, one of those police officers who is always there, ready and available, the consummate professional. Dave left the squad to work on a Child Protection Team for a couple of years but, like Phil, is now back where he belongs.

Sergeant Bruce Middleditch, who had to retire after having been seriously injured in a knife attack some years earlier, was a loyal and wise man and a good friend. His partner, DC Kevin Ives, was one of the first police officers in the country to recognise the emerging dangers of the Internet. Self-taught, he began the hunt for paedophiles in cyberspace using a borrowed computer. Now a highly trained international computer forensic specialist, Kevin finds and produces records of evidence recovery from computers that should frighten every paedophile who dares to go on the Internet. If only Kevin had also recognised the potential value of 'dot com' domain names, I could have written this from a yacht in the Bahamas.

Sergeant Kevin O'Connell, now retired, was a keen boxer and a person not to be messed with. He was an excellent supervisor and investigator, committed to maintaining the reputation of the squad. His partner, DC Jack Jones, also now retired, had been significantly involved years earlier in the investigation into Cynthia Payne and the infamous 'luncheon vouchers' club at her South London brothel. Jack, the only Welsh-speaker on the squad, was a careful, keen investigator with a prize collection of model sheep grazing on his desk.

Sergeant Phil Jordan, now a Chief Inspector, was affectionately referred to as 'The Gay Blade' because of his highly practised skill in the sport of fencing. Phil was a professional, thoughtful man whose work was always of the highest standard. His partner, DC Lenny Yeoell, now retired, had been in the squad for some time prior to my arrival. I had worked with Lenny at Brixton during the riots of the early 1980s and was always impressed with his meticulous approach to his work. Prior to my joining the squad Lenny had investigated the infamous 'Operation Spanner' case, involving a group of men whose idea of enjoyment was to indulge in sadomasochistic sex. When they were charged with and convicted of mutual offences of grievous bodily harm, they became the focus of support for those seeking to liberalise extreme 'consensual' assault. The case then went to the European Court of Human Rights and the House of Lords, those in support arguing that there was no place for the law to restrict adults who wanted to indulge in such behaviour.

Not surprisingly, the Operation Spanner investigation was frequently reported in the newspapers and on TV. What was never reported of course was the extent of these men's actions and the involvement of young boys in their web of violence. The case was portrayed as if the group merely participated in mutual bondage and spanking. The animal sex in which they also indulged did not seen to be mentioned; neither do I remember reading about their practice, among others, of completely slicing the penis in two lengthways (I have the photographs to prove it) and tattooing the scarred tissue. Nor do I remember reading about the videotape referred to as Exhibit KL/7 on which, in full colour and sound, a man's penis is seen being nailed to a table and then subjected to long blood-letting cuts by his 'lover' using a Stanley knife. The whimpering from the recipient of this violence indicates that he is quite obviously in excruciating pain. Most of the injuries 'accepted' by the victims in the films and photographs that Lenny recovered should have required medical attention, and this is what proponents argued should be allowed. The Courts saw differently, however; the convictions were upheld and the assailants stayed in jail.

DS Graham Passingham and DC Dave Flanagan, both now retired, became the scourge of teachers and other professionals working with children who were sexually interested in their charges, leaving many now convicted offenders who wished they had not sought out employment with children and networked with other paedophiles like themselves.

DS Mick Platt, now retired, and DC Terry Bailey were skilled, tenacious investigators whose experience in hunting paedophiles was directly reflected in the number of them whom they sent to jail. Mick had spent years in the London's West End building up a unique knowledge of those paedophiles who trawled Piccadilly and Soho for the boys we unfortunately label as 'rent boys', forced into prostitution as children. This term seems to legitimise what men do, but a 'rent boy' does not wake up one day and say to himself, 'I think I will stand on a street corner and let men I do not know take me away and invade me.' He is invariably the victim of a whole range of disadvantage, family problems, drugs and absolute vulnerability, and without other options many such boys are caught up in the subculture that exists on our streets. The men involved, excusing what they do on the basis that there is an exchange of money, never consider themselves to be paedophiles – but they are and should be recognised as such. The situation unfortunately enables them to shift the blame of what they do to the child because he is, after all, 'only a rent boy'. Similarly, Terry brought to the squad his vast experience of vice investigations in Notting Hill. A careful, thorough investigator, Terry did not suffer fools lightly and said so: 'It's outrageous' was Terry's catch phrase, directed at those who did not understand or did not match his high standards.

DS Keith Driver and DC Mick Moss were the remaining partnership on the squad. Both were committed to the cause and, like their colleagues, did everything they could to lock paedophiles in jail.

Within weeks of my joining the squad, a Detective Constable whom I shall for security reasons call 'George' joined us to perform a special operations role. I am unable to describe his contribution other than to highlight that he worked with me for many years, but he and his colleagues all know his value.

A number of other first-class officers joined and left the unit during the ten years of my occupancy. DS Brian Francois and DC George Box were tenacious and thorough investigators. Brian took on those paedophiles who hid behind the 'legitimacy' of naturism; George tackled offenders who had made a lifetime commitment to abusing children.

One of the most committed, supportive and under-promoted officers that has ever worked in the Paedophile Unit is DS Steve Quick. Joining the squad in the early 1990s, he has for many years been a rock of reliability, often deputising for me and shouldering that role with unwavering skill. If ever there has been a case for promotion on practical rather than theoretical grounds, it is Steve's.

In the mid-1990s, Mike Hames suffered a serious heart attack, which made him rethink his career in the Metropolitan Police. While he was recuperating, Jim Reynolds, a Detective Chief Inspector on the Stolen Motor Vehicle Squad, came into the unit, taking over the squad on Mike's retirement. Jim stayed until 1998, when he retired and I was promoted to Detective Chief Inspector and took over the squad.

The civilian staff in the squad in 1991 were characters in their own right. Vince, Dodger, Mark, Paul, Totty and Dave have been replaced over time, some joining the police, others transferring to other civilian jobs. All of them were, however, critical to our success. Russell Nash, the 'Head Civ', has remained with me throughout and has a highly professional team around him, Lee Ashley, Dave Boyle, Paul Currie and Colin Rickner occupying unique positions for civilian members of the Metropolitan Police. Putting their administrative responsibilities to one side, they are our eyes and ears for evidence of child pornography material. They are evidence-gatherers, forensically examining each seized exhibit for clues to support conviction, attending raids, investigating and giving evidence at court. They are a humorous, committed group of men and there are in my mind no better civilian employees.

One most special person in the squad was June, known affectionately as 'The Ferret', who was our civilian intelligence officer. What she did not know about individual offenders or networks of paedophiles was not worth knowing. She single-handedly created the largest database of child abusers in the country, religiously recording the slightest hint of intelligence on them. She knew that a child abuser never changes and recognised that information could still be relevant many years on. Her archives have lived long after her retirement and are still helping to save children.

My small squad is able to carry out about a hundred raids a year – not nearly enough in our view. Many investigations stick in the mind, for many reasons. The sheer visual horror of some leave a scar on your mind. Once you have seen a picture of a child being raped you cannot erase it from your memory. Other investigations are remembered for their surreal nature.

When Bob Long and his BBC team moved into my offices in New Scotland Yard in July 1999, this was the first time that such a level of access – others may call it intrusion – had been permitted to the inner sanctum of a Scotland Yard squad and its operational environment. It is fair to say that some outside my immediate surroundings viewed my agreement to the forthcoming 'alliance' between the BBC and the Paedophile Unit as a demonstration of my naïvety or maybe just plain stupidity. But there again, why shouldn't the coalition take place; we had nothing to hide?

Had I, I was asked, considered the impact of everyone's being 'on show' all the time, that whatever happened might be caught on camera, altering the behaviour and effectiveness of the team, and that everything filmed would be available to the defence solicitors? And would I give away any secrets to the 'bad guys' who would ultimately view the programmes that might let them avoid arrest and continue to abuse children. That was the real test.

Of course I had considered all these issues, and I had discussed the whole enterprise with the team then working in the unit, some of whom also quite naturally had reservations. I had not taken lightly the decision to allow two camera crews to live with us permanently, but however I considered it, the benefits outweighed the perceived intrusive downside. I was convinced that it was time for not only the public, but also other police officers, politicians and the judiciary (who are members of the public and parents too) to face the reality of paedophilia. The only agenda was to make child protection better and to catalogue the diverse work of my officers, and who better to help us do it but the BBC?

My Deputy Assistant Commissioner, Carole Howlett, supported the proposal, recognising that this was an opportunity to send out a child abuse prevention message and present a true picture of paedophilia. When the arrangements for access were concluded and the Official Secrets Act requirements completed, and final authority had been obtained from the highest levels of the Metropolitan Police, the filming began. But who were the officers in the unit, both police and civilian, who were 'to be caught on camera'? Some – DS Steve Quick, DS Bruce Middleditch and DCs Terry Bailey, Dave Page, Kevin Ives and Phil Hills – have already been introduced. They were part of the team that now comprised one Detective Inspector, three Detective Sergeants, ten Detective Constables and seven civilian officers.

DI Dave Marshall took over his role when I was promoted. With an extensive CID background and a history of investigating serious crime he was the natural choice for my old job. Working for Master of Science Degrees in Forensic and Legal Psychology at the same time, we were often the only two left in the offices late at night, slaving over theses about offender profiling, the causes of crime and many other subjects.

The third Detective Sergeant on the team was Ian Hughes, a Batchelor of Law who, like Jack Jones before him, provided a 'Welsh influence' on our environment, also taking over the responsibility of looking after Jack's collection of model sheep. Ian is a thorough, tenacious investigator who first came to the unit as a Detective Constable before being promoted. He left during filming to become a Detective Inspector on a Child Protection Team, where, I have no doubt, he will be successful.

The year's filming also saw Bruce Middleditch's retirement on medical grounds. Replacing Bruce and Ian were DSs Doug Bewley and John Gorry, extremely experienced supervising detectives from Child Protection Teams who immediately complemented our environment.

Completing the team are DCs Kevin Green, Paul Helsby, Tim Irwin, Andy Murray, Andy Ryden and Fitzroy. In the early days of filming, Kevin Green was one of the first 'victims' of stardom and 'trial by camera' when, having applied for a vacancy in the unit, the candidates' interviews were filmed. Kevin was hugely impressive, with an immense knowledge of paedophiles gained from the management of sex offenders in Wimbledon. His pleasant and impish personality is also accompanied by an infectious capacity for hard work.

Paul Helsby left a highly successful pop career as the drummer with the punk band 'Slaughter and the Dogs' to join the police – it is hard to think of this quiet, methodical, highly valued detective as a former punk.

Tim Irwin is an excellent detective whose skill in handling exhibits proved his worth during the long-running Operation Doorknock investigation, which we will encounter later in the book and which features repeatedly in the TV series; Operation Doorknock could fill a book on its own. As well as this, Tim has investigated and prosecuted a large number of paedophile offenders and remains an asset to the unit.

Andy Murray, another Batchelor of Law, came to the unit many years ago, being the first officer to transfer to our proactive environment from a Child Protection Team. He has vast experience in interviewing children who are victims of abusers and has shared his knowledge widely to develop procedures for interviewing children who have been victimised. During his many investigations he has worked closely with the NSPCC and a whole range of Social Services departments.

Andy Ryden, a first-class detective, comes from a traditional CID background and has been responsible for moving the boundaries in the proactive investigation of paedophiles. His investigations feature prominently within this book, as does he within the programmes.

Fitzroy is in charge of the computer database of child pornography that was to be born out of Mark Enfield's desire to 'star in his own movies'. Fitzroy has worked closely with colleagues in Sweden who have a similar system to fine-tune our ability to identify more paedophiles and victims of abuse. This work is proving that the original concept can become a reality, one worthy of the investment.

From time to time, when the sheer volume of work on an investigation is too much for us to deal with on our own, officers are seconded to work with us for the duration of that particular investigation. We have been extremely fortunate during the long-running Operation Doorknock case to have had a number of superb Child Protection Team officers come alongside us. DCs Trevor Brown and Steve Wright have been with us the longest and seamlessly work with the established team. Because the team is below strength, they have also helped out with other investigations. They are good additions to my squad and excellent investigators.

The current civilian officers were introduced above, but we have not yet met Marion James, the intelligence officer who works closely with the detectives. Marion joined the unit in 1995, replacing June 'The Ferret' when she retired. With her unique style of working, Marion has carried on the tradition of tracking down paedophiles, identifying their lifestyles and associates and ensuring that the investigating officers know everything they should during their enquiries.

As the increasing use of computers by paedophiles to trade, distribute and collect child pornography was recognised, I was able to provide Kevin Ives with a partner, a civilian officer Michelle Pell, to reduce his workload. Described in the *News of the World* newspaper as the woman with the worst job in Britain, Michelle acted as computer forensic examiner, working alongside Kevin to identify the minutiae of evidence hidden within computer operating systems, to rebuild the offender's misuse of the technology and to tell juries about how it all worked, thus ensuring that paedophiles went to jail. I say 'acted' because Michelle has now very reluctantly resigned from the police service, leaving a job she was committed to and loved to take a post in industry that will recognise her talents. Her departure is yet another example of the evaporation of investment, both personal and financial, that is needed for officers to reach their highly skilled positions, only to be under-paid. And in the meantime, Kevin is left to cope with an astounding workload.

So this was the team, going about our jobs with the BBC crew shadowing us every step of the way. We cannot obviously include, in either the book or the TV programmes, all of the huge array of cases we have tackled but there are some past investigations that are memorable because of their surreal nature, for example, the paedophiles Benedictus, Coldbreath and Faithful, a trio of men sounding more like a firm of solicitors, who were the executive committee of the 'Adult Baby Club – ABC'. Dressed in oversized nappies and collecting child pornography of the abuse of small boys, they lived together in suburban South London, the rest of the world unaware of the 'adult baby parties' they held.

Then there was Warwick Spinks, the first paedophile in the country to refuse to sign on to the sex offenders' register when he was released from jail, where we had despatched him for offences of indecent assault and the abduction of a thirteen-year old boy whom he sold to an Amsterdam brothel. 'I am not going to be another notch on your record', he said to me when Terry Bailey and I interviewed him. Unfortunately for Spinks, his unique walk was so noticeable that it made him a perfect candidate for surveillance as he stalked London's railway stations looking for prey. He is now in

Prague and will not come back to where he knows a jail cell is again waiting.

DC Terry Bailey, DC Dave Page and DS Bruce Middleditch caught David Bellamy and his group of paedophiles, who targetted vulnerable children in South East London. Bellamy received five life sentences because he could not resist allowing the videotapes of his abuse to reach the commercial environments of Europe, the clues he left behind enabling Terry to track him down.

There are countless other examples of superb investigations undertaken by the officers of the Paedophile Unit, but I have selected for this book some of the investigations that have encountered particular difficulties. Some are featured in the TV series, some are not, but each of them describes the tireless work carried out to hunt down paedophiles.

5

THE BODY IN THE CAR

Bob McLachlan

When a paedophile kills himself, I am always concerned about my officers and the fact that they have to deal with the living – the fall-out from the offender's abusive behaviour. As we drove away from Southampton police station, the night before Mark Enfield's death, this was another job done and we were pleased with the result. The BBC team had been able to capture the search and Enfield's arrest on camera and, more importantly, had been able to talk to him. What was for us – apart from the ferrets – a normal day's work was for Bob and his team a unique insight into the life and character of a paedophile.

The important thing for us was to make sure that the local police were brought up to date with the details of Enfield's life. That night, with DCs Terry Bailey, Dave Page, Kevin Green and Fitzroy, I briefed the local child protection officers about the day's events, and plans were put in place to make sure that any of Enfield's possible victims would be looked after. Terry was to keep the local officers up to date with anything relevant to their enquiries when he examined the property that we had seized.

It had been a long day and as it was late when we finished, I decided we should stay at the hotel for another night. We arranged to pick Enfield's property up from the police station next morning and travel back to Scotland Yard. At about 8 am the telephone rang: 'I'm Sergeant Jones from Southampton. A body of a man has been found in his car in the New Forest; we are pretty sure that it is Mark Enfield, the car is registered to him . . .' I made arrangements to go to the police station later so that I could find out what information the coroner required and obtain more details of the body's discovery. Then I went down to breakfast to tell everyone what had happened.

The police team was used to paedophiles killing themselves – it happens a few times a year – so although my officers were obviously surprised, they were not shocked. It's not that we are inhuman, but suicide becomes an occupational hazard that we get accustomed to. It was obviously different for the BBC team; they were there to film our work and had undoubtedly never reckoned on meeting someone who would kill himself that same night.

The inquest found that Mark Enfield had committed suicide with a drug overdose, running a hose-pipe into the car just to make sure. But when our prisoners commit suicide, we are concerned with how this may affect the victims, their wife and other people in the offender's life. The death of Mark Enfield and others like him encouraged me to look at how we might be able to learn what makes offenders kill themselves, the idea being to help those left behind. I thought that there might be questions after the public had watched us search and arrest Enfield so I asked Ray Wyre, an expert in sexual crime, to help me find some answers.

Ray, Terry Bailey, Andy Ryden and myself sat in front of the portable video player as the interview of Mark Enfield was shown. Our conversation revealed interesting and obscure facts as we examined in minute detail the recording made by Bob Long's team of Enfield's last conversation. Ours accompanied it like this:

Bob: Thanks for coming Ray; I've told you what this is all about and I'd like to show you the tape of our arrest of Mark Enfield. I know you've heard of him before. I'd like your thoughts – because I know it's going to happen again. History repeating itself. So this is Mark Enfield [as the image of the half-naked child rapist was transmitted into my office] that Terry and a number of us arrested down in Southampton last October. Usual procedure – nothing unusual – search warrant looking for material – finding all sorts of stuff, apart from the fact that he lived with ferrets, the place stunk like I don't know what! That's his house; he had three or four ferrets.

Terry: He used the ferrets for kids to take an interest in him, you see.

Bob: Secretary of the ferret club. He had all the membership lists.

Ray: He's a hands-on abuser as well though isn't he; he's not just a possessor of child pornography?

Bob: Oh yes, he's a hands-on abuser. He was convicted in Denmark, on his own, a 'groomer'.

Terry: Basically he moved in with a family and abused the children; they were young boys. And he videoed himself with the boys and didn't hide his face. When we interviewed him in 1997 about that he said, 'Well I like to star in my films.' That's the kind of guy he was. Quite a sinister guy really.

Ray: Were you surprised then that, with that sort of personality, he killed himself?

Bob: He was very calm, very collected.

Terry: We interviewed him later on in the day and he was very calm then.

Ray: See, because he's giving no clues that he's a character who's going to top himself.

Bob: Now what we're trying to find out . . . We just want to see if there were any pointers during the course of the day that we could have picked up on about the fact that he could have done it.

Terry: We went in there and we said to him, 'Have you got any indecent photos of kids?'; he said, 'No.' Then when we found it, he said, 'Well, I knew you'd find it anyway.' He had it on the zip disks. And he said, 'Oh it's you again' when I walked through the door – I've done him a couple of times.

Ray: Have you looked at all the other motives there as to why he might have killed himself? Why he might be scared?

Terry: We found nothing. The boys that were visiting the flat prior to us going there, they've been seen. In fact, there were some boys visiting there and the local police, who had suspicions, told the mother but the mother said, 'Well I don't see anything wrong with him; he's a nice guy.' And she continued to let him see the kids.

Ray: What about power and control issues and that, in a sense, committing suicide is remaining in control?

Terry: Maybe, I can understand what you're saying.

Bob: Or that he just didn't want to go back to jail again.

Ray: No I don't think so, not just that he didn't want to go back to jail, because in the interview you don't get at all a sense that here is a person who's showing the characteristics that are going to make you want to launch a suicide watch. I've been with men who you know that if you don't keep an eye on them, you're worried about what they're going to do, but he's not presenting like that at all. I mean, in those cases there's a breaking down, there's a grieving, there's a crying, and 'I can't cope with this', 'What's going to happen to my life, my reputation?'; he doesn't seem to be bothered at all.

Bob: He sat back in the chair and just watched us; he was like that all day.

Ray: And even if you offered support I'm not sure that he'd phone up and ask for help.

Terry: What we initially thought is that there's something gruesome that we've not discovered yet.

Ray: That he's killed a child or something like that.

Terry: We thought, but we haven't discovered anything like that.

Bob: But he wasn't nervous was he?

Terry: No.

Bob: Unless he was like a duck on water and it was all happening underneath.

Ray: But was he one who said, 'I'm a guilty man', with the hope that you would just deal with what you've got and then leave him alone.

Terry: He actually goes into about being abused himself, doesn't he? He says his uncle and [a woman] abused him.

Bob: That's right.

Ray: Do you believe it or do you see it as an excuse?

Terry: I believe some of it, but he said how he wasn't into buggering little boys because he knew how it hurt and yet we've got a video of him buggering young boys.

Ray: Did he write a letter?

Terry: Oh, he wrote two suicide notes.

Ray: To you . . . to the police?

Terry: One to the BBC, saying there was no problem with them putting this out on air, and the other to his mate, something to do with going to prison and not being able to face it. He said he had done it because he couldn't face going to prison. But he just didn't give that demeanour at all. He seemed quite happy.

Bob: And, of course, he was released on bail once Terry and Pagey had interviewed him.

Terry: Well, we weren't going to keep him at that stage because we had further enquiries to make.

Bob: So he could have run away at that point, although I suppose he had nowhere to run.

Terry: This man's videos feature all over Europe.

Ray: In a sense you could say this was the ultimate paedophile video – his death, everything about him, his going out in one big bang. I'm surprised he didn't film himself doing that.

Bob: Is he purging himself?

Ray: You don't get a sense of that, do you? Or that he's feeling guilty or that he's ashamed or upset.

Terry: He never shows any remorse.

Ray: That's why I wonder if there's that power and control and, whatever you have done, he's kept control: he's not going to go to prison, he doesn't mind the TV cameras seeing him, he's had his final rights, he's told the story, he's written the letter.

Terry: I've done him, what, three times, and every time he had this demeanour – happy-go-lucky.

Ray: That's so unusual when you look at the people who have killed themselves.

Bob: He's used to the police around him, isn't he? That's the thing.

Terry: Thinking about the control thing you just mentioned, the second time Mick Platt and I went to see him it was about a boy being abused in a car. We thought it was him but he told us it was the boy playing next door in the garden, and he had control of us then because he could say, 'Well I think it was the boy next door etc' when it wasn't. It was fantasy on his part – and he knew that by putting that thought into us, he was controlling us in a way.

Bob: Because he knew you would be interested – you thought the child came from that locality where he was anyway, and he was giving you what he knew you wanted.

Ray: When he gave the go-ahead for the BBC to film him, he must have known that if he was still alive today when his face goes out on the television, the community were going to give him a hard time, especially as you're going to talk about the graphic abuse that he's done and the ages of the children. So I just wonder what must have been going on in his thinking to have decided yes, they can film me, they can do all this, but I'm still going to be in control.

Bob: Would he have been thinking about it at the time of the search or when everything had settled down and he had been released?

Ray: I think that after this and after he's given permission, he must have spent the night, because he's going to do it this night, isn't he, when everything's gone, as this is the height of the community being angry and aggressive to offenders like this.

Bob: And it's on the south coast where the riots have been. But what might be significant – I don't know if it's significant – is that he drove towards where he used to live as a child for his first attempt, didn't he? Maybe that was delivering a message but he got disturbed, tried it once, got disturbed, drove off and went to the New Forest where he went and did it. Now the idea around our meeting isn't about him as an individual; it's about whether or not we've got any responsibilities in today's climate. With collateral damage and all this sort of stuff. If he had a wife and did it, you know we'd be thinking about her, wouldn't we? She's not an offender, she's not doing anything wrong, yet she's living with someone and she doesn't know about his abusing kids. It's the fall-out from that that we're keen to explore.

Terry: Because he's obviously grooming those local boys, because he bought them those football shorts that we found, didn't he? And we said, 'Who are these football shorts for?', and he said, 'Oh, they're for so and so. I bought them as Christmas presents.' Those are the two boys that we had interviewed.

Ray: Can I say that even in a case like this, even though he's not a married man, you can never underestimate the impact on the children he's been abusing. Some of those children will still be feeling guilty and responsible because of the way that he controls them, shifts responsibility and blame on to them and entraps them. And one of the worst things that people don't actually look at is the way other offenders will use this type of thing to silence children – they'll say this is the sort of thing that happens if you tell. I've had one client shot in the head and killed and another client who was murdered. One of his victims wrote to the solicitor saying, 'Because I told, my daddy's now dead.' All these things have an impact and an effect. I can understand the community's reaction even to watching this film when they're likely to say, 'So what, good riddance, he deserves it.'

Bob: That's a very important point there – the children feeling guilty.

Ray: That's why he has control, that's why what he's done is abusive of them again. That's why I'm not going to see him as a victim of his own suicide. Even that is abusive of the children. I'll put it in that context.

Terry: It was interesting from our point of view, and I knew what he's like, but obviously the TV crew felt some sympathy towards him – even more when it came through that he'd committed suicide. That was how powerful he was actually.

Bob: Maintaining a victim image.

Ray: Whereas I see suicide as further abuse of other people, your partner and your children. It's not only cowardly, it's actually abusive.

Bob: Because it becomes unresolved, doesn't it?

Ray: Yes, it stays in the grey area. And it is unresolved, for the children especially. I think one of the major problems of offenders killing themselves or being killed, or the community seeking revenge, is the impact on the victims and also other children. Offenders are always shifting the responsibility and blame; they're always making the child feel guilty. I'm not seeing this man as a victim; I'm seeing even his suicide as another abusive act, because it does leave for the children a whole range of unresolved issues. Justice is not going to be seen for them; they're not going to experience it. In fact they may feel even more caught and have more guilt feelings because of what's happened.

Bob: It's going to make them less able to talk about it as well, isn't it?

Ray: We also know that offenders use this type of thing to control other children. We know that offenders say, 'This will kill me if you ever tell', as well as other control mechanisms. But I find that whenever a man kills himself like this, although the community may respond 'Well good riddance', there are still so many things left undone. We don't actually know how much knowledge this man has; we don't know that he hasn't killed children and that there aren't abused children around whom we don't know about. There may well be parents wondering what's happened to their children – we don't know what controls he used and what he said to the children he was abusing. And yet his power and control has taken it away, because he's not someone in the interview who's presenting as sad, guilty, remorseful, feeling bad or worried about his reputation, or worried about his own guilt. There are offenders like that, but he's not one of them. So I have to look at what the other motives are as to why this man has decided to kill himself. And I think it must be much more around this whole area of power and control, getting one back, basically doing what he's always seemed to have done and that's liking himself on film abusing children and being seen doing it.

Terry: I mean, right from the first time we arrested him back in 1997 I said, 'Well, why did you film yourself like that?' and he said, 'I like starring in films.' He said it to me in his casual nonchalant way, and it shocked me. I mean, this is incredible what this bloke is saying to me. He must be one of the most dangerous people I've ever come across. He was so laid back about it, you know – 'I like to star in my own films.'

Bob: And because of that, he becomes very interesting to the police because it's a rare event when you get a face – he's had an Interpol circulation, his videos now have been put into stills and are on the Internet, so his abuse carries on. He's dropped off the edge by killing himself, but he's still carrying on abusing people.

Ray: And as you say that permanent record of abuse is allowing him to abuse for the rest of eternity, because this black material is never ever going to disappear.

This 'black material' is never ever going to disappear because the use of pictures to feed the fantasies of child abusers is part of the obsession of child abuse. And it would be wrong to think that it is only men like Mark Enfield who live on the edges of humanity. Whoever coined the phrase 'You never know what happens behind closed doors' could have been talking about the many families we visit to take the husbands or sons away. But the fall-out from these men's deliberate actions is immense. Their list of victims not only includes the children they have abused, but also their own families, friends and colleagues, as well as the police officers and other professionals engaged in trying to deal with such issues, all of whom need support, at the time and into the future. Hopefully, looking at the abusers themselves will allow us to help those left behind.

Mark Enfield chose to die like he chose to abuse children. We shouldn't feel sorry for him because he never felt sorry for their victims. Enfield was a 'groomer' who manipulated everyone and everything around him so that he could get close enough to rape a child and capture it on film.

Unlike the man who created it, the abuse Enfield committed is 'alive and well' and will exist forever in the video collections of other paedophiles, continuing to be viewed by paedophiles wanting satisfaction, often courtesy of the Internet. Child pornography is very powerful material, often traded in cyber chat rooms and used as a form of currency, and the Internet has become a Utopia of anonymous access and opportunity for the online grooming of children. But luckily paedophiles can be caught by the very technology they use to ensnare others.

6

JOIN THE CLUB

Bob Long

We kept filming searches and arrests. They came thick and fast. Paedophiles were everywhere. They were computer programmers, truck drivers, company directors, solicitor clerks and unemployed. They were in their twenties, thirties, forties, fifties, sixties and seventies. They lived in small council flats on estates run by drug dealers, and they had big homes with long driveways or very expensive town houses in fashionable parts of London. They lived on their own or at home with their parents, or they were surrounded by their own loving children and a devoted wife. They all had absolutely nothing in common except a shared set of fantasies that was for many of them the central force determining the path of their lives. They had a bond that transcended social class, economic grouping, family background and education, and they sought each other out over the Internet. They formed clubs, secret societies with chat rooms to exchange fantasies and real experiences. They were obsessive collectors who swapped child pornographic images.

More than anything, this contact with other paedophiles reinforced their moral position. Some would develop to a position of 'political paedophilia', not only justifying their sexual preference to themselves, but believing it was right and natural for adults to have sex with children. They compared themselves to gay people, who had battled over centuries to gain acceptance in society. But they were now the avant-garde of sexuality, the pioneers in the brave new world of child sex. By making contact with other paedophiles, the least that would happen, even for those who could not bring themselves to feel fully comfortable with what they did, was that they would no longer feel alone with their guilty secret. If they understood that what they had was a problem, at least other people had it too.

Twenty years ago, the paedophile must have been an isolated figure, sitting alone with child sex magazines imported at considerable risk from the continent and too worried to make contact with others of his kind. Thanks to the wonders of cyberspace, paedophiles now talk to each other and exchange pornography across the world, without borders. All they need is a modem and they can find all the friends they want, with no risk of error or rejection. The sheer number of Internet communities, and the security systems they use, has made them very bold. The fifteen detectives currently in the Paedophile Unit could deal with only the very small tip of a huge iceberg of cyberspace communication, but when they were able to slip into a community, the chat room was not for the sensitive soul. DC Kevin Green showed me some chat, which shocked me even though at first I did not understand it.

One man asks another, 'How young have you got?', and the reply is, 'One year old and I've got the head in.' I obviously understood the 'One year old' and was predictably horrified, but I could not imagine what the rest of it meant. I did not want to ask Kevin because he seemed to expect me to understand; I had, after all, been around the unit for months. Several days later it struck me. The anonymous correspondent was boasting to his cyberpal that he had managed to force the head of his penis into the anus of a one-year-old baby.

Most paedophiles are very keen to share their collection and do their bit for their community. Like all collectors, they are enthusiastic to show off what they have, but as collectors do, they sometimes want to swap. Money does not play much of a part because payment will blow their cover. Instead, the inner circles swap as a way of expanding their own collection of images, and indeed the only way into some of the more exclusive sites is to offer an entry fee to the rest of the club – a minimum number of images of a certain standard. One Dutch policeman whom I met at an Interpol conference that Bob McLachlan was chairing in Antwerp told me that they had a particular problem in Holland with club entry fees: if men who wanted to gain entry into a particular club fell short of the entry fee of a certain number of images, they would then go home and photograph their own small sons or daughters, whom until then they might have left alone. Their own children, whom they had abused when taking the photographs, would thus forever continue to be abused by countless men throughout the world.

The great technological revolution is doing more than it is given credit for. By removing geographical barriers and creating discrete communities, the Internet has created a cyberhome for men who, in their days of isolation, would have limited not only their collection of images, but also their actual physical sexual abuse of children. It has also probably created a darker shade of paedophile by drawing in the casually curious and sucking them ever deeper into the sexual abyss.

A man sits late at work surfing the Internet, and with a mild and controlled interest that may have lurked at the back of his mind for years, he hits on a child porn page. Months later, he has gone much deeper and has downloaded images. Like any developing addict, he needs a bigger fix, a more outrageous set of images, and to join the club he has to make his own pictures. However he gets them, each new image of child pornography he creates is the record of an actual moment of sexual abuse.

Accurate figures may be impossible to compile, but the Internet has arguably increased the number of incidents of child sex abuse. If this sounds a little over the top, the cases that we recorded provide some evidence. It was the defence of one man arrested by the unit. He claimed to have visited a child porn site out of 'idle curiosity' at work. The small company he worked for was, however, big enough to have an IT security man who discreetly monitored employees' use of their computers. The company reported their employee to the Paedophile Unit, who searched his home and found downloaded images and prints of Internet child porn. The man they arrested was young, good looking and in a stable relationship with his girlfriend. In his statement, he said his initial curiosity had led to a more sustained interest until he found himself making child pornography. He was adamant that he himself had got nowhere near to actual physical contact with a child for sexual abuse; he was 'only looking'. Without further evidence we have to believe him, but how many men encouraged through the open gates of cyberspace do end up physically abusing?

One way of measuring the increasing level of paedophiliac abuse over successive years might be to look at the level of arrests by the Paedophile Unit, but that appears to be a highly questionable approach since the number of arrests seems to me to be primarily limited by the unit's resources. After months of seeing the fifteen police and five civilians at work, there was no way that such a small unit serving such a huge population could keep up with the full level of child sex abuse. They arrested and collected evidence on as many abusers as they could, obviously prioritising in terms of the the child victims, but some of what they were unable to do looked very important to me. They were, for example, so busy fire-fighting information received from the public that time and manpower was limited for more proactive preventative work. If you receive a call from a social worker that a colleague might be sexually abusing children in his care, you have to react to that immediately. But with so many similar enquiries, when do you do the more extensive searching that might take you undercover on the Internet to hunt paedophiles whom nobody has noticed or reported? Only if the Metropolitan Police were to keep increasing the unit's resources until they could handle the full requirement for investigations might someone be able to produce a reliable figure for at least the detectable increase in child abuse activity.

Every month the unit met in their open plan office for a 'tasking meeting' of up to three hours during which all the detectives updated the whole team on their cases and introduced new ones. The first tasking meeting I attended happened before we had started filming. I sat listening to the cases being described with a frankness that only those very experienced in the area could achieve. As I listened to their reports, I had to make a conscious effort to stop my jaw dropping open as the team told one horror story after another.

After a raid on a man in South London, the team had discovered a picture of a small black boy who had had his head cut off. The man, also arrested for the remainder of his child porn collection, claimed that he had paid for the pictures in Africa. But what ever had happened to him that he wanted a picture of a decapitated child? And was the child decapitated in some kind of village raid in a warring country and then photographed? Or is there a world market for this kind of image, the boy being decapitated solely to sell pictures?

One tasking meeting was special only in that it was attended by members of the Metropolitan Police Authority, an outside body that monitors, controls and directs the Metropolitan Police. It is made up of magistrates, business people, community leaders and the usual representatives of the Great and the Good. At the beginning of each meeting, the civilians in the 'viewing room', searching for pornography on seized tapes, give an update of their progress. At this meeting, the team of four reported they had twenty-four jobs in hand, involving four thousand tapes, the current delay for reports on seized videos being three months. Bob, chairing the meeting then asked for individual contributions.

DC Paul Helsby started by talking about the problems he was having in France trying to trace a convicted British paedophile who had abused a little girl and disappeared. The suspect apparently owned a camp site in France used primarily by English holiday-makers that heavily advertised its suitability for children. Paul was also investigating a supply route of child pornography from Russia and a British priest in France who was charged with indecent assault on an English boy and was being interviewed by the local police.

Meanwhile, back in town, Paul was preparing evidence against a teacher he had arrested, reported to the unit by his landlord who had found child pornography while fixing the central heating. The man taught eight-year-olds in a private school. He admitted everything, resigned from the school and moved to his mother's in the Birmingham area, where Paul discovered that he had immediately taken a job as a supply teacher. He was then charged with the additional offence of deception because he had lied about his references in his job application. There was also some concern that the private school headteacher, who knew why the teacher had resigned, had not reported it to anybody: the reputation and income of the school seemed to be much more important than informing people of the risks the teacher presented.

DC Andy Murray had a long list of cases. A photographer in his sixties had been 'grassed' by a friend; he had for some time been taking indecent pictures of his children and grandchildren. Despite reports that he was a 'high-risk' offender he was sentenced to eighteen hours community service and £100 costs. The only consolation prize was that he was now on the sex offenders' register and the local Child Protection Team knew about him.

Another frustrating case started as an undercover operation in the USA and continued in the UK. After many months of undercover work, the suspect became impatient and threatened the Paedophile Unit's undercover agent, whom he took to be a fellow paedophile, that if he did not supply him with a child, he would just go out and rape one. The agent set up a meeting at which the suspect believed he was going to be provided with 'Amy', a nine-year-old whom he could 'rape and bugger' for the agreed price of £200. When the suspect turned up for the meeting, he was arrested and charged with attempted rape and inciting the undercover agent to procure the child. The defence, however, employed recent human rights legislation, and the charge of attempted rape was thrown out. Even the judge was critical of the legislation that made the case impossible. The defendant pleaded guilty to incitement, which was not that surprising given the taped evidence, and was sentenced to eighteen months in prison.

At this point, DI Dave Marshall interrupted to tell of a recent incident in which they had been monitoring a man with a transit van 'equipped for children'. The back of the van was full of toys, possibly to lure the children in, and equipment that would have been used to restrain them. The man was seen in his van on the street talking to very young girls in such a way that a passing woman stopped to intervene, but there was nothing the unit could do. The Crown Prosecution Service told them that 'The White Van Man', as he was dubbed, was not committing an offence. He was just questioned and allowed to drive off in his unusually customised vehicle.

The stories went on and on. A local government councillor with three previous convictions for paedophilia was given probation on the condition that he attend a special clinic for 'intensive psychotherapy'. Another suspect had done a 'Gary Glitter', indecent images of children having been found when he took his computer to be repaired. The man was able to prove that others had access to his computer, and the case was dropped.

DC Dave Page was supervising the case of a paedophile with eight previous convictions for indecent assault on girls. A search of his home in South London revealed recent videotapes that he had taken of a neighbour's daughter playing in a paddling pool and innocently removing her swimming costume to get changed. He also filmed at incredible length a little girl on his street doing hand-stands against a wall. It was apparent that he was masturbating while filming. In trying to discover the identity of the girls, Dave had to talk to their parents; the mother of the girl playing in the street immediately put her house on the market.

7

DOORKNOCK STARTS

Bob Long

The report back continued, account after account of the ongoing work of detecting, arresting and compiling the case for the Crown Prosecution Service, with the hope that a conviction would result that had some relation to the offence. A sentence of thirty months or more carries with it a lifetime entry on the sex offenders' register. When a paedophile was put on the register, he would have to report each change of address. The local police could also 'keep an eye' on him, but with 120,000 men convicted of sex offences against children in the UK, this could not be exactly in-depth surveillance.

DC Andy Murray, the officer in charge, then gave an update on 'Operation Doorknock'. We all shifted in our seats and made ourselves comfortable for what we all knew would be a long report. 'Doorknock' was a big operation involving, at different stages, most of the team. Extra detectives from the Child Protection Team had been drafted in to help with the huge volume of evidence, contacting victims and substantiating a case against a 'ring' of four very committed paedophiles. The evidence of abuse involved many thousands of photographs, videos, audiotapes, drawings and letters. As the investigation rolled on, it also revealed a potential figure of over 300 children who had been abused by the four suspects.

Operation Doorknock also became the leading narrative for our BBC series. Before we even started filming, we had a notional structure for our four hour-long programmes. Using a structure that is often employed in drama series, we planned to make a series that was also a serial. Each of our episodes would have one or more complete stories within it, but we were also hoping to run a big story over all four episodes. We could not assume that our audience would watch all four programmes, so each programme had to stand up on its own, but there would hopefully be a 'loyal' audience who would watch the entire series, and for them there would be the added bonus of one big story spanning the episodes.

Operation Doorknock started like many of the unit's other investigations: an intelligence lead resulting in a warrant to search the home of Keith Romig, a seventy-four-year-old man living in London. Although his home appeared to be the same as millions all over England, the inside was a temple to his life-long obsession for sex with children. Not only was there an enormous private collection of child pornography, but the house's very structure was also dedicated to his massive collection.

Romig had gone a lot further than hiding things under the bed or at the back of a cupboard: his collection of videos and photographs was so huge that he had created large false spaces in many of his rooms. In the loft, he had gone to the extreme of making a false wall to create a large storage space. The panels looked as if they were screwed in but the screw heads were in fact only stuck on, the panel actually being held in place with Velcro for easy access. It was all a little naïve. The police search teams, POLSA, are specially trained. A team of ten specialist searchers could spend up to twelve hours searching a two-bedroom flat, using equipment forbidden for us to see that helped them to seek out the most ingenious hiding places for the items they then took away as evidence.

We had learned not to stereotype paedophiles, but they certainly all seemed to have passion for collecting. Sometimes it was difficult to tell which came first: was a large stamp collection just a stamp collection or was it a way of getting the children's interest? Anything to do with the children they have met or seen is kept, and many paedophiles want to record their abuse, even if they go to great lengths to hide their own identity in the recordings. As Mark Enfield had said, he wanted to keep a record to fuel future fantasies. After all the years of hard work grooming a child, it is perhaps hardly surprising that they want to record their 'moment of triumph'.

One of the rooms in Keith Romig's house was set up for recording. He had a bed in the middle of the room with several camera tripods around it. By having his own developing and printing facilities at home, he avoided the risk of a commercial photo laboratory reporting him. Lying at the side of the bed was probably the strangest collection we would ever come across: in a carrier bag, Romig had a collection of used tissues containing sperm that was later identified through DNA analysis as being his own. The bedroom studio was later identified by a witness who had been abused in it by Romig.

Among the countless documents was a passport belonging to a man named Julian Levene, who was already known to the unit, having had two previous convictions for indecent assault in 1969 and 1982. It was suspected that some of Keith's huge collection might belong to Julian so a warrant was issued and Julian's home was searched. When the police forcibly entered his house in North London in the early hours, it was immediately clear that Julian Levene was different from most of the suspects who were awoken by their door crashing in. Many were shocked, submissive, perhaps resentful, often then chatting away with the officers who spent the day searching every nook and cranny of their home. But Julian was immediately hostile, with the confident indignation of a man wronged. He hated the police and criticised their every move. He also hated the media and, without hesitation, refused us entry.

The search of Julian's home was exhaustive, but not much was found in the way of evidence. There were signs that he had removed things. Shelves that gave the impression of having recently been full were now empty. In the packed flat, it looked strange to have so many vacant gaps in such clutter. As usual, there was recording equipment of all kinds: audiotape recorders, dark room equipment, computers, even a photocopier. Photographs, diaries and documents were found. The skirting boards around some of the rooms were hinged to reveal secret compartments. In one of these, the police found papers relating to a bank account that had formerly been in the name of Peter Sinclair, a convicted paedophile now dead, but was now in the name of the mother of one of Julian's suspected victims. He was apparently putting money from the rent of a cottage in Norfolk into the account, from where the victim's mother could draw it out in cash.

Andy Murray was obviously very suspicious of the empty spaces and believed that Julian had removed most of his recent secret property, although the search had happened before he had had a chance to remove it all. Andy's concern was later raised when they found a false wall in the loft area that revealed a large empty space, within which was another false wall. The final covert space was carpeted and big enough to hold two adults, or as Andy said at the time, 'certainly big enough to hide a child'.

Meanwhile, Julian sat in his living room in his dressing gown and ranted at the officers. He eventually consented to meet the BBC, and Daniel went into the house to talk to him, hopefully to negotiate permission to film the search or to interview him. Julian blasted him with his objections to the police, especially their very obvious presence outside his house, which he believed was jeopardising his safety. He poured out his resentment of the media, the legal system and what he saw as the huge contradictions and even hypocrisy of thinking surrounding the subject of sex and children.

After listening patiently to these outpourings, Daniel again asked for permission to film, but was again refused. In the classic tradition of a programme-maker, Daniel took 'no' to mean 'maybe'. Needing somewhere else to go in the stalemate, he asked Julian whether he would meet me, as the executive producer for the series. Julian paused. Perhaps he liked the idea that he could beckon an 'executive' from the BBC at will or perhaps he just wanted a new face to talk at, but whatever his reason, he agreed. So I immediately jumped into a cab outside the BBC and sped over, hopefully to persuade him to let us to film an interview.

Recent legislation, particularly the Human Rights Act, had made it impossible for us to film in a suspect's house without his consent. If there was a search warrant, we could record the action before entry into the premises but had to 'stop at the door', whereas several years before we could have been named on the search warrant and entered. Care obviously had to be taken not to broadcast the search if the suspect were proved to be innocent, but the approach did make for dramatic television and a fuller and more honest account of police work. Recent legislation also prevented one of the policemen named on the warrant using our camera to record the events inside, so our only hope was to persuade the suspects to allow us to film. Most were obviously not very keen on the idea, especially considering the nature of the alleged offences being investigated, but we always tried.

We also thought suspects might occasionally believe that there was something in it for them to be on television: Mark Enfield must have believed that he might in some way benefit by talking to us. At first I felt that, with his desperation to please, he just wanted to do us a favour, but with hindsight I think he wanted the 'public' to know more about people like him. I had been told about Julian Levene's complaints and his desperation to share his theory on the history and misconceptions of public attitudes so I planned to offer him an opportunity to make a public statement on his treatment by the police and for that to develop into a monologue on his views, specifically of paedophillia.

When I arrived at the scene, I had a sense of why Levene might be worried. He lived in a very ordinary suburban street in the sprawl of North London. Outside his house, a police search team were very obviously busy taking equipment in, while detectives from the Paedophile Unit were bringing out evidence bags. A small group of local residents had gathered. At this time, the search for the missing eight-year-old Sarah Payne was at its height, and the onlookers seemed to believe that the activity in their street was related to her. DS Steve Quick had to talk to them several times to reassure them that this was not the case and that they should go home. Both the Paedophile Unit and the BBC had been highly discreet about their presence so why did locals assume that this was the search of the home of a suspected paedophile? Something about Julian's past in the area must have placed this in their minds.

I talked briefly to the BBC team and was warned that Julian would 'talk my head off'. I wanted this, but I wanted a camera running at the same time, and this would be entirely up to him.

Julian's flat was small and cluttered, overflowing with busy policemen in dark search team overalls. Julian was sat on a small single bed in the corner of a kind of living room, an officer from the Child Protection Team keeping an eye on him from a distance. Julian looked thoroughly fed up. I approached him with my hand out and he partly raised himself to shake it. I introduced myself, but he said nothing. It then suddenly occurred to me that I desperately needed to go to the toilet. I could just see myself sitting cross-legged in agony while he lectured me at length on the justice system. This was a dilemma: I was one of the people violating his home, trying to get an interview. I told him I was bursting to use the loo and would he mind very much if I did. In a strange way, this broke the ice. Julian immediately stood up to show me the way, transforming from 'prisoner' to 'host'. He apologised about the mess, and when I returned, his attitude towards me had warmed very slightly.

I explained who I was and what I was doing, and asked whether we could film him. I told Julian that it was difficult to 'get the other side' in the series if none of the suspects would talk to us. This set him off on his attack on the police and society. Unlike Mark Enfield, he was obviously not keen to please. I was there solely to be his audience. After ten minutes or so, he indignantly demanded why I was not taking notes. I protested that I was a television producer not a journalist, and that what he was saying to me would be wasted because I could not make public anything I could not film. His bright, intelligent but possessed eyes widened. He rummaged in some clutter, produced a yellow notepad and a pen and ordered me to take notes. I scribbled as best as I could to keep up with the free flow of his bitter critique on society.

He was very careful never to talk about the specific allegations that had led the police to his door that day. He also managed to talk in great detail on the subject of paedophilia without ever acknowledging that he was a paedophile. He talked like an academic who had made a life-long study on the subject. And he was indeed a genuine expert. Julian in fact introduced me to the term 'political paedophile' – someone campaigning for the rights of a new sexuality that society did not understand – without admitting that he himself was one. The language of political paedophilia had obviously spread through discussions in prison paedophile units and Internet chat. Even Mark Enfield had used the argument that gay people had 'struggled' for centuries to have their sexuality legalised and normalised, and now it was the turn of adults whose preference was to have sex with children.

Levene also had the most incredible capacity for memory of the smallest detail related to his argument: a two-inch article in a newspaper from 1985, an ten-year-old Anna Raeburn phone-in, Jeremy Irons defending himself for his leading role in the recent remake of *Lolita*. As his free-fall lecture flew out, I tried to keep up, scribbling notes about 'puritans of old', 'imperialists', 'lying denying exploiters' who have 'demonised masturbation'. Julian argued that children are very sexual beings who enjoy sex, implying also, as we had heard before, that child victims sometimes take a leading role in the sex they have with adults. It was their own needs they were meeting and it took two to tango.

In the nearest Julian came to admitting anything of himself, he denied that he had ever done anything cruel or sadistic – illegal maybe, but never cruel. His academic distance slipped when he said, 'my paedophilia can't get stamped out like a cockroach' and 'most kids love true paedophiles'. A true paedophile was, to Levene, kind to children: 'what sane person wants to promote sadism . . . if I knew anybody who was doing that I'd stitch them up'.

Most of Julian's bile was reserved for the police, especially the 'genital squad', who were 'demonising sex for children'. Hand in hand with the media, they were conducting a witch-hunt against paedophiles. This was a rich analogy for Julian because it made him both a victim of ignorance, bigotry and superstition, and simultaneously an innocent outsider and a scapegoat for society's own fears. It made him a freedom fighter and, if convicted, a martyr to the cause. Paedophiles love children and care for them; their sex with children is consensual for mutual pleasure. He kept repeating that he had 'never harmed a child'. Later we would meet some of the little girls he 'loved and cared for' who were now grown-up women, and I was to hear from them just how much the 'pleasure' he kindly gave damaged them for the rest of their lives.

Julian Levene was very different from Mark Enfield, deeply conscious of the harm he had caused and haunted by remorse. Julian believed in it all. He was right and we were ignorant and wrong, like the dark-age enforcers of the Inquisition. I was very keen to get him on camera. So far, we had filmed only humiliated and ashamed paedophiles or, in Mark Enfield's case, an addict out of control. We needed to show there was another type who was aggressively unashamed and arrogant. I did not realise that when Julian finally consented to an interview on camera, he would become the most important character in our TV series.

8

PAEDOPHILE AND MONSTER

Bob McLachlan

The word 'paedophile' conjures up a million horrors, but it serves as a label of convenience, capturing every type of child abuser within one category. Although it may not be accurate from a psychiatric or scientific perspective to place all the variations of abuser in the category of paedophile, it works and we all know what it means. The word 'paedophile' symbolises the monster in men.

But how does a man get close enough to rape a six-year-old boy? The thought echoed repeatedly in my head as I again saw the video grab picture of Mark Enfield, the paedophile who committed suicide in the New Forest, abusing a tiny Danish boy. In full, horrific technicolour, his and the boy's faces were captured and frozen in celluloid time. Thank God there was no sound to accompany the still from one of the many of Enfield's experiments in destroying the lives of children.

It was February 1994 and we were standing in the Criminal Investigation Department office of the StadtPolizei in Zurich. Graham Passingham, one of my Detective Sergeants, and I had travelled there on the trail of Beat Meier, a Swiss paedophile of the worst kind whose sexual interests included tying up small boys and filming their abuse. He described himself as 'the director of an advice centre for sexual fringe groups, in particular for sexually frustrated paedophiles', an 'occupation' that enabled him to trade his pictures and videotapes in the name of therapy with the men who were prescribed the films to 'cure' their addiction. This was of course just a way of circumventing the law; he knew it, we knew it and all his clamouring 'patients' knew it.

But being a paedophile is not like suffering from the 'flu; it is not an illness that can be cured. It is, for want of a better description, a 'condition'. A paedophile chooses whether or not to abuse a child, whether or not to look at child pornography, whether or not to justify it to others of his persuasion. But what a paedophile does to a child is unforgivable. There are no excuses for abuse and, despite what a defence lawyer might say, there are in my opinion no mitigating factors. And let's be clear about this, there is no such thing as a 'cure' for paedophilia.

Coincidentally, the pictorial evidence of Enfield's abuse of a child was pinned to the wall above the desk of my Swiss counterpart, Rudi Urben. 'Why have you got that picture on the wall?', I asked. 'I want to know who the man is', Rudi replied in impeccable English, as he pointed to the uniquely different wanted poster. I seized the opportunity: 'His name is Mark David Enfield, he is an Englishman, and the little boy is called David. The abuse took place in Denmark and Enfield went to prison. You can take the picture down now and I'll tell you all about him.' A certain amount of controlled surprise, tinged ever so slightly with professional envy, spread across Rudi's face. 'I had heard that Scotland Yard was good,' he offered, 'but not this good.'

I spent some time explaining Mark Enfield's history to Rudi, acknowledging that I only knew about him because Terry Bailey, one of the Detective Constables in my unit, had arrested him; how Enfield's compulsion to feature his face in his videos of abuse ensured that the evidence against him would be damning and complete. Although it was not Enfield's intention, this saved the child from being further victimised by later having to give evidence in court.

During the conversation, something obvious struck me. Here I was, a policeman from London, speaking in Switzerland about the identity of an English paedophile who had raped a child in Denmark. The potential for there to be similar conversations on any of the thousands of offenders captured in other photos and videos was considerable. Any one of them could be under investigation by many different detectives across all too many countries. The answer surely was co-ordination.

A germ of an idea began to form. We needed a central computer to store all the pictures of the victims, offenders and places of abuse. Child protection detectives could then have access to it, adding to it when they uncovered older pictorial records of abuse or new child pornography. The potential benefits were clear. How many more paedophiles could be sent to prison, how many wasted man-hours could be saved, and, more importantly, how many more victims could be identified and rescued from abuse?

In 1994, this was both a speculative and a challenging idea. Since then, the need for such a database has intensified immeasurably as the Internet has become the hideaway of choice for paedophiles and has enabled the proliferation of child pornography. But now, software installed, we have begun another line of attack on the perpetrators of horror on our children. As a result, some paedophiles have already been caught by the same technology that allows them to perpetuate their abuse. What no-one realises is that the unknown contribution to the development of the database was the fact that Mark Enfield liked to 'star in his own movies'.

What had prompted my journey to Switzerland was the arrest, some months earlier, of two men, Richard Mercer and David Barry, paedophiles who worked for London Underground during the day and shared their dark passion for children at night. They had been monitored coming through the 'green channel' at Gatwick airport and were, because of advance intelligence, stopped, searched and arrested for smuggling child pornography videotapes.

Mercer and Barry had scoured Amsterdam for child pornography and found what they wanted in the City Shop, a plain-fronted premises alongside a picturesque canal that was the Mecca for paedophile pornographers. It has since been closed and the trade in human misery stopped by our colleagues in the Amsterdam Juvenile and Vice Squad. The owner's speciality was supplying child pornography videotapes compiled to order from his vast collection. After examining the titles and contents on well-thumbed lists of abuse, customers could select their choices, which were in a few hours transferred to videotape, the customers being given necessary, but wholly inadequate, instruction on how to bypass British Customs officers.

Mercer and Barry had chosen a variety of extremely evil films, taped on to nine videocassettes, which, because of their frustrated smuggling attempt, they were never able to enjoy. One film featured a tiny girl who, having been beaten, was then subjected to even more dreadful intrusion into her undeveloped body. I will never forget the whimpering of the child, held down as the man beat her and pierced her tiny body with needles. He *chose* to do it; she had no choice. Thankfully, she has since been rescued and can begin to restore her life, while her abuser has been jailed in Germany.

Another film on one of the videotapes revealed scenes of bondage and assault on a young boy of about nine years of age. The assaults were so severe that we thought that the boy must have been abducted for the purpose of making the film. It is an understatement to say that we were very concerned and needed to find him, wherever he was in the world. Graham Passingham and DC Dave Flanagan began 'Operation Routemaster' in earnest.

There was no sound on the videotape, and no opportunity for lip reading as the boy was gagged, so we had to concentrate on the images to reveal any leads. The boy's face, despite the contortion created by the cloth restriction, was relatively clearly presented, but those of his two male abusers were not, the only parts of their bodies offered for the sadistic voyeurs being their genitals and torsos. The sole item of clothing the boy was wearing was a wristband, with a word on it – a clue. But we could not decipher it because of the lack of clarity on the film caused by so much copying. We knew from Interpol that copies of the videotape had been seized from France through to Germany so it was important to let every police force in Europe know about our investigation. Someone, somewhere might have had more information than us.

After many months of viewing the tape, over and over again, in slow, in fast and in still motion, there was a breakthrough from DC Dave Page as a new pair of eyes viewing the tape. 'That says Liverpool', he exclaimed. And sure enough, he was right. Once the wording had been decoded, it was relatively easy to see. It was possible that the child, a supporter of Liverpool Football Club, might well be English.

From then on Graham and Dave Flanagan began the arduous task of finding the boy. Using facial reconstruction techniques and an artist's impression, the decision was made to publish the picture of the child on the TV programme *Crime Watch UK*. The volume of response from the public was exceptional and each identification had to be exhaustively researched in case it was the one clear lead. And one was. Graham and Dave found out that the boy had been taken 'on holiday' to Switzerland for the film to be made. His abusers were Beat Meier and another paedophile, who remains unknown to this day. Meier had befriended the child's parents, who of course did not know his ulterior motive, the child had been given money, no doubt accompanied by threats, to keep him quiet, and he never complained. The reasons why children often do not tell will later become clear.

After Meier had been jailed, first in Paris and then in Zurich, we circulated details of his crimes across Europe. Interpol in Luxembourg contacted me with the information that a convicted paedophile was prepared to tell us about Meier's alleged involvement in the rape and murder of a four-year-old English girl. The informant described how photographs of the girl had appeared in the child pornography magazine *Lolita*, an invidious publication made popular by its photographic contributions of abused and raped little girls. The information was consistent with the character of Beat Meier, who, when arrested, was found in possession of photographs of a female baby, no more than eight months old, being tortured with a speculum. We already knew that Meier had produced and supplied other extreme sadistic child abuse films but we had no evidence. The message from Interpol also said that we would be told about the sexual murder of a young boy in England. And so began our journey to Zurich, but en route we had to interview the informant in Luxembourg.

Jean Michel Klopp, a man born into money and an aristocratic life, now brought out from prison before us, sat in the cramped office in the headquarters of the Luxembourg Judicial Police. Graham and I were opposite him, with two local detectives either side acting as our interpreters. On this occasion there was no official caution; Klopp had already been locked away for his insatiable appetite for violating small boys. His twisted interest had, however, put him in contact with a man called Karl Hobi, a proud founder member of the Swiss Paedophile Association and an associate of Meier's, who had shown him a film that was abusive even beyond the belief of Klopp. It was probably because he either was frightened or perversely excited (or because he had some other unknown agenda) that Klopp wanted to tell Scotland Yard about it.

Klopp was everything horrible that could be contained in one person. A large, fat, overpowering man, he was a character direct from the seven deadly sins – and he hurt children. Sweating heavily and constantly smoking, he spoke slowly in French in answer to our questions phrased in English. A surreal experience unfolded, only an extract of which can be disclosed because of the sickening details.

'Mr Klopp, are you willing to be interviewed about matters relating to paedophilia in England?'

'Yes.'

'Are you prepared to give an account of the facts to the best of your knowledge and belief?'

'Yes. In my opinion the facts I am going to reveal are so horrific that the people responsible should be punished.'

'You saw a film in which a child was killed?'

'When I was staying with Karl Hobi about 5 years ago [1989], Hobi showed me in confidence a video cassette in which a boy was tortured, mutilated and probably died afterwards from what was done to him.'

'Why did he show you the film?'

'He showed it to me because he thought I might be able to find some customers for the film; I had already found customers for other films.'

'How much were you going to sell the film for?'

'About 40,000 Luxembourg francs [£650].'

'Was it a videocassette?'

'Yes.'

'Was the film made with a video camera or a normal old type of camera; was the quality good or bad?'

'No, it was a video camera. You could see that from the grain. The quality was average, and you could see it was a copy and not the master tape.'

'What did Hobi say to you before you watched the film?'

'He said it was a new kind of film for a new clientele and this type of film could make a lot more money because of what was in it.'

'Tell us what you saw in the film, from beginning to end.'

In the confined space of the office, Klopp described the violent death of a small boy at the hands of his masked killers. From time to time, he would make reference to detail within the images captured on the film, which suggested to us that, although he had never been here, the events had taken place in England.

'Was there sound on the film?'

'No.'

'What were you told about the boy and the men?'

'Hobi told me he was a boy the men didn't know; he had been picked up in the street. After the film, I asked Hobi a lot of questions about where it was made, about the child and the adults. He told me he only knew that Meier had organised it. He did not know the other adults in the film but they were probably well-known paedophiles. It was apparent from about ten seconds at the beginning of the film that it had been made in a disused industrial area. Hobi told me it was in England. I could also see that the setting in which the film was made was an old office with whitewashed walls. When I asked, Hobi told me that there were customers for this kind of material.'

I would love to know the identity of these 'customers' because, contrary to public belief, a filmed record of murder from a sexual motive has never been discovered. Commonly known as 'snuff movies', those which have been found have used either imaginative special effects or bodies stolen from mortuaries. If any such barbaric films exist, it would obviously not be that easy to acquire them as a 'snuff movie' is evidence of a capital crime, for which some countries and thirty-eight American states would send those responsible to the execution chamber.

It has been said that 'snuff' pornography, the eroticism of murder, is the ultimate sexual turn-on, with its ultimate control over the power of life and death. But what worries me as much are those people who sit alone in their homes watching a 'pseudo-snuff movie' for 'entertainment' and becoming sexually aroused by it. There are no laws to prohibit someone possessing or watching a videotape of a simulated, or even a real, rape or murder, but I find it difficult to believe that viewing such material does not feed people's sadistic fantasies. Some argue that the viewing of pornographic material helps to control what people might otherwise do. Those same people would of course say that viewing child pornography prevents other children being abused by the man who watches it. But that is no comfort to those children who are abused to make the child pornography that is viewed for such alleged controlling effects.

What struck me as Klopp continued his revelations was that he was in control and was enjoying it: four hardened, seen-everything detectives, mentally captured and responding when and if he chose to provide the important evidential details. The awfulness of the situation, the unbelievable content of his disclosure, both frightened him because he was somehow 'involved' yet at the same time fed his warped sexuality. He was in charge, albeit temporarily, and he was enjoying it.

An obvious difficulty in dealing with this type of information is the separation of fact and fantasy. In the absence of proof, I initially work on the assumption that fantasy is the perfect product of imagination, but there was no perfection in the verbal events being played out in front of us, offering some sense of truth in what Klopp was describing. During his monologue, I reflected on how different our work is from that of dealing with 'ordinary criminals':

I understand the greed that drives burglars but not what drives those who enjoy abusing children. I have often thought that if the day ever comes when I do understand, I will have a serious problem. But for now, the obvious questions on my mind were, if this is the truth, who was the child, who were the killers, and when and where did it happen?

Graham and I had much unfinished business after Klopp's disclosure and statement. We needed to interview Karl Hobi, the founder of the Swiss Paedophile Association, Meier's close associate in Zurich, believing that he could provide the background, the links and the knowledge to confirm what we had been told. Recognising that he would be deemed an accomplice of Meier's if he confirmed what Klopp had said, Hobi unsurprisingly wouldn't or couldn't do so. We then wanted to face Meier, the man who was alleged to be the monster. He was confined in his cell in a Swiss prison and my request received the following reply: 'In principle, Mr Meier is prepared to be interviewed by the UK police officers. On the other hand, he is not willing to do so as long as he is still in custody. At present it cannot be said when he will be released from custody.' And that still remains the position today.

The descriptions Klopp provided suggested that the murder location was in the North of England, so when we returned to Scotland Yard with the evidence we had collected, and Hobi and Klopp had returned to their prison cells, Graham began the complex process of analysing Klopp's statement to ensure that every clue was identified.

A search was made of records containing the details of missing children who might match the description of the poor unfortunate victim. Every record that could be checked was checked, every unsolved murder file examined, but nothing emerged that would make sense of what we had been told. Having completed all this, Graham travelled to the north of England and formally handed over the case file to the relevant police force. To this day, the investigation remains open. But if this were all fantasy, who on earth would want to think up the ultimate horror and then tell about it – maybe only a monster.

9

NO-ONE IS PERFECT

Bob Long

Julian Levene, still in his dressing gown, sat on his bed in the corner of his living room, after ten hours of watching the police searching every inch of his small flat. I listened to him rant at our ignorant interpretation of the rights of children; we in the BBC were in league with the police in a conspiracy against the pioneers of harmless sexuality. I explained to him that it was useless his telling me alone all this when he could instead express the ideas to millions. He looked at me without speaking. He did not say yes, but neither did he say no, so like any producer I took that as a 'nearly yes'.

I tried a different approach. I asked him if he would at least like to make a statement about his treatment by the police that day. He asked if I would obscure his identity if he made the statement, and I said I would. He then asked if I would disguise his voice, but I said no because such voices sound ridiculous, like those of an alien. Julian thought for a few seconds and replied, 'All right, I'll disguise my own voice.' I had no idea how he planned to do that, but I agreed and, with his permission, called Daniel in with the camera. Julian then took ten minutes to make notes for his planned speech. We further agreed that we would not discuss anything related to any of the current allegations against him and that the recording would stop as soon as he asked for it to. With that, the camera was switched on.

'OK, we are recording. You've given us permission to film you on the premises, and I've agreed that should we use this for the final programme for transmission, we will pixilate your face.'

'Yes.'

'Do you agree with that?'

'I do.'

Then Julian Levene leapt to his feet and spoke in the posh voice of an old Etonian rather than that of a small, middle-aged man in a striped, towelling dressing gown in a cluttered little flat in the northern suburbs of London.

'Well, I would like to say that this is an insult to natural justice and certainly British justice for a high-profile police and media circus to be camped outside my door for twelve hours since early this morning . . . and for what purpose? I have neither been charged or cautioned. This is a parody and in my opinion only for public consumption to convince the public, and especially my immediate neighbours, of something which has not had the benefit of any legal process. At the end of this long traumatic day, which is now, where my home has been wrecked by what I would call state terrorism usually preserved for the bomb squad, nothing illegal was taken from the premises, but I can't explain to anyone here because no-one will even listen to me. This has been a presentation either for the benefit of the BBC or for the Metropolitan Police or both. I can't see why this could not have been dealt with in a discreet fashion. If this is justice, or British justice, it stinks and I haven't even been charged or cautioned.'

He had finished his prepared written statement, but the deal was that we would stop recording when he requested. I wanted to ask him more questions before he stopped the interview, but I had a big problem: his over-the-top voice was very unexpected and, despite the situation, very funny. Desperately trying to keep a straight face and keep my voice even, I attempted to continue the interview.

'Can I ask you another question? . . . can I ask you, is this deliberate . . . the lack of discretion?'

He paused because I think he had intended only to make a statement, but he just could not help himself. Thankfully he dropped his plummy accent, which had anyway already started to fade.

'Considering who is the ultimate authority in this operation, which must be the Metropolitan Police, they have the power to either conduct this in a discreet manner or a high-profile fashion – you can see which they choose. I will leave it to you, what is the purpose of this and whom does it serve? Ultimately does it serve justice? I would suggest the exact opposite is what's happened.'

He was still talking rhetoric. I was hoping for something more informal, but the main thing was to keep him talking, and this was a good area so I kept in it.

'Why are you concerned with the lack of discretion?'

'Wouldn't you be if you were in my position? Why shouldn't there be discretion when something hasn't got anywhere near legal procedure and the court . . . no caution, no charge. Why would anyone want this going on outside their home, for which anyone's neighbours would naturally assume the worst. Would you want that outside your home? . . .'

I tried not to speak, to let him fill the silence, but he had asked a direct question and became a little irate.

'Will you answer me!'

'No.'

'You wouldn't.'

'Of course I wouldn't.'

He looked around his audience.

'Would the police officer standing behind?'

The detective looked at him, obviously not prepared to take part Julian's Speaker's Corner tactics.

'If you were under any kind of investigation would this be the manner you would want it to be conducted . . . would the cameraman like to answer?'

In an unwritten tradition, I answered for Daniel: 'He wouldn't know if this was the manner it would be conducted if it was any other kind of investigation.'

'Well then, how does this serve justice?

Levene slumped as a sudden wave of self-pity and perhaps fear swept over his face. He went over to the window.

'Look at it! Look what's going on out there. This has been going on for over twelve hours now. There's no-one within a mile of here doesn't know what's going on.'

We tried to film the view from his window, but it was jammed, so gave up on the shot and I rephrased my question.

'What's particular about the lack of discretion now? What are you concerned about?'

'Well this is giving notoriety to someone who hasn't even been cautioned or charged . . . total notoriety . . . a search squad, a specialist search squad have been here for twelve hours, consisting of twelve semi-paramilitary men, as if this was an IRA case . . . the kind of high-profile publicity which doesn't serve anyone except propaganda.'

I decided to push him a bit.

'Is this the first time you've been searched in this way?'

'I'm not prepared to make any further comment about that.'

'I was just wondering if people around here have seen this happen to you before?'

'Well if they had and nothing ensued and then this comes along, it's hardly going to allay their suspicions and fears is it, and yet what has been weighed off in court? What has been presented – nothing!'

As we spoke the small gathering of local people had grown. A father walking his little girl home from school had stopped to ask what was going on. Perhaps he had every right to be concerned: in Julian's flat, they had found pictures of little girls wearing exactly the same school uniform.

Julian was obviously very worried about his neighbours. He had told a policeman during the search that he had a stone thrown through his window some time before. He kept asking the police whether they realised what would happen to him when they left. At one stage he shouted, 'What about my personal security . . . do you care about that?'

Julian's self-pity had softened his tone a little so I asked an open question to see where it would lead.

'Are there other concerns that you have?'

'Well, I'm concerned that the BBC would want to be involved in this . . . I am . . . It's sensational television, that's what it is.'

'Why is it sensational?'

'Because you know how the public responds to certain situations, and how do you think the public respond to this situation? . . . you don't need me to tell you that it won't be a positive reaction . . . this sows the seeds of doubt and fear . . . who does it serve? . . . tell me who does it serve?'

'I don't know.'

'No, neither do I.'

It was time to move away from him and onto his expertise. 'But why is there such concern about this issue?' Now we were onto his favourite topic, his lifetime's obsession.

'I would like to think largely misinformation, superstition, lies . . . lying and denying, misinformation and distortion, and this is . . .' – he waved his arm around dramatically – 'probably just the latest development.'

'What are these lies?'

'Whatever you might say, the popular media portrayal is probably largely lies, as any well-known personality, celebrity, pop star, football star . . . You ask them, whatever the media has either printed or said about them they don't recognise and this is just another example.'

'Have you been in the media before?'

He hesitated.

'No, I'm not going to answer that . . . it's irrelevant to this case. I asked you what purpose does this serve?'

He sensed I would not answer so he continued.

'What are these professional policemen here for if they're not here to seek out the truth, the whole truth and nothing but the truth and overall justice?'

'To protect children.'

Without missing a beat, he argued:

'Well that's true, and I'm all for protecting children. How can any sane person approve of cruelty and abuse, but it also should be a higher level. What's higher than protecting children from possible abuse or possible lies? What is higher than that, given that there's no proof? You know what's higher than that? . . . Justice!'

Julian was on a roll now.

'Do you know what's written over every court in this land? You do . . . Ancient French? *On y soit qui mal y pense* . . . you didn't know that . . . well, why the hell don't you . . . do you know what it means? . . . you don't! Does anyone here know what it means? . . .'

He looked around, incredulous at the ignorance around him. I felt like a naughty schoolboy who had been caught out not doing his homework by a severe teacher. Julian gave me a patient long-suffering answer.

'It's old French . . . It means 'evil be to him who evil thinks'. Didn't you know that's in every court in England . . . in Britain?'

He peered over his bifocals, looking slightly ridiculous in his dressing gown, and decided to test me further.

'Along with *Dieu et mon droit* . . . do you know what that means?'

'God is . . . .'

I was pleased I knew that, but as soon as he realised he took over again.

'God is my right . . . whichever God you believe in is your right . . . if you were Muslim then you probably wouldn't want to say that, but more important is *On y soit qui mal y pense* . . . Justice . . . does this serve justice? . . . it drags it in the gutter.'

'But if it's in the benefit of protecting children?'

'No, what's in the benefit of protecting children is serving justice. Anything that despoils justice despoils children being properly protected. Do you not understand that? That justice is the prerequisite for child protection.'

'But isn't there a disparity between what you see as correct behaviour and what society sees as correct behaviour?'

'I'm not proposing anything about correct behaviour or incorrect behaviour, or illegal or legal activity . . . I haven't said that. I'm talking about justice and you want to try and get me talking about legal or illegal activity. Why don't you stick to the point? In what possible way does this serve justice and thereby protect children properly, in a properly conducted manner. It could actually do a disservice to children by frightening local children here about something which may not even exist, and they might not be able to sleep properly in their beds at night now within half a mile of here, how would that serve them . . . Is that not a view? . . . They're so full of this . . . circus . . . and presentation and high profile. It's damaging children round here who have been walking past this house at various times of the day and who I'm probably not more than a stone's throw from. What has that done to their minds for tonight? And I haven't been even cautioned or charged.'

Levene was obsessed with the idea that he had not been cautioned or charged. All day the police had taken great care not to talk to him in case it was deemed an 'interview' and not appropriate without the opportunity for his solicitor to be present.

When Julian had repeated his theory that children had been 'damaged and abused' by the presence of the police around his house, I asked him if he cared about children. He threw it back at me with, 'Don't you?' I stuck to the format and said, 'It doesn't matter what I think.' He became very emotional and defensive.

'I'm not a cruel person, I don't believe anyone would claim that I've been cruel or unkind . . . that is a fact . . . no-one is perfect . . . but I don't think that anyone could claim that I am a cruel or unkind person to them . . . .'

'No-one is perfect' turned out to be an incredible understatement, but he then decided to cover himself against what might be discovered in the future.

'They might make certain statements, they might not, but in the category of cruel or unkind, that may or may not be someone else's judgement. But I know on a personal level I've never been called cruel or unkind by anyone.'

It was as if Julian knew that, only a few miles away at that very moment, one of his suspected victims and her mother were being interviewed by the Child Protection Team. He would have been pleased to know that they were refusing to make a statement against him. They liked Julian and had every reason to be grateful: the mother received the income from the rent of his house in the country.

1 0

THE OTHER SIDE

Bob Long

Julian Levene was highly animated. It was as if he had been for many years rehearsing these arguments to use in public forum. Perhaps like so many of the paedophiles we filmed, he always knew that one day he would be caught and would have to explain himself. He returned to the subjects of 'justice' and 'child abuse' and warned me: 'Never mind asking me questions about this particular issue.' Then he continued: 'This house is probably damned for the next 50 years by the time word of mouth gets around. This is puritan superstition, hobgoblin, bogey man . . . this is what British justice has come to in the twenty-first century.'

I wanted him to repeat some of the historical theory he had told me off camera so I asked about puritanism. Julian was reluctant at first, saying he didn't have to give me a history lesson, but when I said I would be very interested if he did, he obliged.

'Don't you know nothing about the puritans?'

'Not really, no.'

'Well basically they're impure . . . they tell lies; they're essentially what England has been, has become, has gone all around the world abusing nationalities through its colonialism, imperialism, telling lies, destroying cultures, and they're doing it now to their own people because there's no-one else who will listen to them any more. That is anglo-imperialism. I call it "impuritanism". They're not pure in any way.'

'The puritans, as I understand, it are historical.'

'They are . . . this is the same strain that has survived for 500 years, and it's run its course. People don't believe in it any more, and why should they believe in it? It's a superstition, that's what it is . . . and I don't have to give you a history lesson on puritanism.'

But he proceeded to anyway.

'They left for the New World because they couldn't practise the Bible as they saw it. They thought their version was purer than the European Reformation, but that's the only element of purity they can claim. They weren't even right on that . . . who knows which the pure version of the Bible is. But they've carried that on as if puritan is a badge they wear, as though it means purity. In fact it means impurity . . . they're liars and deniers. And this is another version dragging British justice through the mud by setting up the circus . . . of which you are part . . . whether you like it or not . . . you may have been inveigled into this for whatever reason, for your career or because you thought it was worthwhile doing. But I think I've just said to you, and you haven't disagreed with me, that children around here are scared out of their wits by seeing this. I haven't been cautioned or charged, and if that is the due process of justice where is it? *On y soit qui mal y pense* . . . Evil be to him who evil thinks.'

'What's the relationship between what's happening around you and puritanism?'

'It's like a sixteenth-century witch-hunt. The presumption of innocence has gone out the window. This circus has been set up to demonise me. To make the whole thing look as though everyone is doing good who's out there who's coming in here against me, and that is a typically puritan attitude. A scapegoat! The first thing they look for is a scapegoat, and having found one they will do it . . . it used to be witch-burning, witch-dipping . . . it used to be McCarthyites hunting communists, I don't know how many other examples you want . . . Jews in Nazi Germany . . . and anyone who is cruel or actually abuses a child or threatens a child or coerces a child isn't even a paedophile ... they're not paedophiles by definition; as for abducting, raping or murdering, these are maniacs who shouldn't be on the streets. And if this country spent due attention to the funds that should be spent as they do in modern civilised Europe, £25,000 a year for fixed-term penalties where these abductors, rapist and murderers get out would be transformed to £80,000 a year when they don't get out. It's economics against puritans! For that equate Tories and Republicans in America. Have I said anything you don't understand?'

I understood it very well. Julian was the innocent victim of a conspiracy that was the legacy of sixteenth-century puritan thought. He never spelt it out, but implicit in his thesis was sexual repression linked to puritan attitudes. Society was sexually inhibited by its history; without that repression, we would perhaps not have a problem with sex between children and adults. It was ironic that he favoured sentencing rapists for their natural life, never to be released, when he was later charged with the rape of a little girl. Of course, Julian would never call it 'rape', even if a jury convicted him of it.

This was the common thread between Julian Levene, Mark Enfield and many of the paedophiles we talked to: they justified their acts by believing that they were 'consensual'. We as a society have deemed that children under the age of sixteen are not in a position to understand that consent fully and therefore cannot give it. It occurred to me that, even within paedophiles' own terms of reference, there was some limit on the freedom and honesty of the consent they believed they got from children. Even the term 'grooming' strongly suggested a campaign of manipulation to get that consent. These men are using the wits, wisdom and experience of a mature adult against the trusting innocence of a child. And I think they knew it.

If an older, bigger schoolboy uses that advantage to beat up a younger, weaker one, we call that bullying. The bully will often not take on boys who are his equal; his bullying is an act of cowardice. I thought about this in relation to men like Julian and Mark. They are intellectual and emotional bullies who, despite their proclamation of love for children, are exercising a violence more lasting than a punch in the face. Maybe they feel inadequate in taking on someone their own size. They also set out on their grooming campaign to gain consent because, with this, they might not get caught. They bring the child into a conspiracy against their own parents and other adults – 'our little secret'.

Levene sat in front of me looking almost frail in his dressing gown. His emotions were in overdrive, fear and anger being overtaken by self-pity. I asked him whether he felt he had been made a scapegoat.

'Look outside, what other possible interpretation is there? This could have been done discreetly. People could have come in my house, search team, close the doors, done everything inside. End of the day, draw the van up, load up whatever they need to do and go away, but it's been parked out there like a caravan, like a circus for twelve, what is it, fifteen hours? It's the whole damn day. So where's the justice and where's the protection of children. They've frightened every child in the district now, for what reason?'

'Were you supposed to be at work today?'

'No, I'm unemployed.'

This hit a nerve with Julian and he looked near to tears. The sermon was over. After a few seconds' silence, he spoke in a slightly choked voice: 'Cut!'

As agreed, the camera was immediately switched off, but as Daniel was going down the stairs, Julian became a bit worried and demanded that he come back with the camera: he wanted to watch the tape and erase things he did not like. I told him that that was not the deal. We had stuck to the letter of our agreement – as soon as he asked me to stop filming, we did.

DC Dave Page interrupted with a wad of forms for Julian to sign. Dave explained that Julian's car had not been included on the search warrant and he needed Julian's permission to search it. But Julian could see no reason why he should co-operate, replying, nearly in hysterics, 'What about my personal safety; why should I help you, you're just going to leave me here.' Dave patiently explained that if Julian did not give permission, they would stay for as long as it took to get a judge to sign a search warrant for the car. So Julian signed the forms; he really did not want to help but he wanted the 'circus' to leave, even though he was worried about the small group of angry-looking neighbours outside. DS Steve Quick went to repeat to them that this was nothing to do with the search for Sarah Payne and it would be better if they went home. He also contacted the local police station to arrange a regular check on Julian's home through the night and for the next few days, explaining to me that some local police stations have an officer who is delegated to keep an eye on the houses of known paedophiles.

Meanwhile, Julian sat on his bed staring at the window, his shoulders hunched, obviously very worried. He asked me what I was going to do with the interview, what the project was about and whether I was going to be fair and honest and put the other side of the issue. I told him that I was going to be fair and honest as I could, but putting the 'other side' was a problem because nearly all the suspected paedophiles we were filming as they were led from their homes would not talk to us. How could we put the 'other side' when the other side was silent?

This kicked off another thought, which I did not share with Levene. Is there another side to this? Our duty at the BBC is to be fair and give fair representation to alternative views while also protecting viewers, but a programme about the Holocaust does not have to be balanced by people who believe it did not happen. A programme about murder does not have to be balanced by the opinions of murderers arguing the right to kill. The BBC cannot be in the position of giving credibility to an illegal act, yet it is feasible that we could make a programme on drug abuse in which some contributors would advocate the use of marijuana. The 'other side' here would be that paedophilia was harmless and that sex between children and adults should be legalised. I would have to cross this bridge later when editing needed to determine what might be in the series.

Nevertheless, I discussed the series with Julian, who suggested that the BBC should make a programme taking the opposite view point. He even volunteered a title – 'Positive Paedophilia'. I was trying hard to appear non-judgemental, but he could see through me. He started asking about how I would currently represent him: would I be fair? I said I would try to be fair and honest when it came to the edit. He looked at me and then dropped his head: 'No, you don't care about me.' There was no anger or bitterness; his rhetoric had ended. He was simply resigned to the idea that I was like the rest of the media. I got my story, it would make good TV, and what happened to him did not matter to me.

I was taken by surprise by a sudden wave of guilt and sympathy for Julian. He was right. I would go outside to the 'circus' and joke to the BBC team about his funny voice when he tried to disguise it. I would tell them with a note of triumph that I had got the interview; as it was so hard for us to get interviews with paedophiles, this was a major achievement. I would immediately start thinking of how I would cut it in the edit suite. In all of this, I would probably not give Julian and his future a second thought.

The image of him with his chin on his chest saying 'You don't care about me' haunted me for days. It made me question the moral certainty of our thinking. I had no doubt that what Julian and others were doing was terribly wrong, but was our series going to contribute to making the situation better? And what about Julian? What do we do with the likes of him? A kind of answer to these uncertainties came in the next few months.

The 'property' taken from his flat was sifted, revealing photographs and documents that pointed to his obsession with little girls, but not a lot to make a substantial case against him. There was also that feeling that he had expected a search because shelves and carefully constructed covert hiding holes were empty. This started to make sense after the lucky discovery of an invoice, albeit not in his name, for the hire of a storage space at a large commercial storage depot. DI Dave Marshall and DC Andy Murray presumed that the numbered storage room was Julian's. They could easily have obtained a search warrant, but Julian could have claimed that the storage space was not his; what they wanted was to arrest him when he next went to visit it. They were convinced he would want to hide more material or just go back to look at his hoard. They decided to keep an eye on the storage facility and wait.

Meanwhile, Julian started calling me at the BBC. I was spending a lot of time at Scotland Yard so he left messages with our unit assistant, Chloe. For some reason, I felt reluctant to speak to him, but I did call. When he answered, he immediately asked whether I was recording the phone call. I told him I was not and privately slapped myself on the wrist for not even thinking about it. Then we had a long conversation about the same old subject. Julian was trying to convince me that he had a totally valid argument for the legalisation of paedophilia, an articulate argument that made me remember the theories of 'common sense' I had studied at college – we all feel that what we believe is 'common' sense, but there are actually a large number of different common sense positions depending on one's starting point. Julian believed that if only the public were given access to *his* common sense, they would understand and even change their attitudes. But the two sets of thinking were too far apart ever to meet.

Nevertheless, I argued with him that there was no point in trying to convert me to his position as I was just one person; we started to talk about his doing another interview and he said he would talk to his solicitor. I felt that if I had pushed he would have set a date, but I held back because I was worried that something in my manner or something I said might give him a clue that the police knew about his storage space. I would have preferred to have talked to him when the search was all over so that I did not inadvertently affect the investigation.

Then, a few days after our last telephone conversation, he decided to visit the storage; when he arrived, the team from the unit were waiting with a search warrant. They found a room the size of a garage full from floor to ceiling with photographs, videos, documents and drawings, a long obsessive lifetime collection of paedophilia. It would take months to catalogue, but an early find shocked me to the core and confirmed to me that broadcasting our series would help.

After the months of working in the unit, we had run out of words to describe our reactions to some of the material to which we were exposed. We would sometimes come across the images without warning. In the open plan office, I might stop to chat about the weekend or the weather, and my eye would catch photographs on a detective's computer of a middle-aged man engaged in oral sex with a baby. My response was as much physical as it was emotional; I would feel a wave of shock in my body and have to shake my head to try to shake the image off. We were used to being shocked but never numb to it.

When DC Tim Irwin played the audiotape that had been found in Julian's home, I felt a high physical reaction of nausea and distress. My guilt and sympathy for Julian left me in an instant and I had an answer to my uncertainties. It was just as it had been with Mark Enfield: whatever they said, no matter how pathetic, sad and lonely they were, what these paedophiles did was horrific and could never be excused or justified. They had to be stopped, and if our series was going to warn people about how they operated, it was well worth showing.

Julian Levene's conversation with a little girl, his telephone sex with her, was so extreme that I asked Bob McLachlan why they had to bother with anything else – why not just take that to court and let the jury decide? But it was not that easy. Despite being found in Julian's property, and despite the voice sounding absolutely like Julian's, they would have to prove that it was actually his. And they would have to try to find the little girl, however old she was now, and ask her about her contact with Julian.

11

OUR LITTLE SECRET

Bob McLachlan

It is often said that most children know the person who abuses them, but there is a significant difference between knowing someone to the extent that you feel certain about them, and only knowing what they are prepared to let you see. The latter is the archetype of the predatory paedophile.

The sexual crime expert Ray Wyre once told me that 'Monsters don't get close to children, nice men do.' And in the majority of instances, he is absolutely right. His words were intended to set the record straight about the inaccurate stereotype of the child-molesting monster that has been created by the widespread misunderstanding and ignorance of what a paedophile is and does. Because most paedophiles used to be – and by some people still are – thought of as the obvious and identifiable 'dirty old men' in 'shabby raincoats' who behave strangely in public and stalk children, the majority of abusers have never been caught and are still abusing. I challenge anyone to point out a paedophile just by looking at him (or her): they look the same as everyone else, they live in the same surroundings, they mostly behave the same, but they adopt a different and monstrous lifestyle. It is essential then that we try to understand who the man is who gets close enough to assault or rape children and how he achieves it. How does he identify potential child victims, catch them in his trap and make them submit to his unnatural approaches? How does he deceive and manipulate parents and carers into allowing access to the most cherished addition to their lives – their children?

Ray Wyre chose to specify the male gender in his statement for one very good reason: the majority of child sexual abuse is carried out by men. Some paedophiles have a preference for girls, some for boys, others just don't care. But although we know that the 'final taboo' has been broken in terms of the abuse of children by women, and there are sufficient examples of children and adolescents abusing each other to worry us, it is men who are the target of most investigations.

'Grooming' is a catch-all term used by social scientists and academics, a label now used generally to describe what a paedophile needs to do to abuse a child. The word captures the methods and the plans that a paedophile uses to target children. It concerns what he does to break into a child's life and relate with child victims in both a non-sexual and a sexual way. The paedophile is a careful planner and does not want to get caught. The nicer he is, the less chance there will be of a child telling what is happening. He is well practised, manipulative and devious, and will, if he can create the same opportunity, do it more than once, repeating his successful strategy with more victims as he gets better with his approach and does not get caught.

Wearing a mask of deceit, he will find a job or social activity that gives him access to children. To the family surrounding the child, if there is a family, he will be the 'friend', the 'helper', the 'volunteer' who takes away the pressure of bringing up the child. To successfully blend in with society, the paedophile will develop a superficial façade of personality, an alter ego that is entirely the opposite of his violent and abusive 'real' self. This type of personality features not just in paedophiles but in many other violent serial sex offenders who enlarge such self-protective behaviour to an extreme. This behaviour is known as 'dissociation' and is something we all do to some extent, perhaps by pretending we like someone when we don't. But when used as a camouflage to abuse or murder, it helps paedophiles to get away with their actions. And recognising it will help us to tackle them better.

John Wayne Gacy, the notorious and now executed serial killer who stalked America in the late 1970s, is a classic example of this. As America's most prolific murderer, he preyed on young boys, enticing them to his house, sexually abusing them and then killing them. Thirty-three bodies were removed from the basement of his house yet his neighbours described him as a sociable, big-hearted central pillar of the community. He would be the first one in the winter to clear the snow from the streets, making sure that his neighbours knew who did it. He was a campaigner for the residents, a kind of Neighbourhood Watch Co-ordinator who made the streets safer by getting street lighting installed. Every year Gacy invited and paid for over 400 people to come to a party at his house. Enjoying the summer sun in the garden, none of them ever imagined that such a 'nice man' had sunk the bodies of young boys in concrete a few feet away.

It can be clearly seen how being a nice man was absolutely essential to Gacy to dissociate him from the reality of what he was. His true behaviour of choice, the monstrous abuse and murder of young males, was covered up by his fake social exterior. Being such a nice man, nobody would believe it if the unthinkable happened and he were caught.

It is sometimes convenient to ignore or dismiss the extremes of America as something that only happens elsewhere, but the location of these crimes is merely an accident of geography. Since the crimes of Dennis Neilson and Fred and Rosemary West, for example, were exposed, we can no longer say, 'It could never happen here.' Far better to realise that where ignorance abounds, opportunity surrounds the paedophile. We must become smarter and make sure that paedophiles do not get near our children.

Thankfully, not many paedophiles kill their victims, and when they do the public outcry is immense and sustained. But the paedophile will destroy the ability of a child to make a choice as he makes sure that his contact with, control of and power over the child is kept secret. There is no public outcry because no-one knows. The body waiting to be found is still alive, but the psychological skeleton is slowly being squeezed to death.

The paedophile will keep the child in the abusive environment by threats, force or bribery, including the supply of alcohol and drugs to older children, to stop them telling. To begin the process of seduction and conditioning, paedophiles often expose the child to adult pornography, in this way introducing sex into the conversation. If the child is then shown child pornography involving adults and children, he or she will be encouraged to believe that this is what all children do, that children enjoy sex and that it is not wrong. It normalises that which is clearly abnormal. And the paedophile will make it clear to the child that the secret must be kept or the child will get into trouble for looking at the pornography. The mind-chilling expression 'our little secret' is born of the obvious need for the paedophile to manipulate the child's brain to make sure that he is never discovered.

In simple terms, the paedophile confuses the child about the reality of what is happening. And then we wonder why children do not say that they are suffering at the hands of an abusive adult. Would we tell if it were happening to us? – I'm not so sure. Paedophiles' methods sometimes include emotionally based threats against the child or his family and friends, making the child feel he is the guilty one in the adult-driven abusive contact: 'If you tell about what you let me do to you, I will go to prison'; 'Because you let me do it, you will be taken away from your Mum and Dad.' Ray Wyre writes about how the paedophile traps the child and stops the disclosure by altering the reality of what is said and how the child interprets it. When the paedophile says, 'Here's some money', the child thinks '*I'm being paid*', and on it goes:

'You took the money' – '*I'm a prostitute*'
'You did it for free' – '*I must like it*'
'You're too pretty' – '*I attract it*'
'You could have said no' – '*True, I didn't*'
'You came back' – '*I must want it*'
'You began the game' – '*So I did. It must be my fault*'
'You didn't tell' – '*It can't be that wrong*'
'I'm sorry' – '*That's OK.*'

We can only attempt to imagine how such statements affect young children, yet we know how powerful paedophile control is because of the number of adults who, after years of concealing the truth, feel that they can begin to deal with the memories of abuse that have been hidden for so long.

Abuse can only take place because the adult chooses to inflict it, telling the child that it is good and it is what all children do, and because children just do not understand the adult world, it is not surprising when children believe everything paedophiles tell them. And when children are already vulnerable, for example through social disadvantage, they may be less able to hear the message that it is OK to say no to an adult, and be less able to end what is happening to them.

In a most disturbing way, one paedophile caught for abusing his stepdaughter reveals the process of control as psychological torture for a child. In his description of manipulation, he speaks personally to his victim in her absence:

> You were controlled by me. Everything I did was taking away your control of your own life. Before, during and after every time I abused you, I forced my actions and my needs on to you. I manipulated how you thought, how you behaved and how you acted, not just towards me, but also towards everybody. I did this by deliberately shunning you and depriving you of attention and love so that you would come to me needing attention. Then I would lavish you with love and affection so that the next time I shunned you, you would need attention more.
>
> Because I dumped all my guilt, shame and needs onto you, I made you feel guilty and confused; I made you responsible for my moods and for making me feel better. By acting normally towards your mother and other family members, and by talking about abuse in front of them, I made it impossible for you to turn to anyone to get help. At other times I deliberately set out to make you a liar, I removed your ability to trust; in doing so, I made you believe that you had no control over your life as to what was happening to you. However, I did it in a way that left you with feelings that 'if it was so bad you could tell'; if you didn't like it

you could have stopped it. This confusion leads to the feelings of having no control.

As the paedophile continues to break into the mind of the child, he will convince the child that no-one will believe him or her if the truth ever comes out. This kind of investment in abuse often remains with a victim through to adult life and has the effect of increasing the length of time until a victim is able to tell. By the time a disclosure of abuse is made, physical or other evidence or proof of the abuse is just not available. The prophecy of the paedophile is essentially accurate because, in a world where truth and justice are determined by the quality and quantity of evidence that is available for a jury to consider, what is left? Just the word of a child, maybe now an adult, and the paedophile. And the first question by the defence barrister to the victim in a court of law may well be, 'If it's true, why didn't you tell before?'

Aren't we letting adults down when, having reached a stage at which they are prepared to give evidence against a man who abused them years before, and no doubt carried on abusing other children right through his life, we offer them no real support at all. What we should be doing is providing the same services to the adult that he or she would get as a child. If an adult was abused at the age of seven, support and counselling should be provided – if the adult wants it – just as if he were still that age.

I vividly remember a case in which a man who had been abused years before gave evidence to convict a lifetime paedophile. We had discovered the photographs of his abuse that had been passed around by a group of paedophiles and may still be circulating on the Internet today. The victim said he had been living with a nightmare; he had been unable to tell his parents or teachers, anyone, and before we identified him in adult life, not even his wife. With it all out in the open, this should have been the time to help him carry on with the rest of his life as normally as he could. The court case was maybe an opportunity for revenge, but definitely a new beginning and therapy.

But the judge let the victim down by remarking that the abuse had obviously not had any long-term effects on him, the judge's assessment of how the victim had 'recovered' being based on the fact that the victim was married, had children and had a job. The paedophile no doubt walked out of court silently thanking the judge for his leniency, with who knows how many other victims behind him. What kind of message does this give to victims; what kind of encouragement is it to make the decision to face their abuser in court knowing that he might stay free to do it again, and again, and again?

1 2

THE HOBBY

Bob McLachlan

Tom O'Carroll, academic, Chairman of the Paedophile Information Exchange, believes that 'as a society we deny children their natural right to have sex with adults'.

'Sex by eight [years], or it's too late'.

Rene Guyon Paedophile Society

There are groups of men who are from time to time prepared to emerge from the shadows to present their case to 'allow children to have sex with adults'. Offering themselves up as marginalised, repressed, misunderstood minorities (similar, they say, to gay men and women) who after all 'love children', they cloak their deviant views in academic Freudian theory, declaring that all children are sexual and have rights. Children's sexual rights, these male adults say, demand that children want, and should be entitled to have, sex – but what type of 'consensual' sex could be possible for a six-year-old boy? Banding together in networks of self-support, groups have emerged with names such as the Paedophile Information Exchange and the North American Man Boy Love Association. If they do what they propose, it will always be against the law, but promoting it isn't. If they can find a chink of opportunity to support their campaign, they will seize it, and if they can practise what they preach, another victim will be created.

It has been said that some fathers know more about their cars than they do about their own children, and when this is the case we should not be surprised if paedophiles exploit paternal deficiencies. We know that paedophiles will invest time, money, their whole life, to spot those children who will eventually become their victims. The following 'blueprint' of abuse was seized during the arrest of a man who had been a paedophile for over thirty years. It is a 'how to' manual in which both the sexual abuse of children and the children themselves are dispassionately referred to as 'the hobby' and sex with a child as 'good action'. Children become objects to be used, conquered and abused.

The hobby – do's and don'ts

Do enjoy the hobby and be proud to enjoy it.

Don't give cause for complaint; convictions always begin with complaints.

Communications

Do talk to the hobby at every opportunity. First 'chat it up'; make love to their minds.

Don't ever abuse the hobby. Handle with care; don't upset them, but be firm.

Do take a genuine interest about favourite colour, TV programmes, pop stars, what films they've seen, also compliments: nice clothes, figure, hair, etc. Cultivate good opening lines to break the ice.

Don't try for too much, too soon, of domestic contact.

Do try for as much as possible if field contact; find out when the hobby is expected home.

Do try to develop a close one-to-one relationship; a close relationship leads to a more secure practice, a loose relationship allows for leaks.

Do be aware of all the positive signs to proceed, nods,

smiles, laughter, acquiescence, 'Hmm', 'Yes'.

Ideal numbers are one or two; groups and group play can easily get out of hand. Equal attention to both or all is very important even if one is not particularly attractive. Beware of jealousy, the arch enemy of the hobby.

The hobbyist

To enjoy the hobby means freedom from other social duties. Make time. There is resistance to be overcome, and interest to be created, which takes time.

The hobbyist needs independence. Finding success in the hobby can seem like a long and almost impossible task, but not, with experience, insurmountable. Good preparation is essential. Be slow but sure, walk before you run. Practise experience in communication.

The best hobby results from lack of any pressure and 100% attention to the subject.

Be mobile; an ability to relocate quickly may be essential.

Learn and keep up with the limits. Social, technical, legal, etc.

Best towns and area for the hobby are less sophisticated and more behind the times, UK further north or away from the South East are better. Naval ports: Chatham, Gillingham, Portsmouth, Plymouth, etc.

Dress

Wear casual, but clean – and well groomed, but unobtrusive.

Self-exposure; wait for the hobby to make the first move. Only if the hobby shows interest (of course any sign of 'acquiescence' will be taken as OK to go)

Domestic

Much slower and more careful but can be very productive.

Hobby contacts and friends make other contacts and friends.

Camera
Movie, camera or dog is good for breaking the ice.

Pay compliments, good looking, good legs.

Don't go back after good action for about 4–6 weeks.

Park out of line of sight, i.e. around the corner.

Don't commit names and addresses to documents that are easily accessed.

If necessary, have a ready reason for talking to the hobby, big dog, fell over, etc.

Hobby solicitor?

Throughout the instruction manual, the paedophile makes it clear that the child will give 'consent' and is to blame when abuse happens – and we still wonder why children don't tell.

The situation for a victimised child becomes even more impossible when the route to abuse is the pretext of a relationship between the paedophile and the child's mother. Gregory Potter told his 'girlfriends' that he liked children. Innocently, they thought. But they did not know he was a paedophile wanted by the police in South Africa. He targetted young single mothers, those with younger children, whom he would identify in local supermarkets in North London. Having made an approach, he would play on the particular vulnerability of the mother and charm her. A 'nice man'. He would describe himself as a photographer and ask her if she were interested in modelling for a portfolio. Any potential for abuse would be a reason for leaving his telephone number and obtaining the telephone number of the mother, creating an opportunity to begin to 'groom' the parent. Potter knew not to rush things as he began the process of infiltration into a family.

I first encountered Greg Potter during the execution of a search warrant issued under the Protection of Children Act 1978, a warrant granted by a district judge that is frequently used to enter a paedophile's home or other premises. It authorises the police to enter, by force if necessary, and search for and seize indecent photographs of children. On this occasion, the search was in Notting Hill, West London, and the premises were the home and studio of a photographer who specialised in child photography and advertised his 'children's photographic services' in well-known highbrow magazines. It was 1993, and the officers with me were DS Mike Platt and DC Terry Bailey.

Potter was an unknown entity when he walked into the studio without a care in the world as we were searching it. The photographer was already under arrest and we were systematically searching and sifting through every nook and cranny of his life, uncovering picture after picture of children as we did so. When the reality of what was happening hit Potter, he tried to leave, but he didn't get very far. He was, he told us, the photographer's assistant, but it later emerged that both he and the photographer shared the same obsession for young girls. These 'nice men' offered parents the opportunity to capture the beauty of their children in a photographic format that they could keep forever. This opportunity also gave Potter and the photographer the chance to indulge their deviant behaviour around these children. Potter was arrested as a co-conspirator in taking indecent photographs of the children placed into their care.

Potter agreed to take Terry and Mike to his home in North London for it to be searched. When they arrived in the street where he said he lived, he denied it and set about being as obstructive as he could, refusing even to acknowledge when he was asked a question. He had very few personal items on him when he was arrested, and this did not seem right. As he continued to refuse to speak to us, we locked him up while we went back to the photographer's studio. Retracing every step Potter had taken, we eventually found a personal organiser and a set of keys hidden deeply down the side of a sofa. Armed with this new information, we then went back to interview the photographer and his assistant.

The Police and Criminal Evidence Act of 1994 lays down extremely stringent controls over the detention of suspects for offences for which they have been arrested, dictating that unless certain conditions are met, those in custody must be released until such time as the evidence is available to charge them and place them before the court. Unfortunately of course, evidence in child abuse investigations rarely falls into one's lap as it does in a half-hour crime episode on TV, and real human behaviour rarely leaves the evidential traces so obviously presented in fiction.

We had hundreds of photographs of young girls, many of which we believed had been posed solely for Potter and the photographer but had never been presented for the parents' approval. But, with the custody clock ticking, we at least needed to know that the children had been photographed in Great Britain even if we could not necessarily identify who they were. In those days, just being in possession of indecent photographs of children did not mean that individuals could be charged; they had instead to be summonsed, receiving a letter in the post that required them to attend court, and a charge could only be used for the more serious offence of taking or distributing indecent photographs. Until January 2001, a paedophile could even stand outside the Houses of Parliament waving an envelope containing the most horrific examples of child abuse photographs and not be stopped, searched or arrested. So we had to give bail to Potter and the photographer, both of whom fled, the photographer moving to the south of France. Terry and Mike eventually tracked down where Potter had been living. The keys we had found fitted the lock and we proved his guilt.

We then found out precisely what Potter had been up to. One mother, living on her own with her children aged seven, nine and eleven, to whom Potter had offered support and opportunity, best describes this. He betrayed her by stealing the innocence of her children, and her account will hopefully serve as a warning to other parents. She is not to be blamed: she was taken in like so many other women and men have been and will continue to be. She tells the story in her own words.

I am a single parent living in London. I do not work at the present time. I live at home with my three children. We live together in a three-bedroom flat. I share with my daughter and the two boys are in the other room.

I first met Greg Potter in the high summer at the end of August. The first time I saw him, I had been shopping with my daughter. He followed me out of the shop and started talking to me about modelling for a portfolio, which he was compiling, as he said he was a photographer. I remember him asking if my child was my daughter, but he didn't pay her any attention after that. He left after giving me his telephone number. I didn't call him; however I saw him again a few weeks later coming out of a local pub. We talked again and this time he took my phone number.

Some time after that I saw him again in the street. When I met him, he said he was about to phone me. That same evening he phoned me and asked if he could come round to show his portfolio. I said that I had the kids here and I was about to prepare dinner, to which he replied, 'That's okay, I like kids.' He did come around then and seemed to get on with us all. He told me that he was lonely and that London was a lonely place. The following evening he came round again uninvited. He asked me if it was all right to just call by. I was glad to see him then as one of my sons had just been beaten up by some neighbours in the adjoining block of flats. The police were involved and it was very chaotic. Through all this, Greg was very supportive and helpful. He actually told me he would be a good friend to us.

From then on, Greg came around many times. He got on with the children as he spoiled them, giving them money occasionally and sometimes presents. He bought my daughter underwear, vests and knickers and small novelty toys, and for the boys some books and jumpers. They appeared to like him because it was good for them to have a male figure around from time to time. Sometimes he took the children out. I remember one particular occasion when he took them swimming together with my mother. I remember her telling me he was transfixed by a young girl at the swimming pool with long legs. He was so fascinated by her that he went to the man she was out with and asked if he could take photographs of her at some time. The man was not her parent but said he would pass the message on.

Before Christmas, Greg asked if he could stay at our place. He told me he was not getting on with the people he was staying with and that he was in the in-between stage of getting his own property. He said it would benefit me as he could babysit for me. I agreed to this and Greg moved his belongings into my bedroom, and I moved downstairs into the spare room with my daughter.

The relationship between Greg and myself was platonic; in fact I personally found him quite boring. Sometimes Greg did babysit for the children when I went out, usually in the daytime if I had to pop out to the shops. Sometimes it was in the evening; he must have babysat about five times in total at night and maybe ten times during the day. Just before Christmas, he hired a car and took the children out to various places. He took my older son to the cinema once on his own and took my daughter to Chatham in Kent. He had previously shown my daughter some photographs of a young girl whom Greg had said he'd known for a few years. These were his prized photographs and my daughter was quite jealous of them. He kept promising to take my daughter to meet the other girl and eventually he did so. Also on Christmas Day, he took all of us and my friend down to the beach in Brighton.

I know of one occasion when Greg took photographs of my sons. These were photographs of them dressed as pirates and others with them partially naked. I didn't think there was anything particularly wrong with these, as I thought they were good photographs. He also took photos of my mother and my daughter. My daughter was topless and holding a teddy bear. At another time, my daughter had another photographic session with Greg when I was not at home. She was fully dressed in these ones.

I had no reason to suspect that Greg might have been harming or abusing my children in any way, and the first I knew of it was when the police from Scotland Yard searched my address for Greg's belongings. It all came as a great shock to me. It was only after the police had been that the children were able to tell me what had been going on.

Terry Bailey put Potter's photograph in a Sunday newspaper, from which he was identified and tracked down to Spain; here he was working in a bar and still providing 'photographic services for children'. He had wormed his way into the lives of other families, some of whom were on holiday from the UK. And as Potter had done in England and everywhere else he travelled, he advertised himself as 'Gregory, the photographer for finest quality, hand printed black and white portraits of your children.' In the advertisement for his 'services', Potter described himself in the following terms: 'Gregory is the 1996 winner of the Coup de Coeur prize in the world's largest photographic competition and his portraits are being exhibited in Paris by the Cartier Foundation for Contemporary Art.'

Terry alerted the Spanish authorities and made plans to arrest Potter, but before arrangements could be finalised, he again fled and, unknown to us, headed for Holland. He was arrested in Amsterdam while attempting to have some photographs developed at a local chemist. But his potential victims are now safe as he was later found hanging in his cell in the police station.

Maybe this final act of self-criticism was a permanent solution to avoid punishment for his latest actions to ruin the lives of even more children, evidence of which lay in the undeveloped negatives. The Amsterdam Juvenile and Child Pornography Squad are good, very good, detectives – paedophiles who still believe the stereotyped view that 'anything goes' in Amsterdam should beware as the squad's detectives, Jaap Hoek, the retired chief, and Dirk van Tiejlingen the new chief, with detectives such as Oetse den Breejen, Ab Rabelink and Vincent Corver, have spent years changing the face of what is acceptable in Amsterdam and jailing many paedophiles along the way. They discovered that Potter had taken indecent photographs of Dutch children; he would have gone to prison yet again, this time for a long time.

The final insult to Potter's victims and their parents is contained in a paragraph of his advertising leaflet: 'I would like to thank all the young models who continue to inspire me with their beauty and enthusiasm. I am also deeply indebted to their parents whose trust has enabled me to exhibit these works publicly and thereby win this prestigious award. These special children make my art worthwhile. Kind regards, Gregory.'

There words encapsulate paedophiles in a nutshell. While masquerading as a 'nice man', Potter was able to manipulate the naïvety of those whom he targetted. But thankfully, we can now close the case on Greg Potter and carry on the business of finding other 'nice men'.

13

TELEPHONE RAPE

Bob Long

We had a game of five-a-side football against the Paedophile Unit. There were three teams: the 'cops', which was made up of the detectives, the 'civies', who were from the civilian crew that work in the unit, and the 'luvies' team from the BBC, which was somewhat limited in its choice of players. We were definitely the outside bet, the 'civies' being the favourites in a two-horse race with the cops. After an afternoon of fighting for breath and playing a game some of us had never played before came the shock result that the BBC had won the tournament. Ben and Glenn turned out to be real star players, Juliette, Daniel and myself did our best to hit the ball somewhere when it came our way, but much credit had to go to two young fit assistant producers I had imported from another production team.

We socialised a lot with the police team. Since we worked so closely together, it was inevitable we would go for drinks together. They were a very close-knit team who had regular events to which they invited us, and we had our events too. When it came to the Christmas round of parties, they invited us all to their big lunch in a restaurant. This left me in a slightly embarrassing position with the BBC documentary programme-makers' Christmas party. The tradition at these events is not to invite partners or contributors, but I would have been ashamed after all their hospitality had I not been able to invite them too. The sight of fifteen detectives in suits among the two hundred thirty-somethings in designer casual was surreal enough to inspire an article in *Broadcast Magazine* that was picked up by *Private Eye*.

We bonded in all nationalities of restaurant. We went ten-pin bowling, horse-racing, even ice-skating together. Every Thursday night, a group of us would have a drink in a pub near to New Scotland Yard. It felt important at the beginning to build up a relationship between the two teams, and it was certainly productive. We heard for the first time about investigations that were coming up, and we were sometimes invited to incidents we might never have known about. We also grew to trust each other, but in the end I think we became friends, so having a meal together became more about choosing to be with people you liked than about developing the project.

Surrounded as we were by images of children being raped, and by real people whose lives had been completely devastated by abuse, and meeting the perpetrators of the abuse on a daily basis, it was all deadly serious. Yet there was a lot of humour to the environment, obviously not at the victims' expense but a regular ribbing between the two teams in the shared office.

Out in the field, some situations were so unavoidably funny that we had to laugh. Even the search of Mark Enfield's flat had produced some humour. While we were outside on the balcony avoiding the overpowering smell of Mark's ferret-filled flat, Terry Bailey told of a case he had dealt with years before that highlighted the obsessiveness of many paedophiles in collecting and recording everything to do with their abuse. This paedophile, like many, kept a diary, on each day of which were marked the letters 'WMS' with a number next to them. At the end of the year was a total that read 'WMS 572.' WMS apparently stood for 'wanked myself', the number telling how many times that day, and a total for the year having been calculated. We laughed; I asked, 'I wonder how that compares to the national average?' Bob McLachlan, with a cheeky glint in his eye, asked me how it compared with my average. I responded with mock horror at the question: 'Excuse me, I'm a married man!' 'What . . . you mean lots!', Bob instantly replied But we were soon brought down to earth when we returned inside to tease out of Enfield his very sad life story.

Julian Levene's attempts to get the better of us gave rise to a whole series of amusing stunts to try to deflect the issue onto the media. In one incident, he literally tried to reflect us back at ourselves. We were waiting for him to enter a police station where he had to report regularly while he was on bail. He knew we would be there and turned up with a mirror. As he approached us, he held the mirror up facing our camera, with the unsubtle plan of turning the image back on us. In his head, at least, that would teach us a lesson. But the mirror was too small, he pointed it the wrong way, and his great symbolic gesture was lost. Sometimes Julian's antics succeeded in making me question what we were doing, but when the property taken from his home was being sorted, an audiotape was found that appeared to feature him, and again all sympathy evaporated.

DC Tim Irwin was appointed the evidence officer on Operation Doorknock, with the job of systematically cataloguing all the property and keeping a record of its history since it had been seized. Here he found a high-quality recording of a telephone call between Julian Levene and a little girl. When I heard it my stomach turned. Here I was again feeling like I was witnessing the worst I could experience. I had seen real rape and torture scenes of children screaming in terror and pain, but each experience produced a fresh physical nausea and disgust, even almost a feeling of panic. I suppose that is what genuine horror might feel like, and a written description can never do justice to the event. His oily, lecherous voice on the telephone was something that the casting department would love for a made-for-TV horror drama. I could almost see him leering as he skilfully manipulated the little girl and exploited the absolute innocence of her response while he raped her over the phone.

When Tim was listening to the tape and registering it as evidence he did not know who the girls on the telephone were. It was clear that they were sisters and that they knew the male caller, whom

Tim could only presume was Levene because of where the tapes were found and the sound of the voice. This was obviously not a random 'dirty phone call': the man had met them before. Wherever he was calling from, his 'mate' had gone out for a while and was due back any time. Before playing the tape Tim introduced it: 'The thing I find most evil about it, and evil's the only word, you know is the apparent normalness, for want of a better expression. He comes across as an intelligent, logical, normal sort of person. But he's evil isn't he?' The problem would be proving that the voice on the tape was Julian's as he used different names on the tape. It would take a voice expert's evidence to argue that it was indeed his.

The tape starts with the telephone being picked up, but it seems that the man calling has very recently talked to the girl. Her voice is very naïve, young and with a working-class London accent. The man starts the call:

Man: 'Hello.'
Girl: 'Hi.'
Man: 'How are you?'
Girl: 'All right.'
Man: 'Yeah, right, all right, mmm, I just popped out so I didn't know if *Neighbours* was still on.'
Girl: 'No, it's not on yet.'
Man: 'Oh, what time's it on?'
Girl: 'I don't know.'
Man: 'Oh, I thought you were watching it.'
Girl: 'No.'
Man: 'Oh, so what were you watching then?'
Girl: '*Blue Peter.*'
Man: 'Oh right, so shall I call back later then?'
Girl: 'It's up to you.'
Man: 'No, I'd rather have a chat.'
Girl: 'All right.'
Man: 'Oh OK, are you comfortable?'
Girl: 'Yeah.'
Man: 'It's not cold in that hallway, is it?'
Girl: 'Nope, I'm not even in the hallway now.'

Man: 'Where are ya?'

Girl: 'I'm on the settee.'

Man: 'Oh, you got the phone in there.'

Girl: 'Yep.'

Man: 'Oh, that's good, I didn't think it moved. I thought it was stuck in the hall.'

Girl: 'Nope.'

Man: 'Ah good, so you're more comfortable.'

Girl: 'Yep.'

Man: 'Ah right, I wish I was in there with you on that settee and everyone was away . . . yeah . . . so eh, you still got your shirt and your knickers on have you?'

Girl: 'Yeah.'

Man: 'Oh right.'

Girl: 'Who's in there with you?'

Man: 'My mate's popped out with his girl. He's gone to the shops . . . so they'll be away for a while. So we're alone at the moment darling . . . yeah, mmm, what was I going to say? . . . oh yeah, when was you twelve then?'

Girl: '12th of May.'

Man: 'The 12th of May, so you'll be thirteen in two month's time.

Girl: 'Yep.'

If the man was Levene, and he certainly sounded as if he were, he had changed to a more working-class accent to suit the girl. The tone was very friendly and not at all patronising, talking at the same level as a boy her own age would and looking for a connection in the conversation. To her, he was an adult she could really talk to who did not tell her off. He was on her side, a pal, a confidant. It was interesting that even though he had obviously known her before and knew her age, he wanted her to repeat it. Her age was important to him to set the scene for what was coming, and it was important that she confirmed it. The man moved on to a subject they had talked about before, which he used to change gear in the chat. He introduced the idea of sex to her with a question that might play on the harmless fantasies of a lot of young girls.

Man: 'Ere, you know you said you'd like to have a baby girl?'
Girl: 'Yeah?'
Man: 'Right, how many would you like to have?'
Girl: 'Two.'
Man: 'What, twins?'
Girl: 'Yeah.'
Man: 'Oh, that's nice . . . I'd love to be able to give you two twin girls . . . would you like that?'
Girl: 'Mmm.'
Man: 'Oh, if we were in bed now we could be making them, couldn't we?'
Girl: 'Mmm.'
Man: 'Would you like that?'
Girl: 'Mmm.'
Man: 'Can I tell you all about it?'

There was no reply to this, as if he had stepped near the edge. Her grown-up friend was taking her somewhere she was not comfortable to go. But the pause was very short. He might have sensed her hesitation and wanted to commit her to the path he was going down before she could pull away from his gentle tug.

Man: 'If we was all sort of snuggled up, snuggled up together . . . yeah?'
Girl: 'Mmm.'
Man: 'OK?'

You can feel him settle down. Now he's got her in bed in his head, he wants to colour in the detail of the fantasy, and he wants her help. It is obvious from clues in other parts of the call that they have met before so he must know what she looks like, but it increases his pleasure to have her say it for him.

Man: 'Mmm, what kind of hair have you got?'
Girl: 'It's brandy.'
Man: 'Is it? Is it fairly long or short or what?'
Girl: 'It's fairly long.'
Man: 'Yeah, and em, have you got any earrings on?'
Girl: 'Nope.'
Man: 'Oh . . . do you like to be kissed around your ears?'

Girl: 'Mmm.'

Man: 'Do ya?'

Girl: 'Mmm.

Man: 'Oh that's nice . . . if I gave you a little kiss round there would it make you feel nice?'

Girl: 'Mmm.'

Man: 'Oh, that's good. If I gave you a nice kiss, then? . . . would you like that? . . . around your neck and everything?'

Girl: 'Mmm.'

Man: 'Ah that's nice; have you got any figure yet?'

Girl: 'What?'

She really does not understand what he means so he explains.

Man: 'Have you got any figure yet . . . you know, have you got any breasts and all?'

Girl: 'Yeah.'

Man: 'Have you . . . have you got nice ones?'

She is getting more and more uncomfortable; her voice is getting smaller as she answers.

Girl: 'Mmm.'

Man: 'Have you? You got nice ones? Oh go on, give them a little stroke? Yeah.'

There is the briefest pause. She does not speak so he quietly continues.

Man: 'Just on top of your shirt . . . just . . . do you like frenchies?'

Girl: 'Yeah.'

Man: 'Oh, shall we do that then?'

Girl: 'Mmm.'

Man: 'Right . . .'

He makes the sound of a long kiss and says: 'Give us one back . . .' There is a long pause. 'Go on, give us one back.' There is a longer pause, but this is too much for her. She answers with a sad and embarrassed 'no' that begs him to stop pushing. So he pulls back a little, albeit not wanting to lose too much ground.

Man: 'Aw . . . all right . . . can I kiss you on . . . have you got a nice little nose?'

Girl: 'Yeah.'

He asks her about her room and whether they would both fit in her single bed. She says, 'Might'. He plays her like a skilled angler, deciding to give a tug on the line and reel her in. She is obviously embarrassed and very uncomfortable, but has no control. He starts to fantasise in a long monologue, and she is trapped in his story. He becomes more and more agitated as the story grows. He needs her quick brief responses – 'Yeah', 'Mmm'; if she does not answer, he asks if she is still there. It does not matter what she says, he just needs to confirm that she is there.

Man: 'Well, say we were on holiday somewhere, right?'
Girl: 'Yeah.'
Man: 'Say we went off to Spain or something, right?'
Girl: 'Yeah.'
Man: 'And we rented a nice hotel.'
Girl: 'Mmm.'
Man: 'And we went out to the disco.'
Girl: 'Mmm.'
Man: 'And we had a good few drinks and we had a good dance, and you was looking really tasty, you know what I mean?'
Girl: 'Yeah.'
Man: 'Sort of all tanned and everything . . . and what's your favourite clothes . . . do you like mini skirts or what?'
Girl: 'Yeah.'
Man: 'Do ya? . . . and mmm . . . so you're showing plenty of leg.'
Girl: 'Yeah.'
Man: 'Getting me really turned on, eh?'
Girl: 'Yeah.'
Man: 'And when we get back, I carry you into the bedroom . . . all right . . . and lay down on the bed with you and we start snogging all right . . . and . . . give you a little kiss round your ears and round, round your neck . . . and you put your arm around me neck and we have a nice big frenchie, yeah?'
Girl: 'Yeah.'
Man: 'And you can roll right on top of me, all right . . . and your hair's sort of gone all over my face, all right . . .'
Girl: 'Mmm.'
Man: 'And I'm, then . . . and I'm feeling your nice little bum? . . .'

Girl: 'Yeah.'

Up until now, she has known that she is somewhere she should not be, but the story has now crossed another line. She takes a deep breath, which the man ignores.

Man: 'Oh that's nice, not a fat one.'

Girl: 'No.'

Man: 'Oh that's good . . . Now we've got to get on and make these babies, in't we? So what I'll do, I'll strip you off gently right, slowly one bit at a time.'

At this stage, Tim said: 'I mean, how much damage is that doing to this little girl? . . . no matter what happens . . . if there's anything physical happens relating to this audiotape, or if it is the last time the bloke ever spoke to her . . . you know what I mean . . . they're talking about making babies . . . the chances are she could end up pregnant . . . maybe as a result of this bloke. She's twelve years old. She should be learning about these things naturally with her school mates.'

14

LEGAL CHILD ABUSE

Bob Long

The tape wound on. The man is past the point of no return.

'And mmm, get to your knickers, and I'll give your bum a little kiss when I get there, all right, and . . . mmm; ere, your mum's not going to be back soon is she?'

Girl: 'No.'

Man: 'Ah, that's all right then . . . I'll carry on for a while coz my mate's away for about half an hour [small nervous laugh], all right, now, oh yeah, I've stripped off, just got me boxer shorts on, all right, and em . . . you've got your arms around me and I'm stroking your bum and we're having a nice frenchie right, and I'm running my hands up your back and you're running your hands down my back, all right, and then I kneel down and I kiss your toes, right? I kiss you from top to bottom, all right?'

Girl: 'Yeah.'

Man: 'I tell you what I'm going to do, I'll get some of that strawberry yoghurt; do you like that?'

Girl: 'Yeah.'

Man: 'Right, I'm going to get some out of the fridge, right? . . . and I'm sort of looking at you lying on the bed all sexy and that, right? . . . and I'm gonna get some yoghurt and put some on your feet and put some right up to your knees, right up to your body, right?'

Girl: 'Mmm.'

Man: '. . . and I'm going to start licking it off, all right?'

Girl: 'Uhhu.'

Man: 'Right, I'm up to your knees now . . . right, and I'm on your thighs, you've got lovely soft tanned thighs, right? . . . get right up to your fanny, right? . . . put a little bit on your fanny, all right? . . . give that a nice little kiss . . . right? . . . lick that off. Have you got any hair on your fanny?'

Girl: 'Yeah.'

Man: 'Have you? Oh that's nice . . . give that a little kiss . . . Oh, I haven't taken your knickers off yet, have I? . . . I'll pull your knickers down, right? . . . so lift your bum up a bit . . . Hello . . . Hello . . .'

There is real concern in the man's voice; she has become silent, but she is still there. He repeats himself to come back up to speed, drawing her in deeper and deeper, telling her to touch herself. His language becomes cruder until he is talking about his 'dick' and her 'tits'; he asks her if she has ever 'sucked a dick'. 'No.' He keeps talking until he finally says: 'I think you're going to make me come.' She speaks up: 'Pardon?' It is obvious that she does not know what he means. It is also obvious he has been masturbating and has ejaculated. He describes it all in detail to her. After a 'little cuddle', he asks her to touch herself and check whether she is wet. He says he 'wants another'.

Her voice has changed slightly. He is a very skilful manipulator; she is in deep and now more accepting, not offering anything but one word 'yeah's as he describes how he is penetrating her. But then, in panic, he thinks she has gone again; she senses his panic and, in the saddest moment of the tape, instinctively tries to reassure him: 'I'm here all the time.' He continues.

Man: 'I'm right inside you now . . . let's make these babies . . . Oh, I love you . . . Oh, I'm coming again now . . . Oh, there's all babies coming out now . . . Oh, that's nice, you're going to have a

Christmas baby. Nine months' time . . . Oh, thanks very much . . .
it's a smashing holiday we're having . . .'

She suddenly interrupts . . . her sister is coming. She asks him to
stay on the telephone, she will get rid of her sister. Who knows
what she was thinking then, but the man will believe that what
happened was 'consensual sex'. Julian Levene liked to talk about
how sexual children are. It was a little like the adult rapist line of
'she was gagging for it'.

I was completely out of my depth listening to this; it profoundly
affected us outsiders from the BBC. We had just heard the moment
of a violent corruption of innocence and the start of a detour in that
little girl's development that would lead to her becoming a very
different person from the one she might have been. Listening to it
produced a sense of helplessness. How can any parent protect
children from predatory paedophiles when they can get them on
the telephone in the privacy of their own room?

Recent technological developments, with all sorts of Internet
chat room for children, also offer paedophiles a huge opportunity.
Posing as children, they can sneak into these chat rooms and make
new friends. All in the privacy of the child's bedroom and with the
innocent blessing of parents who like to encourage their children to
use computers.

It made me angry to think that I was not allowed to invade the
privacy of suspected paedophiles by filming them in their homes
when so many of them have committed the absolute ultimate
invasion of privacy by breaching parental security and invading
their children's minds and healthy development. I know that the
Human Rights Act is there to protect the innocent, and that people
are innocent until proven guilty, but of the hundreds of searches
that we were excluded from by the suspect, only a handful did not
lead to a conviction. Of that very small group, it was hard to say
how many were actually innocent.

We came across cases that were not proven because of a
'technicality', and cases of offenders getting what seemed, to us lay
observers, a light sentence. Sometimes we felt more frustrated than
the police, who through experience seemed to take it more in their

stride. Defence solicitors sometimes intervened to block questions that had not previously been agreed. On at least one occasion, the suspect seemed to want to talk, but his solicitor stopped him. It is obviously an important human right that everyone gets the best defence, but common sense seemed somehow to have been lost in the technical detail and ancient rituals of the legal game. The system has many safeguards to prevent the conviction of an innocent man, but how could a lawyer see it as a victory to get a guilty client off on a point of technical detail? How could those involved sleep at night if they believed they had helped to put back into the community a guilty man who could possibly re-offend?

Everything about this project was rattling our neat, middle-class liberal values. Each day was a challenge to the perceptions we had about the very nature of British society, causing us to re-evaluate our views or just go round in ethical circles. It was a small comfort that we could leave all the toughest decisions until we edited the series. I realised, with a sense of inevitable failure, that no matter how powerful the series might be, no matter how much attention it might draw to the issue, we could never fully portray the damage inflicted on children. Television, like all media, is prone to exaggeration for dramatic effect, but for once, with all of our skills of hype, we were destined to understate the case because it was impossible to overstate it.

After six months of filming, I decided we should take the unusual step of doing a kind of a 'pilot edit'. Although none of the budget is set aside for this, it can sometimes save money in the long run by 'showing the way'. A few weeks of cutting some of the material should have told us whether what we were doing would work and, more importantly, whether anything was missing – as we were still filming we had time to do something about that.

I asked Ben Rumney to take some time out of the general filming to prepare for a two week rough edit; as an ex-editor, Ben was highly experienced at interweaving narratives from hundreds of hours of filming. The result certainly justified the edit: now we could see the wood from the trees. The searches were good, the investigations covered well, but we were missing the informalities, the chat that made the detectives three-dimensional and the story real. We also discovered weaknesses in our filming techniques: there were not enough close-ups, we were getting lazy by not holding our shots for long enough, we were as usual not shooting enough general views to give an idea of setting, and we had neglected to get shots to cut away to in order to shorten a sequence.

On the other hand, we could instantly see that the material was going to cut together into a good series. There were going to be many problems, most of them ethical, but we had every reason to be proud of what we had done so far. We made the rough cut available to the police team, who watched it and gave us valuable detailed feedback. Bob McLachlan and Dave Marshall, the two most senior detectives, thoroughly approved – it had a real feel to it. But I had to think of the responses of the final audience, and that was when I realised that we had a big problem on our hands, a huge challenge as programme-makers.

The rough cut was exciting and totally engaging. Nobody watching it would go and make a cup of tea or have a chat. It was gripping and traumatic, and would certainly leave a haunting trace on the minds of those who saw it. But it was a case of, very good, thank you very much, but no more please. This would have been fine had we been making a one-off documentary, but we wanted our audience to return for another three episodes. The obvious answer was to make the viewing experience less traumatic, but this was a subject one could not trivialise once one had opened the door. It would have been irresponsible to give the impression that it was not that bad when it was actually really much worse than we could ever show. The other solution was not to apologise for the horror but to take the stories head on and depend on the strength of the narrative compelling the audience to watch the next episode.

This was a world nobody wanted to know about. Maybe that was why the Paedophile Unit was always fighting for resources. We as a society just do not want to know; we would rather somebody took care of it for us and we did not have to have it rubbed in our faces by a TV series. After all, we do not even want to know too much about poverty or the disenfranchised in Britain; we avoid facing up to how our old people are treated, we turn our heads away from the problems of the terminally ill. So why on earth should we take on board the rape and torture of small children? Let the police deal with it out of our sight.

Why should people watch our series at all? While making the programmes, I kept bumping into Donal Macintyre from Macintyre Undercover, the secret filming investigative series. Even he felt that he might not be able to watch the series: he had heard enough stories from a family member, who worked with child abusers, and did not want to hear more.

How could I blame him? I often felt like that myself. After days of looking at the tapes shot by the team, I would sometimes secretly wish that we had not started the project. I liked working at Scotland Yard, but on my way there, I often dreaded approaching the edge of what seemed like another world altogether. The professionalism, friendliness and humour of the police team made it easier, but sometimes I felt invaded by images and stories of the violation of the most vulnerable members of society. Give me the comfortable world of the Battersea Dogs' Home or a travel adventure series instead. It seemed a ridiculous irony that documentary-makers always want their programmes to be powerful whereas we were making something that was in danger of being so powerful that nobody wanted to see it.

All these concerns led me to believe that, whatever happened, we should not leave the audience with a sense of helplessness. Most of all, we had to give a simple uncomplicated message to parents on how better to protect their children.

The man on the telephone tape we had heard, identified by a voice expert as Julian Levene, although this had not yet been proved in court, had found a way through the barriers of parent protection. The little girl's younger sister had interrupted the phone call, and to get rid of her she lets her talk to the man. Having just had telephone sex with one little girl, he switches his loyalty to her sister. It seems he has met both girls before and that 'his mate', another paedophile, is involved. He plays on their sisterly rivalry, setting the younger one, who is probably about ten years old, against her older sister.

Man: 'I think she's jealous of you 'cos you're the prettiest, in't ya?'

Sister: 'Yeah, she is.'

Man: 'That's probably what it is . . . yeah.'

Sister: 'Why didn't you meet me outside Debenhams?'

Man: 'Well we couldn't get down there . . . no, really we tried, but we just couldn't get down there . . . I'm sorry if you was kept waiting.'

Sister: 'S'all right.'

Man: 'But I think my mate was saying I was a bit old for you, you know what I mean, but I don't mind . . . do you?'

Sister: 'Nah.'

Man: 'Nah . . . if you're in love, you're in love, in't ya?'

Sister: 'eee . . . all right I'll hand you back to my sister . . . all right . . . bye.'

She might have liked talking to a grown-up friend, but the mention of being in love was, not surprisingly, too creepy for a ten-year-old. Her older sister comes back on the telephone and the man gets straight back into his fantasy.

Man: 'Right, where were we?; oh yeah, we'd just had a nice sexy session, hadn't we?'

Girl: 'Mmm.'

Man: 'Who's there now?'

Girl: 'Just my sister.'

Man: 'Oh right . . . oh, I think my mate's coming in now.'

Girl: 'Is he?'

Man: 'Yeah, I'll try and ring you back in about half an hour . . . Bye darlin.'

Girl: 'Bye.'

He is not very convincing with his hurried retreat. Perhaps he does not see the point of talking to her when she is not alone; perhaps he sensed her sister's reluctance. These girls were obviously new to telephone talk, and he had not fully broken them in to be uninhibited with him. They might be fascinated talking about sex with a grown-up, but they were also embarrassed when he pushed them too far.

On the same tape, there is a recording of a telephone call between the same man and a different girl. She sounds younger but is obviously more experienced at talking to him. The recording starts in the middle of a call. He has obviously encouraged her to talk about sex and spy on her parents. She speaks to him with a note of triumph, as if she has done really well at her homework and is proud to report back. She has seen her parents having sex. The man presses her for details.

Man: 'So, did you see it for very long?'

Girl: 'Naw . . . it only lasts for a few minutes, doesn't it?'

Man: 'Yeah . . . only a few seconds . . .'

Girl: 'It's like yellowish and whitish, innit?'

Man: 'Yellow and white . . . yeah . . . so what, were you looking through the door or something?'

Girl: 'Yeah.'

Man: 'And what was he sort of on top of her, or she on top of him?'

Girl: 'She was sucking his dick.'

Man: 'Oh right . . . God . . . dear . . . oh, you didn't tell me that!'

Girl: [giggles]

Man: 'Oh, she must like that!'

Girl: 'She does.'

Man: 'Yeah . . . blimey . . . has he got a big dick?'

Girl: 'Mmm, by the looks of it, yes . . . he's a nice plump man.'

Man: 'Oh, he's a nice plump man.'

Girl: 'Ok, bye.'

She put the phone down in a hurry. Perhaps her mother had come along or she had to take care of the baby who had been crying throughout the call. She was very young and, in her innocence, sounded as if she was enjoying the call with the man. He was her secret friend who spent time with her, was interested in her and was talking about a forbidden subject that probably fascinated her at that age.

When I first heard the tape, it had more impact than any of the photographs I had seen. A recorded conversation is much more three-dimensional, with so many more things to read into it. None of the photographs gave such a sense of conspiracy. The girl knows she is doing something wrong because she puts the telephone down in a panic. It is especially sad that he has broken into the assumed trust between a mother and her child and has turned the girl to spy on and conspire against her parents.

Listening to the recording I had another extreme 'lock him up and throw away the key' reaction. I told DC Tim Irwin that I could not understand why he had he had to wade through all the property seized looking for evidence. Surely that telephone call, with a voice expert identifying the voice as Levene's, was all that was needed for a long jail sentence. I was astonished when he told me that the telephone call in itself might not even be an offence. 'If this audio cassette had been identified a week after this conversation had taken place, there is no law unless he has actually physically abused the girl. There's actually no law, maybe apart from a malicious communication offence under the Telecommunications Act. There's been a case covered in the media recently where it was only because the paedophile had actually met the girl and had unlawful sexual intercourse with her that he's ended up getting five years. Unless there's actually any meeting and physical offences committed, there's no law to deal with it. Thankfully, we've got tons of other evidence to deal with him.'

I had taken Julian Levene's conviction for terrible offences for granted. Already at this early stage, there was talk of a number of counts of gross indecency. In addition, if some of the growing list of victims would give evidence against him, evidence that included him inserting his penis, he could be convicted of rape. The tens of thousands of photographs found, along with videos, audiotapes, drawings and even little girls' knickers, seemed to construct an overwhelming case. But Dave Marshall and Andy Murray put me straight on my naïve certainties. If the case were handled wrongly, if a mistake were made, if an irregularity were committed and exposed, Julian Levene would walk free. It sobered me to think that he could just get away with it.

15

DECENT OR
INDECENT?

Bob McLachlan

So what makes a photo or a film of a child indecent? Pretty obvious you might think, but this is not so as the law currently stands. The legislation in place to prevent children being sexually exploited through photography is principally contained in the Protection of Children Act 1978, Section 160 of the Criminal Justice Act 1988, Section 84 of the Criminal Justice and Public Order Act 1994 and the Obscene Publications Act 1959 – but none of these Acts of Parliament provides a legal definition of what is or is not 'indecent', leaving the decision, quite properly, to you, the jury.

When trying to answer the question of whether a photograph or a film is indecent, you are expected to refer to what you think is proper in relation to the child and his or her age. Recognised as 'right-thinking people', the jury should only consider three tests: first the content of the photograph, which includes the negative as well as the positive version and data stored on computer disk, or by other electronic means, that are capable of conversion into a photograph, and film, which includes any form of video recording; second, whether the film or photograph has *deliberately* included a child; and third, whether the child is under the age of sixteen years. The question of whether or not it is indecent has to be assessed objectively by the jury. It is irrelevant what is in the mind of the photographer. I firmly believe that it is right to leave such decisions to a jury, many members of which are parents setting the standards of what is acceptable in our country. But because these are the only questions that a jury can ask itself, this leaves a gaping hole in the protection of children, one to be exploited by those paedophiles who may take an innocent photograph of a child while harbouring the most extreme sexual notions towards him or her.

Child pornography and material known as 'child erotica' (material that eroticises a child and serves a specific sexual purpose for the viewer) can take many forms. The obvious photographic capture of a scene of indecent assault or rape, which in any sensible mind will register as an indecent or obscene picture, is rarely if ever subject to legal dispute, but what about a paedophile's collection of photos of little girls in underwear, carefully removed from clothing catalogues? Should he be allowed to gaze on and fantasise about these innocently photographed children and masturbate to reinforce his sexual fantasies? Does his action, altering the innocence of those pictures, make them indecent and prevent him collecting them? The law says no. This begs the question of where paedophiles' human rights of privacy and freedom of expression, enshrined in the Convention on Human Rights as scheduled to the Human Rights Act of 1998, should stop in order that our population of children can be better protected. At what point should these freedoms automatically be given up for the wider need to protect children from exploitation?

On a practical level, most of what we deal with would be considered as indecent by any observer. But what about 'naturist' pictures, pictures of children getting changed on the beach, children playing in the street? Surely whether the picture exploits the child in it depends on how the viewer interprets and uses (or misuses) it? The viewer's intention and the circumstances surrounding the taking of the photograph are, according to the law, irrelevant when deciding whether a photograph is indecent. Knowing how paedophiles use this type of photograph, I believe that this is wrong. I believe that a child's right to privacy and expression is sacrosanct. Paedophiles know the law and they do not want to go to prison. Although the majority are tempted to and indeed do include illegal photographs in their collections, many escape police intrusion, being allowed to carry on fantasising about raping children, because they collect only the photographs allowed by the law. This situation will, I am sure, continue to be a matter of discussion, debate and disagreement for a long time.

There are other activities innocently involving children in which paedophiles will, given the chance, exploit children's innocence and natural behaviour. A surprising number of parents, well intentioned but essentially naïve, take their children to 'naturist' clubs and resorts. Recognised for years as a paedophile's paradise, these clubs could, with effective controls and considered vetting procedures, restrict paedophiles' opportunities overnight, but until this is achieved across the whole of 'naturism', paedophiles will continue to be drawn to this pastime.

Wilfred Thellmann was a naturist who, even when naked, always carried his camera – just in case. A predator, he also liked to film children, particularly eight-year-old girls, innocently playing in the street or in the gardens outside his home. In addition he smuggled, or rather tried to smuggle, 'hard-core' child pornography into the country. That was when he got caught.

On 27th January 2001, the coach travelling from France to London was carrying more than the usual 'duty-paid' merchandise. Thellmann, one of the passengers, had supplemented his allowance with magazines such as *Young Debutantes*, *Teenagers from Holland* and *Shaved Teenagers*. Not satisfied with still photographs, he had also bought two videotapes entitled *Japan's Youngest*. The Customs and Excise team who arrested him searched his flat in Central London and took away more video and camcorder tapes. They also contacted Dave Page, and the Paedophile Squad got involved.

What is particularly interesting about this case is the sexualisation of the innocent; it concerns a less obvious intrusion into the privacy of our children and the manipulation of innocent reality captured on videotape. When DCs Dave Page and Kevin Green looked through the camcorder tapes that had been seized by Customs, they discovered Thellmann's passion for naturism. Or rather his passion for the young girls whom he could get close to through 'naturism'.

The camcorder tapes that attracted our interest were of the 'Under 16 Master and Miss Eureka' competition at the 1997 Fun Day at the Eureka Naturist Camp. Thellmann, true to his gender and age preference, had taken the opportunity to videotape a girl aged about eight, naked apart from a pair of knickers. In the original of the short video, the length of the filming being dictated by his desire not to get caught taking it, she is videotaped as she sits down and stands up again. This same clip is then repeated over and over again, duplicated by being played on Thellmann's TV and recorded onto another tape. Repeating the process he created the impression that the child is sitting and standing time and time again. What sexual qualities Thellmann found in this image of innocence can only be guessed at – the subterfuge, the potential of getting caught, the fact that the child mirrored his ideal sexual partner – but whatever it was that drove him to record the innocent activities of this child, there is no doubt that he exploited her.

In fairness to the organisers of this event, what can be clearly heard on Thellmann's recording of the 'child pageant' is the following announcement, reinforced in the club rules: 'Sorry, I should say no photographs of the children, if you don't mind. I have to tell you, no photographs of the children. That is an absolute no–no. And no videos of the children either.' But such rules saying that children should not be photographed or videotaped at any time are continually broken by paedophiles who cannot miss such a good opportunity. Would it not be better to have a rule that no cameras are to be carried – they certainly cannot be hidden when all the onlookers are naked – so no covert filming can take place?

But captured on yet another of Thellmann's camcorder tapes were scenes of children innocently playing in the street outside his house. One scene is of another eight-year old girl, happily and innocently playing with a couple of boys. Part of her play is doing 'hand-stands' against a house wall, which makes her summer dress fall away and expose her knickers. The soundtrack on the videotape shows Thellmann's obvious excitement at what he is capturing on his camera as well as his frustration when one of the boys obstructs his view. And this was not the only time that Thellmann spied on children from behind his curtains. On another occasion, he filmed yet another eight-year-old girl in a swimsuit in the back garden of her house. As Thellmann told Dave Page and Kevin Green, he is attracted to the young female body, preferring girls of seven to eight years of age.

Whether or not the law will ever criminalise paedophiles who steal children's innocence by eroticising innocent pictures remains to be seen. What is clear, however, is that the parents of those children whom Thellmann secretly filmed thought that something should be done about it. As one mother pointed out, 'You provide boundaries for your child in which to play. She was allowed between two points in the street to keep her safe from harm. Trust was then abused by somebody taking secret films of my daughter when she was playing a children's game.' All the mothers involved felt that Thellmann had violated and abused their daughters' bodies as he became sexually excited by the innocent play.

Thellmann was sentenced to three years' imprisonment, two of which were suspended and not to be served provided that he remained under supervision of the probation service and entered a treatment programme. The time he had already served in custody made him eligible for more or less immediate release. Thellmann had also previously undergone treatment following one of his many convictions for offending against children, but it had obviously not worked that time. The benefits of any treatment programme can only be assessed after a period of time, so we can only wait to see if this episode of therapy works.

None of the children from the naturist club or the street outside Thellmann's house will ever know about this paedophile voyeur, but the blight on their lives may not be completely over. Thellmann's videotapes may have been shared with other paedophiles, sitting late at night watching an eight-year-old girl doing hand-stands against a wall.

16

STARING INTO THE
ABYSS WITHOUT
FALLING

Bob Long

Why did some paedophiles let us film them? Protected more than ever by the European Human Rights Act, they were able to stop us entering their homes. The police, immediately on going in, had to make it absolutely clear that we could not come into their homes without their consent. Most of them were horrified that the BBC was outside filming the early morning raid in front of all their neighbours. They were astonished that the police even asked whether we would be permitted to come in. The question was answered with remarks like, 'Why on earth would I consider for one minute letting them film me?' Yet some of them did let us in to film, and I can only speculate on their reasons because we never asked. Some were perhaps going overboard trying to show how co-operative they were planning to be. Some, like Mark Enfield, might have wanted to please at every opportunity. Julian Levene had his own reasons for letting us film: he was a man on a mission who, like any political zealot, could just not help himself when offered a public platform. One or two might have realised that we would get them on camera anyway when they came out of their house to be taken to the police station, so they might as well have us filming inside where others could not see.

Some searches lasted from 6.30 am until well into the evening, during which time we would film reports from the detectives as they came out of the house for a break, telling us what they had found. We filmed the POLSA teams in their dark overalls with their shiny chrome cases stopping to make detailed contemporaneous notes. We would beg bacon sandwiches and take-away tea from the police who made the occasional trip for refreshments when we did not dare move in case we missed something. We developed unexpected suntans: I got fed up meeting people in the lift back at the office asking 'Ooh, where have you been?', expecting me to say something like 'a week in Tuscany' instead of 'waiting outside the home of a paedophile for ten hours so I can get him on tape for twenty seconds'.

But when the men finally did come out, we would jump into action to get our precious footage. They would often hide themselves with a newspaper, a hat or even an umbrella. When that brief ritual was over, we would often find ourselves sitting next to them in the car on the way to the police station, albeit with a prior agreement not to film. We might chat about the weather, or the suspects would help with directions. As soon as we arrived, we would jump out of the car first and film for another ten seconds as they were led inside. Filming in the police station itself was under the control of the Custody Sergeant of the day. We were usually able to telephone ahead and request permission, but this was often refused. One Custody Sergeant said to me, 'This is a police station not a TV studio.' Others were helpful, granting permission on the understanding that they could stop us filming if they thought it was causing any kind of problem.

I was very impressed with the responsibilities that are given to a Custody Sergeant. It is he or she who makes the decision that a charged suspect will or will not get 'police bail', who can release prisoners into the community or decide to keep them until a magistrate or judge can make that decision. As for us, we were concerned that they were all-powerful. Even if the senior policeman in the police station were in favour of our filming, he or she would never go against the decision of the Custody Sergeant. We just kept our fingers crossed.

From the beginning of the project, I had wondered about the policemen and women working in the Paedophile Unit. Why would they decide to work there? It had been a conscious decision for all of them: none had arrived by accident or because it was the only job available. On the contrary, they went through a process that almost tried to talk them out of it, being exposed to the material they would be working with and being warned about the people, both criminals and victims, they would come across. However, several common themes emerged from discussions with them.

Sexually abusing children is a crime that society is completely unified in opinion over and horrified by. If a census were taken in the street, I am sure the public would put tackling paedophiles at the top of the list, somewhere alongside murder. Child abuse is universally accepted as a very serious crime so there must be enormous job satisfaction in putting such criminals behind bars compared with the more mundane everyday burglar or drug-addicted shop-lifter. The detectives in the Paedophile Unit had not only the backing of society, but also their own moral certainty about what they were doing.

Many of the detectives I talked to were on a mission and had a genuine hatred for the 'other side', the paedophiles, something probably not seen in other areas of crime. Does the detective who helps to convict an armed robber really hate criminals with such a passion as the policeman who takes a child rapist off the street? The paedophile is rock bottom on the crime hierarchy, so low in fact in the prison pecking order that he has to be protected from attack by people whose moral code still seems to the general public to be at least a little shaky, but who also have little doubt when judging child abusers. The detectives hated the child abusers, and the cleverer the child abuser, the more hatred they deserved.

On many occasions when suspects were being searched, arrested or questioned, I was surprised by the politeness, civility and even apparent friendliness the police showed to them. I knew how they felt about paedophiles yet they would chat about football teams, the good or bad aspects of living in North London, the weather. They would say 'Excuse me' as they passed them, explain everything to them, ask if they needed to use the toilet. They would call them Mr Smith or whatever unless they developed an even friendlier rapport, when they would use their first names: 'Dave, could you show me anywhere else you keep your computer disks?' DC Kevin Green explained that you are going to achieve nothing by being hostile. On a search you will learn more about them, their contacts and what they have been up to by being civil. In the interview at the police station too, the last thing you want is for a suspect to clam up because you have made it clear that you detest him.

We also wondered how they coped with the job. The BBC team were having their emotions pulled all over the place. Ben Rumney became a father for the first time during the project and nearly all the detectives had children of some age or other; DC Andy Murray was even a grandfather. All were going home to families after they had been subjected to the most horrific images of sex and violence directed against children who were just like their own. But if I was curious about the defence mechanism they adopted, I realised that the viewing audience would be just as interested too. So I directed the filming team to ask the detectives about all these issues of defence and motivation whenever they had a quiet moment to talk personally with them on camera.

DS John Gorry had worked for many years in a Child Protection Team and had been drafted in to help with Operation Doorknock. He found he liked working in the unit so much that he applied for a permanent position and was selected. His previous work had given him much experience of interviewing victims of child abuse who had grown up and were making statements against the paedophiles who had abused them when they were small children. I had seen a tape of John interviewing victims with his partner and was impressed by his professionalism and incredible sensitivity. As they recounted their horror stories, which still haunted them and had clearly ruined their lives, John gave the distinct impression that he cared – not difficult for him because he actually did.

We asked John how he felt about paedophiles. He as usual gave the question a moment's thought before he answered:

> If they could only know the damage that they actually cause to young children, they may think again. But that's an unreal view. I think, like many crimes, the central feature in all of it is greed. It's somebody taking something from somebody else which they don't have an entitlement to take. With sexual abuse, what they are taking is more than their own gratification. They are leaving behind enormous damage, and if they could only get a perception of that, then maybe something would happen. But because of the very predatory nature of it, I don't believe they sit back and ask themselves. This is very much a generalisation because clearly there may be some people, some individuals, who do sit back and realise the damage that they've caused and have got dilemmas of conscience in their own minds, but it is also something predatory that they cannot resist and therefore the questions they may be asking themselves, they conveniently put at the back of their minds. Just like anybody who takes anything that they shouldn't, the taking is the most important.

John was asked whether he had any idea of what was going on in the minds of paedophiles, but like other detectives we talked to, he felt unqualified to answer and could not speculate. The detectives were not generally afraid of speculation – which horse would win the 3.30 at Brighton, what would happen to their efficiency if resources were reduced – but they felt that the amateur psycho-analysis of paedophiles should be left to others. Some even went further and made it clear that too many people were trying to understand the paedophiles, putting too little effort into supporting the victims. To them, however, the philosophy that surrounded their work was very clear cut: child abuse is an extremely bad crime and it was their job to catch abusers by gathering enough good evidence to have them imprisoned.

DC Kevin Ives was the unit's computer expert, working closely with his civilian partner Michelle in analysing seized computer material. Kevin was a highly experienced policeman who had done his time as a local copper and in various specialised units including the Special Patrol Group and the Vice Squad. He had also worked for the FBI, pulling computers apart to spill out their deeply hidden secrets and working long hours searching behind codes and security measures to find what paedophiles hoped would always be hidden. When he made a breakthrough, he might suddenly be looking at a vast and extreme collection of images of child abuse – thirty thousand in one find was not unusual. 'I learned a long time ago never to say "I've seen it all" – because in truth, and most of the other guys in the unit will probably say, the day you say that, you look at something the following day and it's something you've never seen before and you think . . . I can't believe this . . . The fact that there's photographic record of it means that it has all happened and you can't physically stop that. It's too late . . . unfortunately.'

But did Kevin's work affect his relationship with his children:

> I don't take it home with me in so far that you can't be neurotic about this, you have to rely on the fact that your children can talk to you, and you have to have trust with your children, you've got to have that. And of course, on many cases where there are children abused outside the immediate family, it's not only the child's trust that's damaged, it's . . . the parents' trust in that relative or that person who befriended them. Imagine, it must be a terrible thing to live with that; perhaps you have trusted somebody with your child and that person has then abused your child and you on that situation, then nothing you can do can change or alter that. Obviously, it becomes a heavy burden that you can look at and say – 'it's my fault'. It's not just the child, there are fall-outs all round, including perhaps almost certainly the abuser's immediate family when it's discovered this person who is part of their family has been abusing children. It's potentially a large fall-out area.

Most of the detectives had considerable experience in other kinds of police work including robbery, murder and drug-related crime. Many of them had come from a related area such as vice, with its focus on sexual behaviour and pornography, or the Child Protection Teams, which comprise a more regionally located division within the Metropolitan Police that is primarily involved with incest-related abuse. Once these detectives arrived at the Paedophile Unit, they usually stayed. They all seem to like working in the team: it was big enough to socialise with yet small enough that everybody knew each other and worked together well. Bound together by a common cause, I sensed little rivalry among the team.

> My background, and I make no secret of it, I'm a career CID officer, career detective; background's been the big drug squad, you know the central Drug Squad before it became the Regional Crime Squad. All the serious crime postings you can get, and as far as I was concerned I'd seen it, I'd done it, nothing was going to surprise me; and I was working in Brixton in the CID office there about four years ago, and I had to come up to the unit because I was dealing with a paedophile enquiry which didn't involve imagery, you know child pornography. I came up to the unit to get some advice on some things, and I got talking to Bob McLachlan and he showed me examples of child pornography . . . and the impact it had on me, without any doubt, will stay with me for the rest of my life. It was quite profound at that stage; I felt I had been there, seen it, done it and I was actually so shocked at what I saw that I remember that evening talking to some friends of mine about what I'd seen and nobody would believe me. And really, as a result of that visit I became more and more interested in it, and a vacancy came up, and I applied and got an interview and was successful . . . Best place I ever worked, great place. I really really enjoy it.

After joining the unit, Andy Murray changed his attitude to 'child pornography':

> The description 'child pornography' is completely the wrong title for it. The boss describes it as being a permanent record of a child being sexually abused. That is what it is. Pornography in

my mind is consensual 99.9% of the time. Others may disagree, but it involves adults and there is a degree of consent in most of the pornography that I've seen. In child pornography, consent goes out of the window. Anyone that has seen what adult pornography concerns, we will have examples of it involving children.

The police team talked about switching off when they went home, or of never becoming numb to the material but not letting it affect the rest of their life. Andy likened to it the images we all see on TV of starving children in another country: it does affect us but we get on with our lives. It is sometimes difficult to remember which particular famine or which particular war we saw last week on the news. And just when the staff of the unit think they've seen it all, the boundaries change and they have to adjust.

Almost every week of his working life, Kevin Green was confronted by something he had never seen before. His previous position dealing with sex offenders on the register had been a useful experience, but he was now beginning to adjust to his frequent exposure to such extreme material. Kevin had only recently joined the unit:

One of the ones I've got on the go, which was the first job that I picked up when I came up here, was the picture of the headless boy. Other people have looked at the photograph and been quite shocked and horrified. I suppose it's the act itself of beheading a child, and then the act of somebody finding that so interesting that they want to take a photograph of it, followed by the act itself of finding the photograph so intriguing they actually went and purchased it, you know, three absolutely disgusting things to happen. But I've looked at it so many times now through making enquiries trying to trace where it came from that you become accustomed to it. I think you just get used to it. You look at it so much you get used to it.

After a short time in his new job, Kevin had begun to appreciate the moral certainty of his new role detecting and gathering evidence against paedophiles:

> I'm not knocking other crimes, I'm not saying other crimes are not as serious because they are serious. You know robbery is a serious crime, all sorts of violent crimes are nasty and have a horrendous impact on the victim. But this particular crime, in my opinion, perhaps not the opinion of the rest of the police, I think is the most disgraceful and disgusting crime that someone can commit. This sort of act against a child, and it's what I've chosen to investigate.

> I never thought about doing it before. It's only through dealing with sex offenders who come on the register, and learning a bit more about them and what makes them tick. I've steered myself towards this career choice; they're the kind of people I want to convict and put away if I can. I don't think anyone wants them out there on the street. It's a difficult job to do, but I don't think I'd swap it.

> I spoke to a bloke the other day, he's got twenty-nine years service in the police and he's just taken over my job dealing with sex offenders. This bloke's done most things in the police; most squads, most things that can be investigated, he's dealt with them. He dealt with a sex offender the other day and he caught him. He was just about to go camping with a boy . . . He knew exactly what he was up to. He said it was the most satisfying day of his career . . . so . . .

But Kevin, despite being a seasoned cop, was still grappling with his own feelings towards the men he arrested: 'They are the most dangerous offenders. They take someone's trust and turn it inside out. Victims of crime, you know, given time and understanding may get over the trauma, but I don't think a kid that's been abused will ever get over it.'

We could all understand that and believe it, but Kevin Green was meeting offenders every day and could not spit in their face, shout 'monster' at them and drag them away in handcuffs. There was the very unlikely chance that the suspect he was facing was actually not guilty, and even if he were, Kevin needed a certain amount of co-operation to make the case stick. The ultimate prize for the detectives' polite professionalism or chumminess was the extraction of details of other paedophiles and even the names of victims, which could be passed on for help.

17

THE SNOWMAN TAPE

Bob Long

The detectives could keep up this non-judgemental friendliness for hours, but it sometimes took its toll. In one case involving the possession of graphic pictures of the buggery of babies DC Kevin Green was like an old friend to the arrested paedophile as he led him through the procedures in a police station. As he cheerfully said goodbye, Kevin turned round and angrily headed for the door: 'That's it, you can be nice for just so long.'

The phrase 'Paedophiles are nice men not monsters, that's why kids like them' applied to adults liking them too. In order to get to the kids, they often had to be liked by the parents first. Predatory paedophiles are masters of manipulation and can easily present the side of themselves that encourages a friendly response, a side that can be very ordinary, unthreatening and friendly. In some of the cases we came across, it did not seem possible that the man's two sides could be contained in the same body without serious mental consequences. Many of the paedophiles we encountered were suffering from and taking medication for depression; was this coincidence or was the depression triggered by the impossibility of reconciling the gross extremes of who they were and what they did? At one moment, they might be 'respectable', decent men buying

'Fair Trade' tea from the supermarket and contributing generously to Comic Relief; at another they would be trying to force their oversized erection into the undersized anus of a child. It made me think of Adolph Hitler, expressing horror that people could be so cruel as to kill animals for food, yet was the architect of the terrible slaughter of millions who did not fit his vision of the master race.

Kevin Green, on his way to arrest Mr Hunt, a very nice respectable, church-going man who has a sexual interest in young boys, was understandably concerned about the contradictions that were confronting him all the time:

> I change like the wind sometimes, I do.
>
> Mmm . . . They're creatures, aren't they really? The problem is that I've also dealt with them as people. My feelings towards them are difficult to express. You know . . . some of them, I can't say all of them, some of them I'm sure have got a genuine illness as well as wanting to have a sexual relationship with a child. That's wrong, it's despicable, and 'creatures' is the only way to describe people who want to do that.
>
> You can only try to convict them and get them into prison, either to protect the public or to get them on some programme to help them to help themselves. They're not going to voluntarily wander out and get treatment for themselves . . . Some of them need help, some of them just do it because it's a devious thing that they want to do. I've met all different people and I've sat down in their front rooms when I've visited them, and I've had so many different answers from them it's just impossible for me to give a definitive answer of what their problem is.
>
> I can see the justification, in some circumstances, for a non-custodial sentence because people go into prison, and if they're only going to serve a relatively short period of time they won't get any sex offenders' treatment at all. So they go into prison, they fester in their cell, they come out, no-one's spoken to them, no-one's tried to get to the bottom of the problem, no-one's tried to cure it or help them help themselves. So at least if they go and get something like three years' probation and must attend a sex offenders treatment programme – that's of some use.

Kevin was the most recent addition to the team; DC Terry Bailey had worked in the unit the longest and it showed. He was a big, friendly, generous, jovial man – 'cuddly' the women in our team would even say. If you were arrested by him, you would be relieved to meet such a nice guy, but you would be a fool to think that he would miss anything or that he was on your side. His experience and expertise was incredible; no amount of study or special coursework could replace the knowledge he carried around in his head.

He was nearing retirement, but it was difficult to get out of Terry how long he had actually spent in the unit – probably longer than he was supposed to. There was a general sense that detectives should not spend 'too long' working in the Paedophile Unit: too long would screw you up and you had to get out before you were permanently damaged. Bob McLachlan's answer to this was that 'the damage was done in the first few months and it has taken years to learn how to cope with it'.

Ben Rumney from our team asked Terry what officers in other departments thought about policemen working in the Paedophile Unit:

> What they say is 'How can you do that kind of work?' They say, 'I couldn't do that kind of job.' I'm not saying that the material that I see doesn't shock me because it still shocks and I've been working with it for a long time now. There will always be something that will shock me, and you should never be complacent. But what we need is recognition within the force or we will just bumble along doing what we do . . . I've done it for a long time and I enjoy the job satisfaction. I still find it a challenge, and at the end of the day when someone is locked up, they're not out abusing children and that's ever so important.
>
> As far as home goes, I try not to take it into the house. I very rarely talk about work at home. I talk about it a lot after work with colleagues out for a drink or whatever. I occasionally talk about it with my wife or my mother and father, but not in great detail because they wouldn't understand anyway.

Terry felt that his previous work on the Vice Squad had helped to prepare him for the Paedophile Unit:

> Before I came to the Yard, I worked in Notting Hill with the Vice Squad, and I saw some pretty horrible things in life. I saw pimping at its lowest level where young girls were tortured and that type of thing. I did the book shops and saw all the kinds of things adults got up to in pornography. So I had a good grounding in it all. But now I see material that I still find staggering of what adults can actually do to children. Whether you can come to it without having a background in it and just facing it on the screen for the first time, I just don't know. There are people in the office that have done that and I don't know how they feel about it.

Ben asked Terry what the worst he had seen was. Without hesitation he said 'the Snowman tape' so-called because the theme music from the film *The Snowman* is playing in the background. All Terry would say on the matter was that the tape haunted him, and it was obvious that he had been deeply affected by it. Quickly changing the subject, we asked a question that had been on our minds since we started the project. If paedophiles actively seek out jobs and environments to satisfy their needs, surely the Paedophile Unit at Scotland Yard might be a good place to find a job?:

> We used to recruit people that came from certain backgrounds, and whether that is the right way to go, I don't know. We are suspicious of anyone else trying to get within our unit. I mean let's face it, in the police there are around 20,000, and within that 20,000 there is a cross-section of life. We have arrested people in the past who are both police officers and paedophiles. We've also arrested civilian staff working for the police force who are paedophiles. So we are as open to it as anyone else . . . Vetting is very important, but that can't always weed people out. You just have to be on your guard and take note of the people around you and bring it to someone's attention if you think something strange is going on.

Ben then asked Terry whether his work made him extra cautious with his own children:

I've got a little boy who's just starting school and he may want to join the scouts or something, and I'm extra cautious about these things. But you have to remember that not all people who work with children, scouts, football team managers, are looking at kids for what we're looking at people for. There's a lot of good people out there, so I try not to look at them from the point of view that everyone who works with children on a voluntary basis is looking at them to abuse them. That's just not the case. There are lots of very good people who do very good work with children. Unfortunately, working with children is a favourite avenue that paedophiles use to abuse children. So I will be more careful but I have to keep an open mind or it would drive you insane. It won't stop me letting children of mine go to scouts or joining a football team.

Terry's experience of catching paedophiles and dealing with victims had also given him a completely new perspective on crime and some criminals that he might not have developed elsewhere in the force.

I went to see a victim. We had identified him in a video being abused when he was about fourteen. We went to the local police station to find out about him and found he was in a remand centre awaiting burglary charges. I went to see the local CID because they were dealing with the burglary case. I asked him what he was like. The CID guy said, 'He's a right little shit basically, he's stroppy and you'll never get anything out of him.' So I said, I'll go and see him.

I went to see him at the remand centre with a colleague. I expected a big lad because of the way he described him. But he wasn't big, just a normal-sized lad now seventeen years old. When we told him why we were there he just shrank down in his chair. I had not told anybody about it because he didn't want his family to know. He actually made a statement for us and appeared in court, and when we left him I looked at him and he was just a boy. If I could have done, I felt so sorry for him, I'd have taken him home. I just wanted to put my arm around him and take him home.

No-one knew about his past. There he was, everyone just thought he was this macho guy and then we came along and he virtually collapsed in front of us. Very, very sad. And now when people say to me they're little shits out there, I always think back to that. It made me look at life differently. Maybe there's a reason why someone is always a little shit or a stroppy little sod.

DI Dave Marshall, as the number two in the unit under Bob McLachlan, also had managerial responsibilities to consider the effect of the work on the rest of the team.

Ben asked him how working with the people and pornography affected him, and generally about the police attitude to catching paedophiles. Dave's answer was characteristically carefully considered:

I think if anyone says it doesn't affect you, they're not being true to themselves because it does affect you, and if this kind of crime doesn't have an impact on you, then it really has affected you. . . . I think you build up coping mechanisms whereby you can deal with it and you're able to compartmentalise it . . . but you're able to see that you're doing something positive to kind of rectify the situation. Someone needs to do it and you're the person who's doing it. I don't think you'd want to work in this field of crime for an inordinate period of time, although some people I know have worked in it for several years and don't have a problem with it, but personally I think it will be a certain amount of time and then move on to something else.

It's not one of these areas that people are really eager and keen to work in, although I was quite encouraged recently with applications for Detective Sergeants to work up here, and we had twenty-six people show an interest which is unusual for any unit. Perhaps that's a sign of the times, the idea of child protection issues are seen by detectives as a very worthwhile area to be employed in. In the past perhaps, it was very dedicated people who would pursue that path, but others would rather go for the more glamorous kind of robbery squad, murder squad or drug squads.

But also the way the government use crime when they set their objectives. Children didn't feature until this year really. So because people get measured on these kinds of objectives, if it's not an objective, the resources won't be there as it would be for the government objectives. If you're going to get measured on your robbery clear-up, your murder, rape and drugs, rowdy behaviour and youth crime, then that's where you're going to put your resources, because that's going to be how you're judged.

It's nice to see that child protection issues are really coming to the forefront . . . People have really realised that it is the problem that it is, and resources have been allocated appropriately. Now people are seeing that child abuse and crimes against children are equally as important if not more important in many ways for the impact they have on the victim.

Dave was spot on when he said that if you think it has not affected you, then it really has done. But what was this effect and how did the staff of the unit deal with it? When we interviewed them on camera, we were all hoping for a profound insight into the coping mechanisms they had developed in this unique area, but they all basically said, 'We just leave it at the office and cut off.' Is it really that simple, or is the coping process so complicated and subtle that it is almost impossible to articulate?

And what about us at the BBC? The truth is that I know even less about my own team's coping mechanism than that of the police. Counselling was compulsory, but we did not talk about the situation very much. The team were all very horrified by the activities portrayed on video and in pictures, but were, like me, excited to be working closely with such an amazing unit and hopefully making a difference. Each one of us, however, became aware of our limits and did not want to extend them, as became clear when Bob McLachlan decided to show me the 'Snowman' tape. For many months the 'Snowman' tape had occupied a place in our collective conscience as the worst evidence ever, and we were intrigued but very wary of it. I had mentioned to Bob early on that we might want to use a small part of the tape in the series, and it was left like that until one afternoon several months later, when we were working together in his office and he suddenly decided that it was time we saw the tape. I was held by a kind of fear; I wanted to do it, was determined to do it, but would have jumped at an excuse not to.

We went into the open plan office, where Clarissa and Ben from the BBC were working on logging tapes. Bob announced that if they did not want to see the tape, they had better leave, which to my complete surprise, they immediately did. They had been subjected to incredible images of abuse, but the mythology surrounding this tape overcame any kind of curiosity; they had reached their limit. I stayed to watch the terrible abuse of a little boy who was a very unwilling partner. There was absolutely no way any part of it could ever be broadcast.

I asked Chloe Pettersson, the unit assistant and researcher on the BBC team, what she had made of her experience with the unit, viewing and logging material and helping to draft this book. She said that, for her, the core issue was 'consent'. The Paedophile Unit exists to protect children, who are not considered to be in a position to give consent, paedophiles often arguing around the issue of consent to justify, at least to themselves, what they do. This is complicated by the fact that children who are being regularly abused may have learnt that saying 'yes' means receiving love, and this might be the only way they feel they can get love. The idea of consent made a lot of sense in relation to Mark Enfield, particularly in explaining how he could go from being abused at four to being handed around at nine. He had said that he 'gave something off' that *they* 'could smell'; perhaps what paedophiles could sense in Enfield was that he liked to say 'yes' and that, by saying yes to sex, he would receive something that he could mistakenly translate into love.

I never really identified how the work affected us or how damaging it was. We all 'coped', but nobody could really tell me how. Perhaps we were all in some kind of positive and protective denial. I felt I had a little extra cross to bear when my counsellor suggested that I might have been the catalyst in Enfield's suicide. She said I was the last 'human' conversation he had; perhaps I had forced him to look at his life and he had decided to end it. It was also suggested that he was powerless in a world dominated by the effects of power and that the only way he could exercise power was to kill himself. In the end, we stopped asking 'why' and just got on with our jobs, recording the police getting on with theirs.

Luckily, the pace of events was relentless, and there was in many ways not too much time to think. Operation Doorknock was thundering along with new discoveries every day the detectives delved into the mountain of photographs, videos, books and other paedophiliac memorabilia. As the case against Julian Levene and Keith Romig grew, the police team started to find details of other potential suspects. Prints of some negatives found at Romig's house revealed a gallery of horrific pictures of children being abused. Many of the pictures were taken in a country cottage, showing a number of different girls of around ten years old in all sorts of poses. But this was not 'just' images of naked children. One of the photographs of a little girl was extremely disturbing: she was in a bed on her knees with her bottom in the air, holding it apart to expose her anus, which was large and open, obviously enlarged by recent rape or a period of abuse.

In the other photographs, there was a wealth of background detail. Many paedophiles take a lot of trouble to disguise the location of their pictures as almost anything in the photograph can be used to track them down, but this gallery of pictures had furniture, carpet, a loft hatch and the entire geography of parts of the house. One real stroke of luck was the photograph of unidentified man outside the cottage with a little girl. On its own, the picture was not particularly damming – it could have been a family snap of a father and daughter – but given the nature of the other pictures, this is unlikely. Incredibly, they are standing next to a sign clearly reading 'Hazelcot', which DC Andy Murray now had to find. The chances were that his search would reveal another paedophile and yet more evidence.

At about this time, a video from Romig's home revealed a new and very dangerous suspect. A man in a white dressing gown carries a little girl aged around six into a bedroom. It is obviously very late and feels like the middle of the night. The little girl is either half asleep or drugged. He puts her down on the bed, sits beside her, opens her legs and uses his finger on her. A moment later, he kneels on the floor and replaces his finger with his mouth. The little girl slowly puts her hands over her face. At first, Detectives Dave Page and Terry Bailey thought that the man looked like Levene, but they then realised that he was not. They were determined to find the man in the white dressing gown.

18

THE BIG MISTAKE

Bob Long

The man in the white dressing gown who was seen in the tape seized in Julian Levene's lock up turned out to be Les Baldwin, who was arrested and charged, quickly distancing himself from Levene and Romig. At the Old Bailey, he pleaded guilty to the tape in order to separate himself further from the others. He claimed it was a one-off incident from many years before and that he had never done anything like it since.

Operation Doorknock motored on. The evidence was huge in terms of the number of images, tapes, drawings and letters, but it desperately needed support from the actual victims. One victim seen as a little girl in some of the images was Janice, now in her thirties, who told of how as a young girl she had been abused by Levene and, crucially, that he had penetrated her. This would increase the charge from gross indecency to rape, and Janice became the star witness against Levene. The detectives took a long statement from Janice that was detailed and damning for Levene as well as an incredible life story from someone who had a childhood of wall-to-wall sexual abuse and prostitution with her father as her pimp.

We were obviously interested in filming Janice and asked, through the Child Protection Team detectives, for an indication of her interest in being interviewed. She said that she would think about it but seemed quite keen. However, our excitement at this possibility nearly lost us everything as we, especially I myself, made the biggest mistake of our time at New Scotland Yard. Having built up an incredible level of trust by treading carefully, I went and jumped in with both feet. It could have spelt the end of the project.

I was filming the Interpol Conference on Paedophilia chaired by Bob McLachlan in Palma, Majorca. Sounds sunny, but I chose to arrive a day early to enjoy the heat and it rained the whole time. As I bent against the wind looking for a restaurant for dinner, Clarissa rang me on my mobile phone to tell me that Janice wanted to be interviewed and that the unit had agreed. I gave Clarissa the go-ahead and we talked through how and where to film and what to ask. I headed into a nearby Chinese restaurant thinking nothing more of it except the usual little thrill of excitement you get from such a breakthrough.

Clarissa carried out the interview and reported back that it was really good. Janice had been incredibly honest and told a story that was too incredible for fiction. Clarissa was over the moon: when you are confronted with terrible issues that you have the job of representing on TV, it is sometimes frustrating that your experience of the situation does not come across in all its power on the screen. Then you get a piece of footage that gets the message across and you are thrilled that the audience will start to understand. With our response to the paedophiles we met, the pornography we saw and the occasional victims we encountered, we wanted desperately to get the horror across. But this would be severely limited by the laws surrounding broadcasting, the ethics and the rules that govern taste and decency. With an interview, which is a personal account without pornographic pictures, there were still boundaries to consider, but we had a greater potential to illustrate the horrors of child abuse to the audience.

I trusted Clarissa's judgement, but I knew that anyone can get carried away with the excitement of such a 'scoop'. I was hundreds of miles away and not returning that week so I needed a second opinion on the material. Chloe Pettersson had assisted Clarissa on the interview set-up and had watched all the tapes afterwards. I had worked closely with Chloe throughout the year and I knew she would be cool-headed in her judgement. It was also not her interview so she would be more objective. When Chloe told me that it was incredible, I was delighted and started imagining where it might fit into the series.

Meanwhile, in Palma, the weather brightened and the Interpol conference began. Senior policemen came from all over the world to discuss catching paedophiles, to liase and form links to improve their effectiveness across the world in what has become a highly international crime. There was a delegate from The People's Republic of China and an impressive range from the developing world, who were encountering a large sex tourism problem.

Bob was the president of the Interpol organisation on paedophilia; not only was he an excellent chairman, but it was also clear that he and the Paedophile Unit were held in great respect throughout the world. I was there to film him in action, but I had the added bonus of meeting some incredibly interesting people. My lunch companions, seated at a big table outside overlooking the sea, contained FBI Special Agents. No matter how long in the television tooth you are, you still get a cheap thrill from meeting such celebrities. They told me how they specialised in going undercover on the Internet to catch paedophiles. The woman sitting next to me, a refreshing old-style feminist, explained that her job description was 'serial killer profiler', and then casually ordered a light salad for lunch. Some of the delegates had known each other for years and the atmosphere was relaxed: one delegate (from a different organisation) told me that FBI really stood for 'Famous But Incompetent'.

But I was soon brought heavily back to earth. When Clarissa had arrived at New Scotland Yard the day after the interview, she had enthused to everyone about how well it had all gone, but the police, especially Andy Murray and Dave Marshall, were horrified. They had reported back that Janice was happy to be interviewed, but it was on the absolute assumption that we would not go ahead until after the court case. Clarissa had assumed that we could proceed at any time, and I, as her boss, had assumed that it was fine to go ahead as soon as possible. All those assumptions; but a big mistake.

Andy Murray explained just how serious it could be. The interview would have to be 'disclosed' to the defence in the rules of engagement. If Janice's account in the interview differed even slightly from that in her official statement for the trial, the defence could use it to undermine the whole statement and therefore her whole testimony. In our enthusiasm to get an incredible interview, we had put the prosecution case against Levene and the others involved in Operation Doorknock at risk. Dave Marshall was obviously concerned but was as usual very cool and professional. He told me that the Crown Prosecution Service lawyer, along with Andy Murray, would have to look at our interview and compare it with the trial statement to search for discrepancies. We would just have to wait and see. I reported everything back to Bob; 'Let's see what happens', he said.

I immediately started taking the homeopathic tranquillisers that I always have in my briefcase to cope with some of the stresses of my job. I phoned the BBC lawyer who was used to dealing with crises and also excellent at finding solutions. But he too told me that we would just have to wait and see. I reached for another homeopathic tablet and considered valium instead.

While I was mentally composing my letter of resignation to the BBC, he called me back with an idea. The police, the Crown Prosecution Service and the defence had made no formal request to have possession of the tapes; they belonged to the BBC and I had the right to have them destroyed. I was overjoyed that Operation Doorknock might be rescued. But when I phoned Andy Murray to tell him the good news, he said he would rather I did not destroy the tapes because he felt it would be 'unethical', rather like destroying evidence. Proud of his conduct in the police, he did not want to sanction the destruction of evidence even though it might undermine a year's hard work. Andy also pointed out that the defence lawyers might feel that our destruction of the tapes was hiding something damaging in them. He was of course right.

Everybody was telling me to wait and see – the hardest thing to do in a crisis. I checked the the maximum daily dosage of homeopathic tablets and waited miserably for my flight home. A day after my return, Andy and the Crown Prosecution Service lawyer looked at the tape and, with a reassuring smile at my worry-contorted face, reported that the interview and statement were consistent. They would 'disclose' the interview to the defence but we had nothing to worry about. Thank God.

19

JANICE

Bob Long

But what of the interview with Janice, which I could now watch free of worry? It was excellent from a broadcaster's point of view but horrific in that it had actually been someone's childhood. Janice told a story that sent a chill up my spine, a story of sexual abuse and child prostitution at the hands of her father. It was amazing that anyone could live through such a childhood and somehow survive. But what does survival mean? She was still alive, but much of her must have been damaged forever in a way that few of us can imagine. With permission from the police, I spoke to Janice to confirm we could use the interview. She was chatty on the phone and convinced that people should know her story. This was not the, albeit desperately sad, account of a child who had been abused on a few occasions but a horror story, a tale of the totally unexpected. Clarissa started the interview by asking how it all began, and Janice started to describe her upbringing.

'It never actually began, it was something that I was brought up with. It happens from when you're in the pram, it's not like – "Oh, she's five years old now, let's start abusing", it doesn't happen like that; you're actually trained from birth basically, and it is just a way of life, it's just something you're brought up with.'

'If you've got pets in the house, and children are brought up with dogs, you're used to having dogs in the house. Well, I was brought up with an abuser, it's just a natural thing; there isn't any set time, at different stages you're taught to do different things, but the way paedophiles treat daughters, children . . . it is just a way of life, it's not like "Oh this is wrong, this is right." You trust the parent, it's natural. If my dad said "do something" then it was done because he is a parent, somebody I looked up to, somebody I had whole trust in, and if you've done it from birth, then you trust in what they say, so how can something be wrong? They're there to guide you; parents are there to guide you through your life, and that's exactly what he did, he guided me, and it's only when you're older you can say, "Yes that was wrong", but when you're a child and you have full trust in an adult, it's not seen as wrong.'

Janice told Clarissa that her father had abused other children under cover of voluntary work with children's organisations that involved annual camps. He had sexually abused boys and girls, sometimes in a group, and there was always plenty of pocket money for them. Clarissa then asked Janice how her father had started abusing her.

'When from about the age of six, every evening he would come from work, I used to sit on his lap in the evening, curled up on his lap, and he would always have me situated on both his knees, his armchair was always facing the wall on one side, so it was easier for him to have one hand on my lap there which was facing my mother's armchair, the other hand was always down my knickers, and that was when my mother was watching telly. The one thing I want to state is that my mother never never knew what was going on; people turn round and say, "Why didn't you turn round and tell her?" When I did start to question him, "Is it right, is it wrong, you're hurting me", it would be "Would you like mummy and daddy to get divorced and you'll never see me again?" and knowing you're responsible for you're parent's divorce, for an eight-year-old that's hell. So you don't say anything, so the way of life becomes a frightening way of life. You cannot tell anyone because you will never see your daddy again.

'In those days a paedophile was never never heard of; you had the odd flasher in a park. My mother was a nursery school teacher, she'd never heard of anything like this, and it absolutely traumatises her to this day to know what I went through, and the guilt she carries is absolutely horrendous. People should feel so sorry for her; imagine you're a mum, and you find out when the police broke into your house, the day after my thirteenth birthday, and you have the house turned upside down, to be dragged into a police station and be told that your husband's a paedophile and been abusing your daughter. What she must have gone through. If she had known what he was like, as she put it politely to me once, she would have had so much sex with him he would have been so sore he wouldn't have been able to have peed properly, let alone lay a finger on me. She said she would have wanked him every half hour until he couldn't bear to be touched.'

Janice went on to explain that her father used cigar tubes to expand her vagina in preparation for penetration, which happened when she was eight years old. Clarissa asked whether Janice's father had been the first man to penetrate her.

'No, he wasn't, but somebody paid a lot of money. I was taken to a hotel in London where there was an American gentleman who had a lovely present for me; it was a little lovely mouse corn dolly all dressed up, and in the petticoat was a £20 note – now 20 odd years ago £20 was a lot of money. My father just sat in the corner and watched; he told me that I could have anything I wanted afterwards. That was the first penetration, to get me used to going with different people to get confidence.

'Up on Victoria station was a children's cinema where they used to show all cartoons; it's no longer there now, it's been pulled down. Before my father would go to work, he'd take me up to Victoria station to the cinema and he would put his coat across his lap and I would put my hand in his pocket or under his coat. All the paedophiles used to hang out there, it was a nice warm place for the tramps to hang out – they had a nice hot drink and hours of entertainment. You'd get one that would walk past and see the coat moving, they would come and sit beside you; they used to come and whisper in my ear, "How much?", I'd say "A pound", and I used to just wank the tramps off for a pound a time, my father was sitting there; I'd have his prick in this hand and a tramp's in that hand. But my father liked his drink. When I had the confidence to do things like that by myself, he would go off to the pub, and there'd be two tramps either side. What type of father can leave his child alone like that? And I wanted a new bike, it was £95, and my father said, if I wanted that bike, the more tramps you wanked off, the quicker you would have it, and it got to the point that every Saturday morning I would jump on a train myself and go up to Victoria station, pay the entrance fee; I was doing this at the age of eight. I didn't know any different. Umm . . . when it came to him penetrating, he didn't try to do it as much as possible, because of stretching the vagina, he wanted it to be kept as sweet for as long as possible. When I was eleven it was "Pretend you're ten"; the younger you are, the younger you pretend to be, the more pocket money you'll get at the end of the week, and that's when he was part of the underground network: we were going out most weekends meeting different people.'

Clarissa asked Janice specifically about meeting Julian Levene.

'One of my father's closest friends was a ginger-headed young man who had a little lovely red sports car; I can always remember it was an MG because I always wanted one, it was a little convertible, a little MG. I don't know how my father got to know him at all, he was a paedophile, he did like to penetrate young children, and to this day now I know that he's walking free. I knew him then as John; he became very good friends with my father. My father'd let him penetrate me whenever he wanted. My father never made sure I was on any contraception at all, contraception was never used at all, so how I didn't end up being pregnant at thirteen . . . .

'John introduced us to Julian. The first time I met Julian, we went out for a car ride just to get to know each other. He took me to the swing park, and there were two little girls sitting there, playing there; Julian went over and sat on a roundabout, two little girls came over and started talking to me, and before they knew it Julian had one of them on his knee with his hands down her knickers. Someone shouted out to the two little girls from a house across the road and they ran off. Again I was a pawn, I'd always been so friendly meeting other children, I had no problem making friends, so again, just a pawn. So there he was playing with the other little girl – 'It must be natural, every adult seems to be doing it, every adult I know, except for my mum.'

'Julian liked to penetrate little girls, he really did, but he liked to treat you like a little girl, sit on his lap, buy you candy, liked the frilly skirts. He loved to take pictures of children in compromising positions, whether it was with a vibrator, whether it was with him, whether it was laying on the bed in certain positions, he loved to take photos. He loved to do a lot of foreplay and at the end he liked to penetrate.

'We went to their house; John took me and dad to their house and that's when it all started, and the stories I've heard since of what's happened in that house! I wasn't the only one in that house – the only child.

'I used to get a lot of pocket money from them; you know, they'd come down and give me £20 each – "Dad, look, a bit more for my bike." And most of the time, you're saying, "Well, where's the father at this point?" Dad would normally sit in the corner having a wank. He would never make sure no harm came to me, but he was always around; otherwise he'd be sitting downstairs, and it'd be "Go tell'm what you can do – go show'm what you can do, show'm what you learnt last week", so I'd have to show them what I learnt last week.

'They'd take turns or both together; the favourite was having two blokes together, to show that I was in control, that I could control two blokes at the same time. They used to have races to see who could wank over me first, or which one of them I could wank first, or who used to last the longest, it's all games.

'They would talk while it was happening. "Oh, let's take some pictures now, let's have her like this, holding my willy like that, put his penis in your mouth, let's get a picture of it"; you know, they'd come over my chest or my vagina – "Oh, let's take pictures like that!" – and they were in full control, and all three of them, dad would be in on it as well, all three of them were just at it.'

Clarissa asked Janice what was going through her mind while she was with these three men, one of whom was her dad.

'There's three people in this room that I can control. Um, I was safe I was warm, I was with one of my parents, doing exactly what I'd been taught on the videos, and pleasing two men, and they want me to go back, and they're giving me all this money to go back. What's wrong? It's only as an adult that you can say, "Oh, that's disgusting, that's horrific"; I've been brought up from birth with this, there was no difference. There just wasn't. You had full control, you had full confidence in your parents. If you're parents say don't do something, if you're parents say do it, you have trust in them, especially at a young age; he decided to take advantage of all that. How do you say, "No daddy, I don't want to do this any more"? . . . You don't.'

Janice believed that Julian had given her father money for her services and that her father made thousands of pounds out of Julian and men like him. Clarissa asked her if it was just about money for her father.

'I don't know his way of thinking, I still don't know his way of thinking, I cannot understand his way of thinking, because I am not a paedophile, I am just a victim, and it's the same with the victim of any crime; how can a mugger go out and mug an eighty-year-old granny that's laying on the pavement where she's smacked her head open – how can they run off with the bag? Are they doing something wrong or are they doing what they think is right at the time because they want something? Well, that's the situation with me. I wanted things, mainly I wanted to please my father, I enjoyed all the attention, it wasn't until I was a lot older that I realised he was just a pervert, but when you're young, nothing is wrong when a parent tells you to do something.'

169

Janice became a regular visitor to Julian's house.

'I saw him many times, I couldn't say how many but it was many, many times. They would take pictures, I basically had the rule of the roost; whatever went on in that house was ruled by me, and if I didn't want to do something then I had control not to. I'm not saying I gave them full permission to do things, but my dad did, and that's what was wrong. I could control what went on in the bedroom, but I couldn't control the people. If I didn't want to be penetrated, I could say look I don't want to be penetrated, but the way they manipulate you, you never got the option to say that.

'When I first went around I was offered cans of drinks, sweeties, crisps, I knew when I was going round there what was going to happen because dad would say. "Oh, see what was on the videos"; you show them what you learnt last week on the video, so if you saw someone doing a blow job – by that time you'd mastered it so you just go ahead and do it, so you just learn to master sex basically, and when you're twelve years old and an absolute little professional, there's a lot of money in that. A lot of blokes would turn round and say, "I can't believe how advanced you are" – "Well let me show you what I can really do!" So by the age of twelve, you're already a prostitute, which is really, really sad. But Julian and John were a big part of my life; there were many many occasions when we used to go round there.

'To me he was always nice, friendly, gentle – never hurt me, and that's why we got on so well; I would always show him new things that I had learnt. But to look back at what happened now – I could just slit his throat, you know?; but, it's difficult between then and now, I know right from wrong now, then there was no right from wrong. He was just a paedophile that was out for children, my father was a paedophile out for children, every adult I knew was a paedophile out for children. There wasn't a bad memory of Julian or John, there isn't a bad memory of any paedophile, there's just sickening memories now.'

Janice went on to talk about the impact it all had on her life.

'I've learnt to deal with it, I've learned to face it, I've had professional help. The impact on my life now is – "Wake up, it's out there, what can we do?" You've got little girls being kidnapped, abused, murdered, you've got paedophiles attacking children – wake up – I know what those children have gone through, I've come out the other side; what about the thousands of children who are just left to get on and deal with life afterwards? It's torture that they go through. People need to be made aware of what paedophiles are capable of. Julian wasn't horrific compared with some of the things I've been through, I've been through hell and back, and we need to protect children to stop it happening to them. I mean, at the age of eleven I was making porno films in France, and yet my dad again would just sit there and wank in the corner; it was only after that that I realised that things were going wrong, and it took another two years to prove what was going on without having to be blackmailed, so when I started questioning him – "what was right, what was wrong, why were they hurting me?" Again, "Do you want daddy and mummy to get divorced – do you want daddy to go to prison?", and putting that on an eleven-year-old child is horrific so you learn not to say anything; it was only because he picked on the wrong person at the wrong time that I was actually lucky enough to get out when I did.'

Clarissa asked Janice what she meant when she said there was a lot worse than Julian.

'John took us to France, and on a Saturday morning when you open the curtains there was a field of horses, everywhere. This hotel was in the middle of nowhere, and it was surrounded by horses, and I got told that if I was to do whatever he said this weekend I could have my own pony, that's all I ever wanted. The years I'd been horse-riding I'd been on and on and on driving my mum and dad mad for a pony, and I was told that if I did what he said this weekend, I'd have my own pony.'

'He then took me to a studio; in the studio was a bed, a couch and a pinball machine. None of them seemed to speak English, or none of them wanted to speak. There was three blokes and a lady, none of them wanted to speak; I don't know if they wanted to keep their identities hidden. The two blokes decided to have group sex with me, both of them together, penetration, everything. They ejaculated all over me and I wanted to go to the toilet and it was a brilliant thing for them coz they made me pee in a bucket in front of them with all the sperm running down me. My dad, I could see him in the corner, just wanking himself off having had full satisfaction out of it.

'When we went back on the Sunday afternoon, I was laid on the pinball machine with a piece of rope going underneath my hands strapped to the pinball machine and I was physically raped by a woman, and all this was on camera, and all my dad did was just sit there, have a wank. Umm, there was also another film as well, I can't remember much about that, but each of those films got the top three in the French porn film industry, they were three of the best sellers that year on child pornography, and I never did get my pony.'

Janice explained that her father was finally sentenced to five years imprisonment for his abuse on her but did not serve his full sentence, and she obviously had huge problems dealing with her life after that. Her first marriage failed. Her father was not invited to her second wedding but he hid in the background. She confronted him on several occasions, but he had no remorse for what he had done. Janice believed that Julian was obsessed by the innocence of children and that he believed that what he did was against the law – but that the law is wrong.

I called Janice to thank her for the interview and she explained how she really wanted people to be aware of the unimaginable level of damage that such behaviour has caused her and all the other children who have been abused. Janice was a really nice women who had suffered such a horrific childhood – how could she deal with this for the rest of her life? Whatever Julian Levene and others like him are thinking to justify to themselves what they do, they are fooling themselves. Mark Enfield, who killed himself to stop his own terrible behaviour said himself that he 'devastated' boys' lives. It is hard to feel any respect for lifelong paedophiles like Enfield but he was definitely a step above the Levenes of the world who refuse to acknowledge the harm that they do.

20

CHILD PORNOGRAPHY

Bob McLachlan

Child pornography involves the serious abuse of children. Because of a strong link with paedophiles, its detection is important in preventing further abuse and providing useful information on abusers and their networks. It should be tackled vigorously and the police and Customs and Excise should devote more resources to it.

Sir William Utting

In 1986, when reducing the sentence of a 'distinguished' paediatrician convicted of procuring and distributing child pornography that included pictures of men raping very young girls, the 'learned' judge remarked, 'It is not inappropriate, perhaps, in view of the puerility of this type of behaviour [the trading of child pornography pictures], to compare it rather to a schoolboy collecting cigarette cards in olden times.' To us today, this statement seems ridiculous, but it reinforces the fact that child sexual abuse has only been spoken about publicly for about fifteen to twenty years. That men have always raped children is rarely a topic up for open discussion outside the professional environments where such things have to be investigated. At the same time, 'if it happens', the perception is that it always happens to someone else's child, usually in a foreign country. Paedophiles, like starving children, always live somewhere else in the world.

But paedophiles have been and always will be among us, many recording their abuse of the child in photographic format, as what we call 'child pornography'. Why then does child pornography exist, and why do paedophiles create and collect it? Child pornography as we know it has existed since at least the early part of the twentieth century. Before the camera was invented, depictions of children in a sexual context could be found on printed and painted materials, numerous examples of sculpture and other 'art forms' from ancient times showing children in a sexualised environment. Even recently, we raided the home of a man in Surrey who was commissioned to make bronze statuettes of naked children to adorn the homes of paedophiles.

For a large part of the 1900s, 8 mm cine-film was available, but not in quantities matching the output of contemporary technology. The laws of supply and demand were of particular significance back in the 1960s and 70s: not many places for paedophiles to go, not much child abuse available in photographic or film format. It was obtained, if the shop owner was prepared to do sell it, from the same shop that sold adult material. It was also dangerous for a paedophile to record his abuse on film because this would invariably have to be developed by a chemist or a photographic laboratory, who might notify the police – it is surprising how many men were caught this way. But the development of video and digital cameras has unfortunately provided immense opportunities for the paedophile photographer, with very little risk of discovery by a third party – until he decides to exchange the material.

So in the 1960s and 70s, demand began to increase the supply; this increased supply increased the increasing demand, which in turn increased the supply again. Because both adult and child material were supplied in the same environment, and because sex was involved, 'child' and 'pornography' became linked together in a simplistic description, a label of convenience, that will for ever trivialise the reality of what is contained in the images. It has also created the difficulty of disentangling adult sexual material, which is consensual in terms of age, and the filmed sexual abuse of children, which can never be created by consent.

Using the expression 'pornography' also affects how we consider the people who view child pornography. If we think of it as somehow similar to the adult pornography that many people in this country, even though they will not admit it, regularly view as entertainment, we uphold the perception that it cannot be all that bad. And this is precisely how the paedophile wants us to think, supporting his views and allowing him to tell his child victims that it is OK. The paedophile also recognises that only people like him and the occasionally sexually curious will have any experience of 'true' child pornography so will not understand its reality. The myth of what child pornography really is therefore continues and as a result continually endangers children.

Children's compliance in the making of child pornography is often achieved through threats and violence. Their submission can also be gained through systematic emotional and physical abuse and neglect so that the sexual abuse itself is perceived by the victim less as abuse than as an opportunity to obtain favour and approval. This sexualisation of children through abuse makes them vulnerable to stranger abuse, revictimisation and a corresponding reluctance to report offenders. They are powerless.

Child pornography aggravates the trauma of child abuse and is consequently devastating for its victims. I remember hearing one child victim, now an adult, describing how when she looked at child pornography pictures of herself, what struck her was that her eyes were dead yet she was smiling. She had learned obedience from a very early age and said thank you after the abuse, the reward being that she was a good girl and never told. Photographing a child while he or she is being sexually abused exacerbates the shame, humiliation and powerlessness that these victims typically experience. This photographic record is then used to reinforce the child's sense of responsibility for the abuse and to ensure silence. This has been described as children 'becoming the instrument of their own torture'; the victim's denial of the abuse becomes even more important and is achieved at greater psychological, emotional and often physical cost.

Whether compliance is achieved by coercion, manipulation or violence, one of the main ingredients of the photography is that the child smiles. The accompanying sexualised behaviour is interpreted by paedophiles as evidence of the sexual maturity and precociousness of the child victim. The paedophile can then lie to himself and rationalise his sexual interest in and abuse of children.

What drives paedophiles to collect this child pornography? There are a number of differing views, emerging from interviews with paedophile pornography collectors, psychologists and criminologists, about what child pornography means to individual offenders and their reasons for collecting it. The collections are 'important', 'constant', 'organised' and, significantly, 'permanent', the latter delighting us because, when we seize a collection, we can be pretty sure that we have relieved the paedophile of his complete evidential treasure.

The material will be stored according to the domestic living arrangements of the paedophile. If he lives on his own, the material will probably be close around him. If he lives with someone else who does not know about his sexual interest in children, it will be accessible but not obvious: there is no point collecting the material if the paedophile cannot look at it. The obsessive nature of most collectors and their desire to view, re-view, trade and swap their material ensures that they will never attempt to destroy it, unless driven into a corner. A computer provides the ideal storage space for thousands of photographs or extracts of video footage. It also provides us with evidence when it is seized, and the way in which computers work ensures that the evidence can never be completely erased.

The role of child pornography in the lives of offenders who have a sexual interest in children and how it relates to contact offences remains uncertain. We are also still unclear about what impact viewing child pornographic imagery has on offending behaviour. It is reasonable to suggest that child pornography and child sexual abuse reinforce each other as one is a photographic representation capturing the actuality of the other. Some research holds that although pornography is a feature in the lives of a proportion of paedophiles, a simple, direct, causal effect on contact offending

cannot be supported. In addition, it has been said that ch.
pornography is a byproduct of contact offences, used by offenders
to facilitate the seduction of new victims during the 'grooming'
process, or used as a rehearsal for assault.

It is also believed that child pornographic imagery plays an
important role in sexual fantasy, as a potential trigger for contact
offences, and that the use of child pornography predisposes some
men to commit sexual abuse. In other words, ideas may be initiated
by the child pornography acquired, and these ideas will be put into
practice.

But we still do not really know whether viewing child pornography increases (or even decreases) the likelihood of committing a
contact offence against a child. All we can say from individual cases
is that there are some men who are so driven to collect child
pornography that they will seek out children to abuse, filming the
abuse, distributing the film to others and receiving new child
pornography in return.

Philip Taylor sexually abused Michael, a seven-year-old boy, so
that he could get access to child pornography. As in so many
cases, he had befriended Michael's family and offered to babysit –
often, especially when his wife was not around. As I watched the
videotape of Taylor waking and orally assaulting the tiny child, it
was obvious, because of the sheer terror on the boy's face and his
attempts to hide behind his hands, all accompanied by the
disregarded pleas from the victimised child of 'No, no Phil, not
again', that this was not the first time this had happened. The
gagging in the boy's throat made us all angry: this was a monster
at work and we would catch this man come hell or high water. Not
only the child's voice, but also that of his attacker was clearly
recorded on the tape; to add an almost surreal quality to the
videotape recording, the song *Flying in the Air* from the animated
film *The Snowman* was playing in the background. Whenever I
hear that music, I still shiver.

Abuse captured on film very often affects those professionals
who have to watch it. As part of a whole range of measures designed
to relieve the impact of viewing child pornography, we are required

to attend psychological debriefing sessions, but these sessions can never erase the images from our minds, and as long as I, and others, continue to do this job, we will still feel the sorrow, revulsion and multitude of feelings that present themselves when viewing child pornography. But, like attending the post mortem of a murdered child or searching for the dead at the site of a major disaster, such jobs have to be done.

DS Graham Passingham discovered the history of Taylor's abuse by chance, the subsequent investigation to find him relying on dogged hard work and dedication. It all began when 'Operation Clarence' was started to investigate a paedophile network consisting mainly of public school teachers, doctors, clergymen and others involved in social work. Graham received some information that a man named Dean, in Ealing, West London, was in possession of child pornography. The investigation found that Dean had previous convictions for indecent assault against fourteen- and fifteen-year-old boys and for taking and distributing indecent photographs of children. A search warrant was executed at Dean's address and we took away videotapes, photographic slides and a computer; but none contained any indecent photographs of children, and we could not understand why.

Coincidentally a short time later, officers from the Kent Constabulary, acting on separate information, arrested a teacher named Ashby. When his house was searched, indecent photographs of children were found, and the Kent officers discovered that Ashby was also of interest to Operation Clarence. Among the indecent photographs that Kent police recovered were a number of a boy aged about eleven, which Ashby said he had received from Dean. Letters that Ashby had been sent, found with the photographs, said that Dean had indecently assaulted the boy. When Graham was given this additional information by the Kent police, he got another warrant to search Dean's house: we had obviously not found everything.

We sometimes call on the expert help of specialist search teams. Known as POLSA teams, their skill lies in minutely and systematically examining every possible place where something small could be hidden. Whether the item is in an open space or a building, a

POLSA team will find it if it is there. On this occasion, they found cleverly concealed photographs and letters connecting Dean with the photographs of the boy he had sent to Ashby. Dean was charged with distributing indecent photographs, and another link in the Operation Clarence investigation had been made. We obviously then took a greater interest in what had been found by the Kent police when Ashby had been arrested; in due course, the property came to Scotland Yard, where Graham found the 'Snowman' tape and 'Operation Cathedral' began.

The videotape showed two boys, Michael and another boy, Richard, aged about fifteen, being indecently assaulted on separate occasions. Taylor's head and face were visible, and his voice was captured clearly on the recording. The recording had been made in domestic premises, obviously in Britain, a type of material that is generally known as 'home-made' child pornography. This material is generally filmed by the abuser, for either his own or another's gratification and use, and is a memento of the abuse. Although 'home-made' material usually finds its way to the outside world in exchange for other material, it is essentially different from material that is categorised as 'commercial'.

Always intended for consumption on a wider scale, and after payment, 'commercial' material first emerged in the 1960s and 70's when certain countries, particularly but not exclusively Scandinavian ones, decriminalised their pornography laws, including those relating to material involving children. They missed the point that, to make child 'pornography', a child has to be sexually exploited, so even though most of the countries involved had laws to protect children from sexual abuse, the connection between that abuse and the creation of a filmed record was somehow lost. In addition, many countries did not have laws prohibiting the making of child pornographic films until relatively recently. It is not surprising therefore that criminal gangs became involved in making child pornography for the purchasing audience, this 'old' material still circulating between paedophiles who have not seen it. The one thing to remember here is that no matter when the film or photograph was created, the child never gets any older. Although he or she may now have been an adult for many years, the paedophile still sees the person as a child, frozen at the age at which the video was made.

As Graham reviewed the investigation file, he read that Ashby had described how he had obtained the tape via a homosexual contact magazine. Corresponding through a mail box number advertised in the magazine, he had sought out and paid for material involving the abuse of young boys. A motorcycle courier known as 'Tom' had delivered the tape, but the name of the sender struck Graham immediately: Clive Thompson had been a target of the squad, particularly Phil Hills, for some time. Maybe this was another opportunity to identify and trace a man who had been dealing in child pornography for many years. But first, Graham had to locate the children. The abuse had obviously been committed relatively recently, and they were still at great risk. Ashby could not tell Graham who the victims or assailant were; he did not know and probably did not care.

A significant part of any investigation into the making, distribution or possession of child pornography is obviously the evidence provided by the relevant film or photograph. There are many clues to be found within a photograph, some obvious, some not, an image often revealing more than is seen by the casual observer. The message is quite clearly: if you take indecent photographs of children, there will always be something to catch you no matter how you try and disguise them.

The videotape produced an obvious clue: the assailant's name was Phil and he spoke with an accent from North-east England. At one point during the film, Richard was seen sitting in a Jaguar car. Despite not having the luxury of the registration number, Graham, along with DC Dave Flanagan, discovered the identity of the car. The videotape had to have been recorded between the date of the first registration of the Jaguar and the time when Ashby was supplied the videotape. Any one of the Jaguar's owners or users could have been the assailant or, at the very least, known the identity of the assailant and/or the victims.

Enquiries thus concentrated on tracking down every owner and user of the car and carefully reconstructing their lives during their association with it. Some knew we had done this; others will never know and will never realise the part that this car played in the lives of the two victims. Graham and Dave eventually discovered that the car had at one time been sold at Northampton car auctions, the Northampton Police Intelligence Bureau establishing that the car had been sold to a reputable car dealer in Nottingham. Records were checked and an invoice produced showing that the car had been sold to Philip Taylor of Nottingham, purchased via a finance company. As Taylor was unable to meet the repayments, the vehicle was repossessed and returned to the car dealer. When Taylor had the car, he did not notify the DVLC that he had bought it, and neither had the dealer. But Taylor was also a convicted paedophile; he was arrested, and Richard and Michael were identified.

After Taylor had been convicted and sent to jail, we wanted to speak to him about Clive Thompson, the man who had sent the tape to Ashby. Phil had been investigating Thompson for some time as he seemed to be at the centre of a network of paedophiles who had access to children and were circulating child pornography through a 'gay magazine'. So Phil and Dave went to see Taylor in prison. They also wanted to discover what had maintained his abusive behaviour towards children and how his contact network had been built up.

21

OBSESSION

Bob McLachlan

The interview with Philip Taylor demonstrated, in an abuser's own words, just what an addiction child pornography is for some paedophiles. Taylor desperately wanted to increase his child pornography collection, and in order to do so, he had to encourage his contacts to send him what he wanted. He was prepared to defile a seven-year-old boy to ensure that this happened. Below is the record of Taylor's interview with Phil Hills and Dave Flanagan in Nottingham prison.

Interviewer: This interview is being tape-recorded. You're entitled to free legal advice, which I understand you don't require, you don't want to.

Taylor: That's right.

Interviewer: You don't want the solicitor here?

Taylor: No, Sir.

Interviewer: I am DC Hills, I'm with the Paedophile Unit based at New Scotland Yard, and the other officer here is DC Flanagan. I am interviewing Philip Dean Taylor; you are not obliged to say anything unless you want to, and anything you say will be recorded on this tape and may be used as evidence. Do you understand?

Taylor: I fully understand that, Sir.

Interviewer: You are perfectly happy for this interview to go ahead?

Taylor: Yes.

Interviewer: The things we'd like to talk to you about are the material that you had in your possession, in particular in a blue suitcase, which you pointed out to the woman detective officer when you were arrested.

Taylor: Yes.

Interviewer: What does this blue suitcase mean to you?

Taylor: All my worldly possessions. My blue suitcase was the first suitcase that I kept my child pornography in, or anything relating to child pornography. Correspondence, tapes or photographs, and that's what was in the case, nothing else.

Interviewer: How long have you spent building up that collection?

Taylor: Over five years.

Interviewer: Since you came out of prison?

Taylor: Possibly two years after coming out of prison. Probably three years after coming out of prison.

Interviewer: Didn't you start as soon as you came out, wanting to get the pictures? Are you saying that you kept away from it for that long?

Taylor: I did. I would have liked videos or pictures but I didn't have any money, and when I did have a lot of money, I was able to go to Amsterdam and come back with some stuff, and then I went back to Amsterdam again and came back with some more stuff, but at that time I didn't have a lot of money.

Interviewer: Was it kids' stuff, was it young boys?

Taylor: Yes.

Interviewer: Was it all boys?

Taylor: Boys and girls.

Interviewer: What age groups are you interested in then?

Taylor: Nine to thirteen.

Interviewer: Why so precise – nine to thirteen?

Taylor: I just like that age group – nine to thirteen.

Interviewer: How did you build up this collection; where did you get it?

Taylor: Well, when I had enough money in Amsterdam, I was

there for three to five days. I came back with five videos I bought. I just brought the reels back and then reconnected them, and then I destroyed them, and went back to Amsterdam again and did the same again, and then I thought that I should make some contacts to swap them, to get other stuff.

Interviewer: So you destroyed the first lot you brought back?

Taylor: I destroyed an awful lot of child pornography tapes.

Interviewer: Why?

Taylor: Well to be quite honest with you, right, I watched this tape and I had a wank. Then after that I didn't really feel anything for the tape or anything, so I felt guilty, so I destroyed them and smashed them up.

Interviewer: And how much did you pay for them in Amsterdam?

Taylor: Possibly £150 each.

Interviewer: This happened in the 1980s?

Taylor: It would have been the 1980s yes, possibly 1986.

Interviewer: When did you start going to Amsterdam and bringing the stuff back?

Taylor: Well, I only ever did two trips to Amsterdam, between 1985 and 1989.

Interviewer: Was it then that you started swapping it?

Taylor: Yeah, I came out in '82, '83, so possibly '84 to '87 then.

Interviewer: When did you start having sex with children again? It was '85 or '86 when you first started having sex with Richard, the fifteen-year-old boy, wasn't it?

Taylor: Yeah.

Interviewer: How did you begin swapping videos?

Taylor: One day I was in a sex shop in Nottingham and I was looking for contact mags, and I picked up a gay one. I'm not homosexual in any way, that doesn't do anything for me at all, and it was only by chance that I was looking through it. I seen this little title that said *Piccolo* and I know *Piccolo* to be a magazine that deals in pornography – child pornography.

Interviewer: It features abused boys.

Taylor: Yeah, boys. So I kept looking and found other ads, like I saw *Scouting Days Remembered* and I thought, well that's odd to be in a magazine like that, so I'll look into them, and see what else there is. I took it home and I really went through it all, some of the ads and all that, and I went for these bits that really attracted my eye and I thought like they were a message to like people like me.

Interviewer: Was this after you had been to Amsterdam, after '89?

Taylor: It was definitely after Amsterdam because I had some child pornography; otherwise I would not have had anything to swap with.

Interviewer: You wrote off to some of these adverts in the gay magazine?

Taylor: Yeah, that's right, and I wrote off to this one in London and they sent this funny letter back – I think it was someone living in Brixton. I don't know if I kept it. They sent, like, a little card, with their address on; the name, it was the name of somebody like a company, if you know what I mean. And it was this guy, like, and he had this girl, and he said if you want to see this video . . . she's a schoolgirl and she comes in and he does all sorts with her. And his adult girlfriend is in the other room, and she walks in and catches him at it. He says it's a really original film, and his girlfriend says, 'I've also got some films as well', and I never wrote back to him.

Interviewer: That didn't sound too good to you?

Taylor: No. I tried writing back to them but I never got a reply.

Interviewer: So what were the other ads you wrote to?

Taylor: One from someone called Clive Thompson; he put in the advert *Scouting Days Remembered*.

Interviewer: Do you have a record of names and addresses that you wrote off to?

Taylor: Just in my diaries, but it was all coded. The main contacts I had were Thompson and someone in Leicester called Murphy.

Interviewer: Did you swap material with Clive Thompson and Murphy?

Taylor: Yeah.

Interviewer: What sort of material; for instance, what did you swap with Clive Thompson?

Taylor: Blue films, blue films.

Interviewer: What, the stuff you got from Amsterdam?

Taylor: Basically, 'Colour Climax', yeah.

Interviewer: What was 'Colour Climax', child pornography?

Taylor: Yeah.

Interviewer: What were the ages of the children?

Taylor: Anything from say eight years old, right up to sixteen and seventeen.

Interviewer: Boys or girls?

Taylor: Boys, or boys with boys, or boys with girls, or girls with girls, and boys with adults.

Interviewer: What did he send you in return?

Taylor: The same sort of thing. I was asking him about home-made though; he's really into home-made stuff.

Interviewer: Did he send you any home-made stuff?

Taylor: I think he sent us one tape: he said it was in the letter and he always says destroy the letter.

Interviewer: So did you?

Taylor: And I did, yeah, and every letter that I sent him, presumably he destroyed it, or he may have kept it.

Interviewer: When was the last time you had any correspondence with Clive Thompson?

Taylor: I'd say three to four months ago.

Interviewer: Can you remember what address it was?

Taylor: It was the gay magazine address, the actual place; it holds letters and forwards them on for people. I know because I phoned up one day because I'd sent a parcel to Clive and I hadn't got a reply. That's how I know how it works. Anyway, I said, 'Do you know Clive Thompson?' and he says, 'Oh I know him, he comes in every Saturday for his mail, he collects it every Saturday.' Anyway, he got the parcel and we carried on corresponding. And the last correspondence was me sending him something.

Interviewer: What was it?

Taylor: It was a blue movie, it was any movie, not a home-made one. It was one I got off Murphy.

Interviewer: And of all the stuff he sent you back, what has been the worst?

Taylor: Um, I suppose the most interesting was a home-made one with a young boy in the lounge with a telephone. Well, this one was a very recent one, but I say recent because most of the stuff that I've got off him was old stuff that you could hardly distinguish.

Interviewer: Tell us about this boy.

Taylor: He sent the tape with a letter and said, 'That's my new friend now.'

Interviewer: Did he give a name?

Taylor: He might have given a name, I can't remember. It was a very modern film, if you know what I mean; it's very modern surroundings and it's very clean, if you know what I mean. Not copied too many times.

Interviewer: Describe this film to us a bit more.

Taylor: He's basically in a lounge and he keeps picking up the telephone, and he's half-naked and he goes into a bathroom, and he's just, basically throughout the film he's just posing.

Interviewer: Is there anybody else on there?

Taylor: No.

Interviewer: Was there any sound?

Taylor: On a lot of Clive Thompson's tapes, it was always 'duuuuuuuuuur' or something like that; it was always dubbed or something – he'd done something.

Interviewer: You say a lot of his tapes; how many do you think he sent you, then?

Taylor: Well, how many tapes did Clive Thompson send me? He sent me quite a few tapes; his first tape he ever sent was a tape with boys being spanked with a cane. I sent it to Murphy.

Interviewer: You sent the tape to Murphy?

Taylor: I needed to for swaps.

Interviewer: Did you advertise in the gay magazine?

Taylor: I was going to and I wanted to, but I never did. I was getting stuff, I was getting stuff off Clive Thompson, and when it fizzled out I wasn't really getting what I wanted. I was desperate for stuff. Then I went through it all again to see if I could get another contact, and I got Murphy. He sent us this first lot of tapes, and I kept in contact with him for a bit; then he said he knew this guy who had everything, and I sent him £250.

Interviewer: But you made contact with Thompson again, didn't you?

Taylor: Well, after Murphy had said what he said, I sent him £250. Then he wanted £1000 because he said he had these special tapes, and he sent me one, but it wasn't what I wanted. Lots of spanking and all that, but the boy was too old, older than thirteen, what I like. A nineteen-to-twenty-year-old isn't the type you'd want to smack. I then sent him one tape of the home-made I had done of Richard when he was fifteen – a 'special'. It was encouragement for him to provide me with what I wanted.

Interviewer: You sent him what you call a 'special video'.

Taylor: Yes, I sent him Richard, home-made. And if it was home-made stuff, I'd never say it was home-made in my letters. I'd always said I got a special, and if I wrote to Clive Thompson, I'd say I'm going to say that now; I'll not call it home-made, I'll call it a special tape.

Interviewer: We know that language; you are not the first to try to disguise things, you know. We have a list as long as your arm of what people have come up with to describe child pornography tapes. Did the video of Richard you sent include Michael – the very young boy – on it as well? Remember that we started to track you down because of the video we found with Richard on the first section and then Michael on the second.

Taylor: No, that was just Richard, just Richard.

Interviewer: So when you sent videos out to people, it would only be Richard, nothing else, on the tape?

Taylor: Clive Thompson had everything I had on Richard, and I mean everything, on lots of tapes.

Interviewer: Who did you send tapes of Michael to?

Taylor: Clive Thompson was the only one really who had Michael.

Interviewer: So you've sent Clive Thomson the Michael tape?

Taylor: Yeah.

Interviewer: On its own or . . . ?

Taylor: No, with Richard. Then Thompson would say – well any day now you can expect a parcel; he would write first. He was very interested because he knew I had made home-made stuff because I knew he was into that. The better the home-made stuff I sent, the better chance of getting good stuff back.

Interviewer: The one we seized is probably the one you sent to Clive Thompson? Well, a copy of it anyway – Richard and Michael on the one video?

Taylor: Yeah, it would have been all together. I never edit the videos at all. I'd just sent them what I'd done, and sometimes there'd be stuff on it that would be irrelevant to the actual tape. And then I think I did do a copy, but I still didn't bother editing myself out or nothing; I just done a straight copy.

Interviewer: We know you didn't edit yourself out of it: that's what led us to you.

Taylor: And then possibly with Michael – he'd have just been put on the copy as, well, just the way it was.

Interviewer: Thompson must have been over the moon when he got your tapes of Michael and Richard.

Taylor: Well, he said he wanted younger children.

Interviewer: What, younger than Michael, he's only seven? . . . So you started to abuse Michael when you were still abusing Richard.

Taylor: Michael was just a one-off.

Interviewer: Well, it wasn't just a one-off was it?

Taylor: Well it was really, it was just, I would never really have met Michael if I hadn't met the other boys; it's because I met them.

Interviewer: So it's someone else's fault, then, that you as an adult meet a seven-year-old boy and abuse him? Before I spoke to you I thought, there is no way that this guy has not had other kids in the course of two years, not two years since he came out of prison.

Taylor: I haven't had any other kids apart from Richard and that one time with Michael.

Interviewer: At least twice with Michael.

Taylor: Twice with Michael and then no more. I've been dead from the neck up over the past year; I haven't done a thing, I haven't went out – my wife will tell you that.

Interviewer: When were you with Michael?

Taylor: I can't remember, a couple of years ago, a year ago.

Interviewer: Don't tell me that you can't remember when you abused a little boy.

Taylor: No, I'll try and think. Possibly 1990.

Interviewer: Right, so the last year you've been out of it, so in a year and six months, nothing?

Taylor: Except fanatical about trying to get videos, really fanatical, rather have a video than a boy.

Interviewer: Why?

Taylor: Well it's private, and it's less risk isn't it?

Interviewer: Well, you're obviously not too worried about the risk are you, because you've taken your own videos of you abusing children, and you've sent them to people like Thompson?

Taylor: I know what I've done, yeah, but that's exactly – that's just it, you know, I don't know, I just haven't bothered since. I thought I was in enough shit as it was without trying to get involved in anything else.

Interviewer: You weren't in any shit, were you, until we got the videotape?

Taylor: Well, I was really, I mean I was involved, you know, with Richard, and I'd done what I'd done with Michael. I was in shit, yeah, and I knew I was too, and I knew that I was on borrowed time or whatever – I knew, and I was trying to get back with my wife, you know I was really trying. But I was fanatical, I wanted tapes and I was prepared to do anything.

This interview with Taylor revealed that he was obsessed with collecting more and more child pornography material and that he knew he would – eventually – be caught. When speaking about the children he abused to create his child pornography, he saw them as merely a form of currency to acquire more material from men such as Clive Thompson. Thompson used people like Taylor to supply him with 'home-made' child pornography – a valuable commodity. In turn, Thompson sold this material to men like Ashby. Ashby shared his interests with Dean, who also traded material with him. A classic 'paedophile ring'. Then the Paedophile Unit came knocking on the door and the whole enterprise was thankfully unravelled and Dean went to jail for eighteen months.

How many other men feed the paedophile marketplace in the same way, we just do not know, but their trade ensures that the victimisation suffered by children when child pornography is made goes on for ever. As the victims are looked at by men who don't have a care who the children are, the abuse is repeated over and over again, each image a captured moment of abuse, with a wrecked childhood and an abuser invariably justifying his actions. Both

Richard and Michael have thankfully begun the arduous task of picking up their lives again.

Thompson was identified by Phil Hills as 'Uncle Tommy', an instructor at a local swimming club in South London, where he had amassed hundreds of photographs of children attending the swimming baths. His fantasy letters about children were beyond belief and he was jailed, as was the man known as 'Murphy'. Taylor appeared at Nottingham Crown Court charged with indecently assaulting Michael and Richard, pleading guilty to the charges as there was nothing else he could do. He was jailed for a total of six years, only to be released from his sentence part way through. He is now dead.

22

'THERE ARE WORSE THINGS HAPPEN; THERE ARE WARS'

Bob McLachlan

Persistent sexual abusers are a scourge of childhood. Their numbers are difficult to estimate but each one who adopts a lifetime career will amass hundreds of victims. They inflict unspeakable psychological and physical harm. Some of their victims will become abusers. Their success depends on their ability to ingratiate themselves with adults and children. They are largely but not exclusively men. They establish themselves as trusted friends, colleagues or employees. Exposure may be a matter of chance, often after many years of abuse. They seek out situations in which their preferred kind of children are accessible.

Sir William Utting

If child pornography could ever be seen as just a collage of titillating photographs, the case of Denis William Hundermark will finally dispel such ideas. I first became aware of Hundermark, a South African paedophile, after his abortive attempts to purchase child pornography films in London. While trawling the places where he thought he could obtain the material, Hundermark told his contacts that he wanted 'full-time employment' abusing children to produce video films for others sharing his perverted ideas and interests. A man who described himself as having 'a million fantasies' and 'a million stories' (of child abuse) just ready to be filmed was in the marketplace for a role as a rapist – as much as possible, as many times as possible, and with children who were as young as possible. He wanted to meet someone who was in the 'business' of producing child pornography so that they could make the films and supply the children.

It is one thing to express an interest, legal or otherwise, but another to cross the line of illegality to a behaviour that allows us to arrest and prosecute someone for either attempting to do something or being involved with someone else in committing a crime. At the beginning of this investigation, all we had were fears and a knowledge that Hundermark had declared, 'I want to fuck little girls.' Horrendous yes. But saying it is, unbelievably, not illegal. So I needed to find out precisely what was in his mind and what steps, if any, he had taken to realise his perversion. I had to know whether it was fantasy or reality in order to assess what danger he posed. I asked DC Andy Ryden to find out what Hundermark wanted to do, getting Hundermark to a point at which Andy could arrest him and put him where he could not hurt any more children. People like Hundermark live among us, travel and work next to us. We never know what the person we pass in the street is thinking. This is how Hundermark expressed his interests in making child pornography to an undercover agent.

'I am eager you know. I want to make it full time, I want to act in movies. I want to fuck little girls, any age group. I don't mind [which ages] – twelve, fourteen, but younger. All I know is that I want to do it; I know that it turns me on. It excites me; I am going crazy here every bloody night. I am prepared to go to five-, six-year-olds. I am prepared to go with sevens, eights, nines and combinations. The story [line], whatever the story is, be it soft, kind, hard, I just want to do it. And I want it full time, as full time as possible. I am going to do anything because I enjoy it. I want to do it. I love it. And if it's with another guy, that's fine. If it's rough, if it's soft, kind, I can do it all; I want to do it all. I have had the fantasy for a long time. I will do it full time, all combinations; I am prepared to do most things. Two [year-olds], three, four, five, six, seven, eight. The youngest is two – at the moment. I want to fuck little girls. I'd like to do combinations with other men with the girls, little girls. I will do a combination with a little boy and a little girl.

'I need it badly; I have got little girls running around where I fucking stay; one yesterday, she's even got little titties. I'd like to say [to her], hey, I'd like to fuck you. I've been with a little white girl in Zimbabwe, she was nine. At the shopping centre I frequented, she was there, and it started from there. I seen her one Sunday afternoon, I was registering my post, and I saw her from the rear and I thought . . . and she was wearing little black shorts. Her friend said, 'Look he's looking at you', and she started going to the shopping centre on her own. One afternoon she passed and she was having sweets and I asked her for a sweet. She said to me, 'Which ones do you want because I have got hard ones?' I said, 'What do you like?' She said, 'I like the hard ones', and I just said it straight to her and she just went dumbfounded, and it happened from there. I fucked her twelve times. But I want to do younger. I was doing a garden yesterday and there was a little one on a bicycle, she couldn't be more than seven. She was just sitting looking at me and she had a bum on her about ten inches across and she couldn't have been a day older than seven, and I know I could even pick her up and walk her home, which is what I want to do. I get the urge to do it every bloody day.

'I've written a lot of things I would like to do. I would like a combination of a little white girl with a black guy and a white guy, because I want to do that. During the filming there needs to be more than one camera for different angles, and vocal, that has always been a fantasy of mine. With the nine-year-old, I was always vocal. I have been with an eleven. I've been with a twelve, but the youngest was nine. I haven't been with any over here, fucking wanking myself to fucking death every night. Fucking wanking, wanking, fucking wanking. I mean I got so close to it last night. The youngest for now is two, but younger. I will give a performance because it turns me on, I mean I get fucking totally crazy. I'll be rough, I'll be soft, I'll molest, I want ones with small breasts, small little ones you can get into the mouth.

'When I got back yesterday, there was this little one; she's got small little breasts on her and she walks the dog right past, and I realised I said to myself, just fucking relax. She's from up the road, I don't know where she lives; last week I think it was, I saw her coming down with the dog so I dropped my zip and I just pulled my fly right open and I let her look, and I know she looked because I saw her eyes go, hello, and off she went, and that night I thought either she is going to report me or not. She hasn't obviously; this day I saw her and I whistled at her, and I could see she looked around and there were other people around which I saw when she looked back, and she just ignored me and I thought OK, she's playing the game right, but she's fucking nine, she has got a bum on her that I could hold with my hands.

'I go home at night and I just fucking wank myself to sleep. I mean I have even weighed boxes to a calculated weight to what girls may weigh, and I have picked them up and I know I can walk upstairs and downstairs holding them. I'm talking about [girls] right up to seven or eight. I can pick them up and walk around with them. I like to do it wheelbarrow style, it's my own invention. I have never done photography that isn't done by myself. In my tour over Europe, I booked into the youth hostels, and the first one I booked into was in Brussels. Little girls running around that place that night, with their nighties on, little titties, and they just look you up and down and you can see what's going through their minds but you have got to play safe. I was going out of my head, and there I am in a communal bedroom that night and I can't even wank myself. I was fucking going crazy, I mean I can wank three or four times, I have managed five times in twenty-four hours.

'Another thing I want to do, I like vibrators, dildoes, and I like toys. I have never done it but I want to fuck girls up the bum too. I want to hurt them. Sometimes I want to hurt them, and sometimes I want to be soft. One of the stories I have always imagined is the school teacher and he's a black guy, and he comes to me and he tells me that there is a little girl keeps on flashing her panties and he keeps her after class one day and I go in there as the headmaster and I see this, and I say, tell this little girl when she's finished the extra work I want her in my office. I go into the office and I fuck her, and then he comes in and he comes up, and he's got a bigger one than me and we both fuck her, and we fuck her every morning because now I get her to clean my office. I have got millions of fantasies, millions of stories. I want to fuck little girls, I want to molest them, I want to suck them, and I want to bend them over. There are worse things happen; there are wars. What drives me crazy is when I see a little girl of nine, and you know they are nine and they have developed little titties. I remember seeing one in Harare when I was still there; she was just about eight. I could not see her because her top was on, but all I can imagine was just a nipple sticking out. A solid nipple, and I know I would just like to bite it.

'I have done obscene calls on the telephone. It was two women; I told them I want to fuck your daughters and they went fucking crazy. I remember I said it to a little girl who was eight and she just put the phone down on me, and the next time I phoned she screamed on the phone. I said, 'I want to fuck you', and I had seen her picture in one of the local papers, and I looked at the surname so I went to the directory and it was an unusual surname, picked it up and I knew she was from the area. I phoned and I said to her, "Your name is Candice", she said, "Yes". I said, "You must be seven", she said, "No I have just turned eight", and that's when I said to her, "Candice I want to take your panties off and I want to fuck you, I want to put my big cock right up inside your little pussy." And the phone just went down. I left it for a while, I thought one thing I must not do is phone on a certain day at a certain time, because I have done a lot of calls.

'The one, there was a girl in Pretoria; I was phoning from Johannesburg, her name was Jennifer. It got to a point where she used to sit on the phone and say, "Say it louder, come on tell me." One Sunday when I phoned her up I was actually playing a porno movie, I selected a special part where you could hear the woman, and then eventually I phoned and I got hold of her brother. Then after that, and I know her brother is younger than her, and I said to her brother, "I want to fuck your sister; I want to watch you fucking your sister" I then spoke to the mother and she went crazy. She said, "I'll fucking kill you, I'll fucking cut your balls off you pervert." I said, "Before you cut them off I want you to watch me fucking your little girl with my big cock and I want to watch you fucking your son, and I want to see his lovely cock going into your hairy pussy and then you must change around and I want your son to fuck your daughter."

'I love it, I love it, and it has been going on for centuries and I want a piece of the pie. I've got so perverted I want to push a bloody big vibrator into a little girl and fuck her up the bum at the same time. Because I will even suck a little boy's penis, but I prefer to do that when there's a little girl around; showing how to get the girl excited and then show him how to fuck her, how to play with her tits, these are the things I want to do. I would like to do this grown woman and I am raping her with the daughter. Another one is when you take them and bend them over so that their legs are right over their face, and they are right there watching you. I have never done it. With that nine-year-old, I had to be careful; I never tried to fully penetrate her, I never hurt her. I did hurt her but not to that extent and that's why we went twelve times, and then that was it. Incest, that is something in my fantasy that I like as a story.

'I have fantasised of doing a baby in nappies. I would like it to look sexy, nice titty, nice bum. I would do it because it doesn't understand anything but pain – and it can't talk; I am going to wank myself to shit tonight.'

That was enough; 'No, you won't', thought Andy Ryden as he and Steve Quick emerged from the bushes in the park by Embankment underground station. Among the office workers enjoying the peace and quiet in this oasis of green in the city, the monster Hundermark was arrested. There was no way in the world we could have left him at large; we hoped he must have committed some kind of offence during the monologue of his perversions.

There are times, this being one of them, when we have to operate on the edges of the law, albeit obviously not illegally. There is sometimes a distinct lack of protection offered by the law in situations where law-makers have not thought to criminalise something simply because it has never before entered public experience. Hundermark had a desire to rape a baby; he was a time-bomb about to explode and destroy the lives of very small children. We were having trouble finding a crime to fit the situation, but that did not stop us having to find a way of stopping him before he could indulge himself. Hundermark was taken to the police station while Andy and I went for urgent, but frustrating, talks with the Crown Prosecution Service, frustrating not because of any lack of interest or energy on behalf of the senior Crown Prosecution Service lawyers, but because there was no charge in existence that would reflect the true barbarity of Hundermark's sexual interest in children. So he appeared at the Old Bailey charged with the only offence we could find: Incitement to procure a girl under the age of 21 for sexual intercourse contrary to Common Law (maximum penalty two years in prison). A charge of stealing a pair of knickers belonging to a nine-year-old girl, which Denis was wearing when Andy and Steve arrested him, was not proceeded with.

Hundermark pleaded guilty to the charge and was sentenced to eighteen months in prison, to be deported to South Africa at the completion of his term. Unsurprisingly, there was uproar over how little could be achieved. The lawyers were unable to do their job, the judge was unable to do his job, and we ended up sending a monster back who might molest again in South Africa. At the conclusion of the trial, reports were sent to the Director of Public Prosecutions and the Attorney General to highlight this deficiency in the law, hoping for its amendment. These reports also included the sad fact that the conviction would not require anyone convicted of this same offence to register as a sex offender.

Assessing the risk of convicted sex offenders committing further offences and the potential of suspected sex offenders to commit a crime occupies us on a daily basis. This investigation reminded us that there are men in our society who live in a subculture where sex with children is a preoccupation, and that the law, even when it wants to be, is not always there to support our efforts to deal with them appropriately. We hoped that the law would change but it did not, and we then heard of the nocturnal interests of Kenneth Lockley: instead of restricting his search for young children to one city, he used cyberspace.

23

THE INTERNET IS NOT
A SAFE PLACE FOR
PAEDOPHILES

Bob McLachlan

In death, children are very alone, with no-one to look after them and no-one able to protect them. The same seems to me to be true for the thousands of abused children whose pictures I see being swapped and traded on the Internet. They are each, as it were, in death, alone and unprotected.

'Yes, that's it, this is the place', thought Kenneth Lockley as he fed on the menu of child sex being offered by the website he had just entered. He had begun the journey to prison and he did not have a clue that we knew his activities. The website offered just what Lockley was searching for and he devoured the words as he read: 'ESCORTS – Looking for someone to scratch that "little" itch? We specialise in very young, very attractive escorts. You won't be disappointed. All new girls and boys.' 'My name is John Deakon', Lockley said in his e-mail to the webmaster operating the site. 'Please send me some details; my address is jdeakon@X.com.' Lockley was hooked, the bait had been well and truly taken, and reeling him in would be the acid test.

Lockley gave partial truths about who he was as he answered the questions displayed on the web pages: John Deakon, aged twenty-seven (actually twenty-eight) and living in Los Angeles (actually the Midlands). The 'whole truth and nothing but the truth' was, however, contained in the description of his sexual interests. He was looking for a female child, aged between eight and fourteen, of any race, who was petite. He was particularly interested in her dressed as a schoolgirl and wanted to abuse her vaginally and anally. He also wanted to engage in mutual oral sex and ejaculate over her. He had an interest in bondage and domination of the child and wanted to take photographs of her. He then e-mailed some photographs of the types of child he wanted to victimise sexually, the children in the images being victimised in the many and varied ways that were of interest to him. Unknown to him, these child pornography images would ultimately feature in the charges he faced at the Old Bailey.

Lockley was keen to negotiate an opportunity to abuse a child and added that a six-year-old child would be his choice: 'I would like her to wear a sexy school uniform and call me daddy. Also to wear her hair in pig tails and she must be hairless down there.' His excitement and obvious potential danger emerged as he asked, 'Do you have any pics of the child, naked pics, can I take photos of her or video her?' As the fantasy appeared to be becoming a reality, at least in Lockley's mind, he told the webmaster that he in fact lived in England but travelled regularly to Los Angeles. Whether he realised it or not, travelling to the USA with the intention of having sex with a child would put anyone considering it in jail for a very long time.

Lockley arranged to travel to Los Angeles to abuse and rape a six-year-old girl for two to three hours in a hotel room. His intentions would never in fact have been realised as he would have been arrested in the USA. Whether he meant to travel or was frightened off is purely academic because he stopped all contact for a month and never went to America. Where had our time-bomb disappeared to? We could not bear to think what he might be doing, but like all addicted paedophiles he could not resist getting back in touch. The e-mail then registered at the website these words, ensuring his arrest and prosecution; 'I am sorry I could not make it; do you know of anywhere I could meet young girls in the UK?' 'Of course', came the reply from the FBI agent as he silently added 'the Paedophile Unit at Scotland Yard, but it will not be a little girl, it will be a big detective'.

Lockley kept in touch with the site's webmaster as we planned the change-over of operational control to the Paedophile Unit. He sent a particularly worrying e-mail as the complexities were discussed in my office, and we knew we had to find 'John Deakon' quickly: 'Please can you help me to find somebody over here in England. I am desperate for a young girl to have.' The next message was even more ominous. 'I need to find somebody soon or I may rape a little girl instead, and I don't really want to do that.'

This statement indicates that Lockley did not consider, or preferred not to consider, it rape when someone was actually providing a little girl for sex. He was suggesting that the reality of what he was doing to the child was somehow ameliorated by the fact that she was an apparently consenting party to the 'transaction'. These processes of denial of the truth and compartmentalisation, which serve to make what is obviously wrong acceptable, are frequently found in paedophiles. The term 'cognitive distortions' is used to describe these 'errors in thinking', these being self-statements used to justify and rationalise a person's behaviour that contain distorted information on the reality of an abusive situation. These distortions may be deeply ingrained and serve to minimise the abuse, being used by paedophiles to justify their behaviour, alter reality and see their actions as, to them, acceptable and legitimate. For us, having some understanding of how paedophiles may think differently can help us to combat their behaviour. I am grateful to several psychologists whose research has enabled me to put together a summary of the complex area of cognitive distortions and provide readers with a clue to what was going on in Lockley's head.

Cognitive distortions overcome the paedophile's internal inhibitions on offending, the resultant behaviour being usually persistent, premeditated, compulsive and accompanied by firmly entrenched cognitive distortions concerning the legitimacy and beneficial nature of child–adult sexual contact. Seven distortions common to offenders have been identified: a child who does not physically resist really wants sex; having sex with a child is a good way to teach the child about sex; children do not tell about sex with an adult because they really enjoy it; some time in the future, our society will realise that sex with children is really all right; an adult who feels a child's genitals is not really being sexual with the child, so no harm is really being done; when a child asks about sex it means that the child wants to see the adult's sex organs or have sex with the adult; a relationship with the child is enhanced by having sex with him or her. Common to all these cognitive distortions is the fact that the paedophile never attempts to validate his beliefs with other non-paedophilic adults.

Paedophiles go through cycles of abusive behaviour caused by their distorted thinking: denial, blaming, omitting and believing that the child enjoys sex and wants to be sexually active. There is a distinction here between the cognitive content and the cognitive process: interpretations (of victim behaviour), explanations and planning occur early in the offending process; evaluations (self-examination), denial and minimisation are more apparent after the offence has been committed.

Denial of the offending behaviour is a particularly pertinent feature in sex offending, common to virtually every convicted child abuser. It is often used as a means of avoiding punishment or as a coping strategy. Denial, secrecy (including cognitive distortions), blame and manipulation are employed by a paedophile to excuse and avoid the discovery of his offending, one means of denying an offence being to cognitively distort its actuality. The paedophile can then minimise the extent of the behaviour, deny its seriousness and deny any responsibility for it. A lack of substantive punishment can also reinforce offenders' belief that what they do to children is all right after all.

Cognitive distortions in offenders have been viewed as a process of cognitive dissonance, an emotional state set up when two simultaneously held attitudes or beliefs are inconsistent, or when there is a conflict between a person's beliefs and overt behaviour.

Resolving the conflict is thought to serve as the basis of a change in attitude in that belief patterns are generally modified so as to be consistent with behaviour. This process reduces the tension, self-reproach and despondency experienced by the paedophile who has made the decision to abuse a child. A paedophile can further distort the actuality of his offending by using pro-social and seductive behaviours. These reduce the victim's anxiety, concern and fear, thereby again feeding into the offender's cognitive distortions in terms of minimising and justifying the offence. The abuse is thus justified by the offender telling himself that the victim enjoyed it, was not harmed by it, asked for it and even benefitted from it.

Cognitive distortions play a more important role for extrafamilial than intrafamilial offenders, perhaps because extrafamilial offenders (who abuse more children than intrafamilial offenders) have a greater need to minimise and justify their behaviour. As a paedophile becomes aware of the conflict between his own behaviour and society's moral and legal constraints, he develops an idiosyncratic belief system. His offending is supported by two factors: that there are often no negative outcomes, and that the offender misinterprets or ignores any negative feedback received from the child (or anyone else).

In summary then, a distortion of attitude and belief, whereby children are portrayed as being in some way responsible for their own abuse, as not being harmed by sexual contact with adults and as being able to consent to or gain benefit from such encounters, is one of the most common characteristics exhibited by child sexual abusers.

DC Andy Ryden, who had investigated the South African sadist Denis Hundermark, took charge of the investigation to track down 'John Deakon'. As the case progressed, we constantly found ourselves asking, 'Has "Deakon" already raped a child; how close is he to doing it?' Then another e-mail: 'I am really desperate and need to have a young girl now.' Did he have access to children whom he could sexually abuse? Yet another e-mail: 'I am looking to have sex with a young girl aged between six and twelve. But I think I would like a girl around eight or ten, *this time*.' But by this time, I had, unbeknown to him, set up a direct contact between 'Deakon' and my office. He then asked, 'I would like to take pictures as well if possible. I am coming down to London on Thursday; can we meet?' 'Yes', went the reply, while in our minds was 'And don't make any plans to go back home.'

Exactly on time, 'John Deakon' walked into a hotel a short distance from Piccadilly Circus, oblivious to the numerous pairs of eyes watching his every move. He had arranged to meet his contact in the hotel foyer to be introduced to Amy, a nine-year-old girl whom he thought was upstairs in one of the hotel bedrooms. He had stripped himself of any identification other than the anonymous key card for his hotel and four condoms to accompany the child's rape.

While the formalities with his contact were being concluded, Lockley could have called a halt to the whole episode, declaring it all pure fantasy, but he did not. And as he knocked on the bedroom door and entered the room, calling out the child's name, two stone-faced detectives, DC Andy Ryden and DS Ian Hughes, met him and Kenneth Lockley was arrested. John Deakon, the child rapist was unmasked. From that point on until his trial at the Central Criminal Court, Lockley only uttered one word – guilty – to the charge of 'attempting to incite another to procure a girl under under the age of twenty-one to have unlawful sexual intercourse with a third person'. He also pleaded guilty to distributing indecent photographs to the police webmaster when he took the first steps to procure a child over the Internet.

Kenneth Lockley, a successful man in the technology world, engaged to be married, with a financially bright future, cut all the previously held stereotypes of a child molester into shreds. He of all people should have known better than to try to trap a child on the Internet. The trial judge felt it appropriate to comment, 'My view is that it is time, in the light of the pernicious influence of a large number of websites, that Parliament considered dealing with this lacuna in the law ... It is difficult to envisage a more sordid and depraved activity than arranging for a child to be made available to you for sexual purposes.' In light of the minimal sentence – eighteen months – that the judge could pass, he had good reason to add, 'the law clearly does not deal with the type of conduct perpetrated by the defendant in this case'.

The Kenneth Lockleys of this world escape the full rigour of the law because the law is not in place to deal with them in the way it should, to protect children and deter predators. Lockley was not even eligible for treatment in prison because he was not there long enough, although it is not to say that treatment would have been effective. We who investigate these men have been constant in our demands for the law to change and protect the rights of children not to be used and abused. Now, since the dangers of Internet chat rooms have recently received close and careful consideration by politicians and a now 'more involved' Internet industry, legislation will, we hope, start to protect children. I trust that police resources will also be increased to reflect society's concerns and deal effectively with cyberspace predators. The Internet Task Force is carving out preventative legislation to stop men trying to meet children, of any gender, for sex. This legislation will protect children not only on 'the net', but also in the 'real world' that exists outside cyberspace.

24

CYBERSPACE
DETECTIVES

Bob McLachlan

*It is one of the sad facts of history that the greatest innovations
of science or technology intended for mankind's good are so often
capable of being used to damage our physical or moral well
being. This is certainly true in the case of the Internet. Here we
have a marvellous technology that is revolutionising the way we
communicate. It has the power to inform, to educate and to
entertain. Unfortunately it also has the ability to act as a
channel for all that is evil and perverse.*

Louis Alexander, European Hotline Consultant,
Childnet International, 1999

The world has become no bigger than the screen in front of the
paedophile. It is his playground, his theatre, the stalker's paradise.
The Internet Crimes Against Children Task Force in the USA
captures the particular environment of the Internet and the
difficulties of investigating crimes committed there in this
statement:

Policing in Cyberspace presents new and unique challenges for law enforcement. In Cyberspace, traditional boundaries are ignored and the usual constraints of time, place and distance lose their controlling and limiting influence. Very few investigations start and end within the same jurisdiction and nearly all of these investigations involve multiple jurisdictions and require extensive interagency communication.

Forty-nine-year-old Hans Kruijer stared at his computer screen, taking in the image of Joe. As the face of the child appeared from cyberspace, Kruijer's perverted libido responded. Twelve-year-old Joe's innocent face, his straight blonde hair falling forward over his forehead, was captured for ever on Kruijer's hard drive. This visit to the chat room was paying dividends for the predatory paedophile. 'How old are you, Joe?' 'Twelve', came the typed reply. 'Where do you live?' 'I'm in England; where do you live Hans?' 'I am in Holland, and I think I would like to get to know you better.'

Monday in the Paedophile Unit is no different from any other day, and on that particular Monday, 17th May, DC Tim Irwin was the one to answer the telephone call disclosing details of Hans Kruijer. He was told that Kruijer had befriended a twelve-year-old boy in a chat room and was coming to London from Holland to meet the boy. Dave Page took up the task of dealing with the information and began to make enquiries into who and what Kruijer was. He was easy to identify from enquiries to our European colleagues. Dave Page also began the search for Joe. 'Operation Alegar' began in earnest.

Ten days later, Kruijer entered the chat room and began to describe his forthcoming meeting with Joe to a regular contact, this providing an insight into the planning that goes on before a meeting. The conversation, spelling mistakes and all, went as follows:

    <Steff> hi hans
    <Steff> how r u
    <Hans_nl> hi steff
    <Steff>:o) [a smile]
    <Hans_nl> fine, and you?

<Steff> ok
<Steff> so u still coming on Friday then?
<Hans_nl> yess ok
<Steff> I'm looking forward to it
<Hans_nl> yes, of course
<Steff> great
<Hans_nl> why, do I see you also?
<Steff> Yes you might do
<Hans_nl> cool
<Steff> will Joe mind?
<Hans_nl> when do we meet us?
<Steff> it will have to be Saturday
<Steff> I cannot on Friday or Sunday
<Hans_nl> and where do we meet?
<Steff> not sure yet
<Steff> where r u meeting, Joe, maybe there?
<Hans_nl> you can call me by telephon
<Steff> I don't like using it
<Hans_nl> I think I meet joe at the railway station
<Steff> oh london bridge?
<Steff> that station?
<Hans_nl> yes, i think mi am there round 10.00 am
<Steff> oh right where in the station?
<Steff> I will try to find you two
<Hans_nl> in front off it I think
<Hans_nl> do you now how joe look like
<Steff> he sent me a picture
<Steff> is that how you will see him to?
<Hans_nl> ok, that pose pic
<Steff> yes
<Hans_nl> well we will see
<Steff> have you got an other picture
<Hans_nl> no
<Steff> is that how you will know him?
<Hans_nl> does joe know that you enjoy us?
<Steff> I don't understand?
<Hans_nl> I think that I take something in my hand, a time's

paper or something
 <Steff> Is that how he will know you?
 <Hans_nl> have you talk whit joe about ssaturday
 <Steff> No
 <Steff> I not seen him
 <Hans_nl> he has my shower pic
 <Steff> oh right
 <Steff> will you hold the newspaper so he can see u?
 <Hans_nl> yes, if I don't see him in the room before vriday, then I send him a message
 <Hans_nl> but if the boy on that pic is joe, then is it not difficult
 <Steff> what do you mean about friday?
 <Hans_nl> well I go friday morning to my work, and after my work I go directly to schipol airport
 <Steff> oh i c
 <Hans_nl> do you have a pic off yourself now?
 <Steff> well he will be at school then won't he?
 <Steff> no i'm not allowed to
 <Hans_nl> why are you not allowed to?
 <Hans_nl> ill travel in de evening?
 <Steff> my dad said no
 <Steff> oh right ok
 <Hans_nl> how old are you
 <Steff> 19
 <Hans_nl> ok
 <Hans_nl> nice age
 <Steff> so is 12
 <Hans_nl> yes it is
 <Steff> he he
 <Hans_nl> we go into the town, and buy some little things
 <Steff> what does he say about me, I think he not like me much
 <Hans_nl> has he say that to you?
 <Hans_nl> what time did you leave us?
 <Steff> not but he is sharp wit me
 <Steff> what u mean
 <Steff> when I go off line
 <Hans_nl> no, do you saty the night over?

<Steff> no
<Steff> not sure
<Steff> we see on saturday
<Hans_nl> ok, take your speedo whit you, maybe we go to the swimming hall
<Hans_nl> and don't forget your pyjama
<Hans_nl> are you still there?
<Steff> ok
<Steff> ok

We now knew that the arrangements had been confirmed for Kruijer to travel from Holland to meet Joe in London. We knew the date – 29th May, a couple of days away – the time, the place and the purpose: that Kruijer wanted to rape the child and take photographs. The missing piece to the jigsaw of abuse was, 'Who was Joe?' Only surveillance would tell us, and we certainly did not want the two to meet. We only had one option – to ensure that we knew where Hans was from the minute he boarded his plane at Schipol airport until the minute we could take Joe into our protective custody.

At 7.45 pm on Friday 28th May, we monitored Kruijer coming through Heathrow airport and satisfied ourselves that he had checked into his hotel in Central London; he was obviously unaware of the close attention being paid to his every move by the team of officers. We had a difficult task in front of us as although we knew that Kruijer had arranged the meeting with Joe, I felt we might have missed something. Could the meeting actually be happening earlier, or later, or somewhere else? Was anyone else involved? Had there been other communications between Kruijer and Joe? All we knew for sure was that Kruijer was planning to fly out of Heathrow after his weekend of abuse on Sunday at 6.50 pm.

On Friday night, Kruijer had a brief look around the West End but returned to his hotel at a reasonable time, no doubt to plan and savour the day to come. As Kruijer went to bed, however, we still did not know Joe's identity. The plan was, quite simply, that if we found out who Joe was, we would stop him travelling to London Bridge. If Kruijer and Joe were together for even the briefest of moments, even in a public place, we would have no control. Despite our intensive research, we did not know what Kruijer might do at the moment of meeting the child or what he might do to the child, given the opportunity, as we moved in to arrest him. Joe was a hostage in the making.

So far, we knew that Joe was twelve, and the photo we had was clear and identifiable to anyone who knew him. His PE master at school was a Mr Jones, who was a member of a good cricket team. Joe had also said that he went to school in Hastings, so on the Friday I sent officers to work with the local Child Protection Team in Hastings to identify Joe. But none of the schools knew him. This was another example of how the good fortune seen in TV policing rarely occurs in real life. We had reached a dead end, but what I did not know until later was that we were on a wild goose chase.

We were up before Kruijer on Saturday morning, officers being positioned at the hotel and at London Bridge railway station, with Dave Page and Terry Bailey in charge there. Kruijer left the hotel looking like just another tourist taking in the sights and sounds of weekend London, later emerging onto the concourse of the railway station looking around him with obvious intent. But he was not, like everyone else, checking the train times or planning his day's shopping trip in London; he had already done his shopping on the Internet and now wanted to collect the 'goods'.

By quarter past ten, there had been no sign of a twelve-year-old boy resembling the Joe in the photograph. The order was given to strike, and within seconds Kruijer was in custody, his fantasy of child sex tourism in the UK crashing down round his head as he was led away. During the subsequent interview, Kruijer unsurprisingly denied that he was in London to sexually abuse a child, even though his hotel room was an Aladdin's cave of paedophile paraphernalia: cameras, video recorders and condoms. Thank God the child had not shown up.

Kruijer's plan was real enough, his intention being clearly defined in what he brought with him, but without a victim we had to release him pending further enquiries to trace the child. As Kruijer boarded his plane back to Holland, he was left in no doubt that his presence in London was unwelcome. And unknown to him, Dutch detectives were at his home, discovering evidence of many years of unknown abuse against Dutch children.

The next day, while Dave Page was still trying to trace Joe, we received a message telling us that Kruijer had been found hanged, killing himself rather than facing the consequences of his sexual abuse against children. Our case against him was now closed and the information on Joe was placed on file. But that was not quite the end of the matter.

Peter Watts, a 35-year-old single teacher and youth coach of the local schoolboy cricket team, settled in front of his computer and logged in to the chat room using his favourite pseudonym. 'Hi,' he said, 'I'm Joe and I'm aged 12.' Like locusts around their prey, the paedophiles in the room spread towards him. It was 11th June, ten days after Kruijer had killed himself. Watts did not know that Kruijer had made the ill-fated journey to London and was now dead. Watts never had any intention of meeting Kruijer at London Bridge; how could he – Kruijer thought that Watts was twelve? It had all been part of Watts' fantasy, convincing Kruijer and many others like him that Watts was a schoolboy and not a school teacher. And so good at the deception was he that Watts had been sent cards and presents from some adult Internet paedophiles who believed that they were communicating with a child. Watts also used the Internet as 'Joe 12' to make contact with children. These contacts sometimes lasted years, so long in fact that he would have to increase his age every year in order to keep up appearances with his permanent contacts. But on 11th June, Watts was concentrating on stalking children in the chat room. He was bored with the adult interest in him and went on line as Peter@UK. As he approached someone he thought was a male child in the chat room, he ensured that his downfall would be swift and that the real truth about 'Joe 12' would emerge.

'Would you like to have sex with a man?', Watts asked. 'Would you like to take part in a photographic session; I will pay you £800', he continued. 'This is what I like', Watts typed as he sent 'the child' a series of thirty photographs of men having oral and anal sex with boys aged between eleven and fourteen years of age. On 12th June,

DC Kevin Green took up the investigation to track down 'Peter@UK'. The intelligence on his approach to 'a child' had been entered into our system and, a few short checks later, Watts was traced to his home address.

When Kevin Green raided Watts' address and arrested him, Watts admitted being in possession of thousands of indecent and obscene images of children and having sent some of the photographs to many other Internet paedophiles. He had amassed his large collection of indecent images via the Internet, and his distribution of the photographs had taken place on a daily basis for a considerable period of time.

DC Kevin Ives and Michelle Pell set about the task of reconstructing the cyberlife of Peter Watts. Their computer forensic skills uncovered a depressing catalogue of abuse, and by the end of their examination they discovered approximately 11,500 indecent images of children on Watts' home computer as well as about 3500 on his laptop. His floppy discs revealed a further 1300 or so indecent photographs of children, and his CDs contained over 5000 other instances of the rape and assault of children in photographic format. With him as both 'child' and 'adult', the vast total of 21,784 indecent photographs of children had been collected and traded by Watts. Not a week goes by when we do not arrest a paedophile with an enormous collection of photographs on his computer, Watts being no exception – photographs of babies being indecently assaulted were filed alongside those of boys being raped. Perpetuating the abuse of these child victims had been Watts' obsession for a long time, and this formed the basis of the charges he would face at the Middlesex Guildhall Crown Court.

There was one very important picture on Watts' hard drive – neither indecent nor obscene but one that provided evidence of Watts' contact with Kruijer. It was the photograph of 'twelve-year-old Joe's innocent face, his straight blonde hair falling forward over his forehead'. Kruijer's e-mail address was recovered from Watts' computer, and the mystery surrounding the identity of 'Joe 12' was at last resolved.

During his time on bail, Watts secured a place on a treatment programme. Volunteering to remain at the treatment centre, a form of self-imprisonment, Watts was obviously keen to show that he was turning over a new leaf. A 'repentant' paedophile, Watts blamed his heavy drinking for his not remembering his chat room conversations with Kruijer, and swore to give up. Whether or not this was all said to impress the judge when Watts pleaded guilty to the charges against him one can only surmise, but he was sentenced to three years' community rehabilitation and released from the court.

Kevin Green was naturally disappointed at Watts' sentence. It had been Kevin's first case, and we had thought that because of the number of photographs of children, because babies were included and because Watts had traded the pictures on the Internet, he would get at least two years in jail. As we emerged from the courtroom, Clarissa was there with her camera. I said simply, 'He's been given a Community Order requiring him to reside at the clinic for treatment. During that period of time, he is not to have any access to children, domestically or in employment of any kind. He's now walking home. The court has made its ruling and that's the way it is. The judge said that if he was arrested and charged today, he would go to jail for ten years, but he's chosen to give him the community rehabilitation option with treatment. And I just hope that the children who were in the horrific pictures which Watts had get the same chances for therapy that he has. I doubt it somehow but there you go. Another one done and plenty more to do.'

Watts had beaten the system and yet again the message from the judge to the paedophile was 'If you do it again, you will be in serious trouble.' But surely we should be sending a clear message to people like Watts of 'Do not do it the first time.' I really despair when the one person, the judge, who can actually reflect the public's concerns about paedophilia fails to do so. In my view Watts should have gone to jail – to punish him, to prevent others embarking on the same course, to reflect society's view of such offenders and to recognise the ongoing harm done to children by such men. What then is the role of treatment for such individuals?

25

THE CURE

Bob Long

Paedophiles kept getting woken up early in the morning to realise that their life as they knew it was now over. Burly policemen spent all day searching every nook and cranny of their homes while their neighbours' net curtains twitched. Computers, videos and photographs were removed, on them a huge number of images of small children being raped. Love letters from little boys and girls to men in their thirties, forties and fifties were put in plastic bags and taken to the overflowing evidence room at New Scotland Yard. The scale of the accelerating phenomenon of child abuse was frightening.

Ben, Clarissa, Daniel, Juliette, Chloe and myself – outsiders from the BBC – had been there for over a year: we knew that because our annual passes to New Scotland Yard had to be renewed. Even after hundreds of hours of conversations with officers who had been in the job for years, and paedophiles who had devoted a lifetime to raping and abusing children, there were so many things we just did not know. When I talked to friends and colleagues about our project, they were always full of questions. The biggest issues always seemed to be 'Could they be cured?' and 'What about castration?', but I was really no nearer to being able to answer this than I had been at the beginning of the project. And then two

215

young men played an Internet trick that eventually led to a person and a place with fascinating answers to all the difficult questions.

These two young men contacted the Paedophile Unit anonymously, the case being taken up by DC Kevin Green. Their story started with a trip to their local Internet café; there, almost as a game, they went onto a website and posed as young boys, deliberately to lure paedophiles. Two men, Richard Hunt and Peter Watts, took the bait very easily, and the two amateur undercover agents sent the details of their would-be abusers to the unit. When the police searched Hunt and Watts' homes, child pornography and 'love letters' from young boys were found. Hunt arrived home while the police were there. Because his subsequent arrest happened in the street, Ben was able to film it.

Hunt was an incredibly respectable-looking man who could have been the chairman of a large corporation. He exuded a kind of middle-class English orthodoxy and undoubtedly had absolutely perfect table manners. Yet here he was being arrested as a suspected paedophile. Ben stayed close to him with the camera, and Hunt made no attempt to cover his face. Here, as well as later in the police station, he did not acknowledge the filming at all, and he spoke to the police only when spoken to. Despite a classic English attempt to cover his embarrassment, he could not hide his fear as his life collapsed in front of him. The veneer of respectability that his body language and clothes suggested he cherished was going to be shattered by his family and friends' discovery that he had a 'thing' for little boys.

The other suspect in the case, Peter Watts, was found to have a large store of images of children being abused. In his collection, there were some images of babies, animals and young girls, but the majority of the pictures were of boys aged five to fourteen. During his arrest, DC Andy Ryden suggested to him that he might benefit from contacting the Wolvercote Clinic, which might 'treat' his paedophilia. Several months later, Hunt and Watts were given a three-year community rehabilitation order. The judge gave Watts 'credit' for attending the clinic and trying to deal with his problem.

Clarissa was waiting as usual, camera on tripod, to get a shot of Watts coming out of court. We are normally rebuffed when trying to get an interview with a paedophile, but in this case Clarissa was surprised when Peter Watts appeared to be very interested in telling his story to the world. However, he laid down conditions, insisting that his face be 'pixilated' for the interview and further demanding that all the shots we had of him would fully disguise his identity. A compromise was reached: we would disguise his identity if he gave an honest and insightful interview. We were left to choose whether to use this or just go with what we had, while Peter left court to return to the Wolvercote Clinic.

Several weeks later, I met Donald Findlater, the manager of the Wolvercote Clinic, to negotiate access to Watts and possibly to the clinic itself. In a crowded café across the road from New Scotland Yard, we talked briefly about Watts and how he was doing. Donald was not against Watts talking to us, but he did want to get the timing right in terms of his programme at the clinic. That agreed, I started to ask Donald questions about the clinic and its work. While I chewed away at my sandwich, I became absolutely engrossed in Donald's explanation of the clinic and his awesome level of expertise. He and his clinic had addressed the big question: was there anything that could be done with life-long convicted paedophiles to stop them re-offending? I was too interested to write anything down, but Donald agreed that I could record an interview with him at the clinic.

A few weeks later, a taxi from the local station took me to the Wolvercote. The taxi-driver gave me an odd glance, and I felt compelled to tell him that I was from the BBC in case he thought I was a new arrival for treatment. We drove into the extensive grounds of a 'ghost hospital', big red-brick empty buildings surrounded by grass and trees with nobody in sight. One building in the hospital grounds was occupied by residential mentally ill people, and in a secluded corner a small cluster of other buildings completed the Wolvercote. I was a little early, and as I stood outside I chatted briefly to a woman therapist at the clinic. She knew who I was without introduction and was incredibly cautious when I asked a few very ordinary questions, really to make conversation. This was a place that was obviously very wary of the media.

Donald met me and led me through a kind of administration wing into a large empty room, where we talked. The Wolvercote Clinic houses twenty-five residents at any one time, all of whom are sex offenders, nearly always paedophiles and nearly always referred to the clinic by somebody in the criminal justice system. While it is not a secure unit or prison, its external doors are all alarmed and some men are electronically tagged. They have escorted trips out at weekends under constant supervision. Such an institution needs only one incident of a child being approached and it will probably be closed down. In the six years the residents have been located at the Wolvercote there has not been a single incident, although one of the residents did steal a car when absconding to his native Merseyside.

Donald wanted to emphasise that their work with sex offenders lay absolutely in the field of child protection: 'We are a child protection charity and that's fundamentally important. We're called the Lucy Faithful Foundation because Baroness Faithful, who had been a director of Social Services, fundamentally believed that a way of protecting children was to effectively work with the people who are going to hurt them rather than just to point fingers at them and assume that tomorrow they're going to do it again. If you can prevent them from doing it again, then that's effective child protection. I think there's still a strong public misunderstanding of that.'

I suggested that the public might resent a large sum of public money being spent on child sex abusers to stay in a residential home to receive expensive treatment. Donald replied, 'A question I ask social services is, how much money do you spend on legal fees and the cost of court to protect children, and what could you do with that money if you just didn't use that legal system? If you put all that money aside, what different things could you do with it that would actually protect children? We are spending phenomenal sums of money, and that amount is getting larger and larger. We're investing in a system that frankly is largely ineffective at protecting children from sexual abuse.

'The statistics are phenomenally anxiety-provoking as far as I am concerned. Less than 10% of child sex abuse gets to the knowledge of the child protection agencies, and of that 10% less than 10% will achieve a conviction at court. So all the policing and all the court processing and everything else can only be effective with 1%, and we know what that effectiveness looks like – locking a few guys up, putting them on probation orders maybe. Some of them will get a treatment programme, some will be assessed and some won't be. Some go through the prison system, some will be made significantly worse as a consequence of the attitudes and attention they receive in the institution, the ways the other prisoners and staff treat them, and some of them will be contaminated by other offenders who have no interest in changing their ways and who will encourage them in being paedophiles tomorrow as well. No-one seems to look at the cost of all that, but we do.'

Donald told me that the actual cost of keeping a resident at the clinic was about the same as keeping him in a mid-range security prison, the key difference between the two approaches being, however, that the criminal justice system is absolutely geared towards paedophiles denying their abuse. When arrested, they are not usually in a frame of mind to tell the police everything, and their lawyers invariably tell them to keep their mouths shut. The whole expensive system is thus geared towards denial and the minimalising of information. At the clinic, with its one year course, they are in the business of residents acknowledging what they have done and being challenged by therapists and other residents not to deny anything.

I saw a dilemma here. I could imagine offenders owning up to what they had been convicted for, but not to offences that had not been investigated or prosecuted. Surely, a resident could sit in front of other residents and confess to other, 'new' crimes, putting therapists in a difficult position in legal terms? Having heard a confession, how could they reconcile their treatment of the resident with their obligation to report a crime? Donald explained that this was not a dilemma for them: on arrival, all residents were made aware that if they confessed to unconvicted crimes, the police would be called in to investigate. I asked Donald if there were any cases of men who, knowing the consequences, owned up to new offences.

'Michael had come here to be assessed by Social Services, not for any express offence against anybody, but because of sexual boundary problems with the family: the four-year-old was acting in a sexualised way, which was part of the alert button for Social Services. Michael also had a baby. He admitted within a week of arriving here that he had, through orally abusing his young baby, caused that baby brain damage by suffocating the child through putting his penis in the child's mouth. He had resuscitated the child, and the child had brain damage as a consequence. The health authorities at that stage believed the child had suffered from meningitis. Michael went to prison as a consequence of telling this story and repeating it to the police. Once he's finished his jail term, he is hoping to come back here.'

I asked Donald why Michael had owned up. 'Because he was living with the secret. He knew what he had done, and he had a sufficient conscience. But he also came to a place where he believed he could talk about it and still be respected as a human being despite the tragic story he had to offer. He got to a place where he could start to talk and people would listen and deal with it appropriately.'

I asked whether any current residents had owned up to new offences. 'One of the convicted priests that we have at the moment was convicted of seven sexual offences against seven different victims, and he has made statements to the police during his time here about nineteen other victims that he's offended against.

'Most of the other men here will have additional offences. At any one time, I would expect one or two or three of them to be in active dialogue with the police and solicitors about additional matters that need to go on record. Now, the solicitors that they would approach will probably advise them to keep their mouth shut, and that puts us in a tension because we would then be saying to the man that it's in his interest, in the interest of his victims and a matter of personal integrity to actually go on record and not keep it a secret, but his solicitor will be there advising him that if he says nothing about it, nothing will be done about it.'

The Wolvercote Clinic took in paedophiles, but I had learned that there was a spectrum of offenders; did the clinic deal with all paedophiles or just a particular type?

'We won't take people who are currently significantly mentally ill because there are issues about their competence to manage themselves as well as their capability to manage some of their behaviour. We don't take people who have a current substance-abusing problem because of the temptation to clear off and get fixes or a drink. We don't take people who have a severe learning difficulty because their treatment needs are different from what we can provide. We don't take men who are the most predatory, on the basis that our obligation to our local community is that I don't want to take people who, if they did get out of our less than fully secure institution, would pose an immediate risk to a local child.

'The men who we take will groom their victims. So whether the grooming is getting to know the neighbour's children and becoming a friend and actually offering to babysit, whether it's the priest who has a passport into families and is generally seen as a good guy, or whether it is the dad who has essentially seduced his own daughter, the youth workers, the school teacher, the cricket coach. So it's people who actually get close to children, develop some kind of relationship out of which they will abuse. And often in that context, they will romanticise what it's all about and will pretend to themselves as well as to other people, to the child in particular, that this is some kind of romantic attachment and their fantasies will grow out of that.'

I picked up on Donald's use of the word 'romanticise', telling him that I had seen letters that were really like love letters from small boys to middle-aged men. Some of the pornography I had seen had also suggested that the child victim might be in love with the abuser, and for some reason I found this particularly disturbing. Donald said that a strange emotional attachment between abuser and abused was not unusual but was often misinterpreted.

'For the man, love may be a large part. It may not be the only part, but it may be a large part of what's going on. For some of them, it won't be at all. There is the tragic, fortunately small, population of men who enjoy causing harm and distress and pain and humiliation to children or adults. But for a lot of men, they would romanticise about the relationship and the abuse and would believe or try to manufacture the belief that there is something very mutual and reciprocal about what's going on, and would prepare the child and corrupt them over a period of time so there would be some level of responsiveness that would support these kinds of notion.

'But we have to remember a child is a child, and it's being moulded to do these things. Offenders betray the child's trust and corrupt them and actually cause a child to believe things about themselves and the relationship and about the men that the child is not fully competent to understand, physically, emotionally or psychologically.

'I always remember a guy who got very animated about his genuine compassion and concern for the children, and he was very moved and moving about that. Then he had to be pushed to consider what the relationships were really about and how much he genuinely cared for them. Then another offender said to him, "How come the day you saw pubic hairs growing on them was the day you dropped them? Your genuine care and concern for these children lasted as long as their pubic hair didn't, and then that day was the day you were going to let them go. It wasn't about them, their personality or anything else. It was about the bits of them. That was what you really cared about." I think we can all beguile ourselves a little bit . . . Sometimes we have to be pushed to look powerfully and honestly at these things. At the time, the child may have felt all sorts of positive, good things, but the day the pubic hair arrived would be a distressing day for the child, they would be dumped, and how would they understand that after all that's gone before?'

I wanted to know more detail about how the clinic worked, but I could not wait for my most important question to come up. The police from the unit had been absolute on this part: there is no 'cure' for paedophilia. And Donald was just as certain.

'No, we don't cure them. And that is written down for them in the contract they get when they arrive. The offenders are told that we do not offer them a cure for sex offending. But we do believe they can learn effective self-control and we have experience that tells us that men can and do. That is something they have to learn and rehearse and practise for the rest of their lives. For some that will be a tougher task than for others, but hopefully with the passage of time that will become easier. They must always remember, for the rest of their lives, that they have the potential for abuse because we cannot extinguish a level of arousal or sexual interest in children or some kind of abusive sex. So the best parallel or explanation we can offer the men is that it's a bit like an alcoholic. There is no complete cure but there is a process of recovery. They have to remember there are always risks, and they have to remember to manage those risks, and to maintain their vigilance.'

The Wolvercote Clinic's 'treatment' to bring about such self-control was obviously not a simple process, but before we moved on I really had to ask another burning question. I wanted to know why it was that some men became paedophiles, but first I had to clear up the 'myth' or 'truth' about their own sexual abuse. Were paedophiles generally men who had themselves been abused as children? The Wolvercote had dug deep into the sexual history and secret fantasies of hundreds of life-long committed paedophiles, even though they were too busy with their treatment programme to publish many of their findings. I wanted to ask him about Julian Levene, who had objected to the idea of prior abuse.

When I had asked Levene if it were true that a lot of paedophiles had been sexually abused when they were children, he replied that many of them naïvely used that excuse to try to get a lighter sentence or arouse people's sympathy: 'nonsense, I wasn't abused.' But Donald's experience was different. 'We believe from talking with offenders in depth, and also there's a lot of supporting research literature that's been done over a period of time, that a significant number of offenders were themselves abused as children. Also in this programme and in the prison programmes for offenders, there are structured interviews about sexual acts over a period of time, including a life story to assess the whole range of behaviours and fantasies of subjects. We collect all that demographic information and it is done consistently. For us here, part of our programme is called 'learning from the past', where as a group we visit residents' childhoods.

'So it might be fine and dandy to make up a little story, but to sit with a bunch of men (other offenders and staff) and talk about it, and to manage that and then acknowledge that there is no excuse for their offending behaviour, it is really very difficult to manufacture and maintain a story. The group has enough tentacles to spot disengenuity to know when people are manufacturing stories.

'Certainly in the States and certainly in the realms of psychiatry, there was sadly a time, particularly in the '70s and '80s, when bringing forth a story of victimisation was used as a legal tactic to achieve a lighter sentence. It doesn't cut any ice any more. Now the judicial system is not interested in what happened to a sex offender as a child; it is concerned with what they have done to children. It would not make sense of their position to say the reason I did these terrible things was because it happened to me. In treatment we need to confront them until they acknowledge the fact that what happened to them was a bad thing, then that what they have done to children is also a bad thing.'

I told Donald about Mark Enfield, whom I had challenged in this way by saying that it was no excuse. He had been abused when he was four years old, a painful and extremely traumatic experience for him. If you put your hand in a fire, you learn not to do it again, so how could Enfield's abuse be the reason for his becoming an abuser? Enfield had said that the abuse had become pleasurable, so I asked Donald whether children can grow to enjoy the sex with adult abusers.

'Yes, absolutely true. That's often the conflict and guilt left with many child victims. Probably not from the one-off predatory event but from sustained abuse. Certainly with sex offenders who are planning and grooming and wanting to sustain their abuse, they are not going to anticipate a one-off event. It is in the abuser's interest for the physiology of the child to respond to it. So for a male child to have their penis rubbed, to be masturbated, to then become sexually aroused, become erect and to ejaculate. That is part of what is likely to happen to many children. That is not something they have conscious control over because it is what happens when the genitals are rubbed, but this leads to conflict for the child. They are left feeling guilty because they partly enjoyed it and partly didn't, and partly understood it and partly didn't. That is part of the trauma that's left for the children.'

Donald went on to explain that the abuser sometimes misinterprets the child's behaviour to suit himself, distorting the relationship between fantasy and reality. He might believe that the child is enjoying sex whereas the child is actually in a state of confusion and terror. One man was very clear in describing what he had been doing with his step-daughter. Having thought about it and fantasised about it, he described how he would go into her bedroom at night and make her writhe rhythmically to his masturbation of her. He was just doing something she enjoyed so he just could not understand why she reported him to the police. The girl described in her victim statement the terror she felt when he came into her room and how she would try to get as close to the wall as she could to get away from him. So she was clear in what she wanted to do; he had just reinterpreted it. It took the man a while to accept the truth and how he had twisted it to be what he wanted it to be.

Donald told me about another resident at the clinic who could not understand why a girl reported him after he had been abusing her for many months. If she did not like it, how come she was there for him every Friday night? In her victim statement, she described how she dreaded Friday nights and would allow the abuse to happen to get it over and done with so that she could enjoy the weekends with her friends. A very successful con-artist – well, maybe not such a successful one as I had interviewed him in prison – told me with enthusiasm how easy it was to defraud people because they are ready to believe something they want to believe. If a paedophile wants to believe that his victim enjoys the abuse, he will apparently ignore or at least reinterpret all the signs opposing that idea.

26

WHAT ABOUT CASTRATION?

Bob Long

After nearly a year of following the detectives catching and convicting the men who did horrific things to children, I had become almost as cynical as they were about the possibilities of treatment. As Donald spoke, I started to realise that there was perhaps some kind of hope at the Wolvercote Clinic. There was nothing wishy-washy about their approach; they were concerned with protecting children by having an impact on abusers. I became intrigued by the detail of how their approach worked. What happened to the men who came to this clinic for a year?

I opened the subject by asking Donald about pornography. So much of the police's work seemed to be related to the seizure of large quantities of pornography. I understood that viewing pornography is in itself a form of abuse, but does this lead to actual physical abuse and does pornography somehow create paedophiles? Much of the clinic's collective knowledge has come from talking with paedophiles, so Donald answered by relating another resident's story. He was asked what could people have spotted in his behaviour to make them suspicious of him.

'When this man started in his teaching career and went for his first job interview, he took a female companion with him as a pretence that she was his girlfriend. She wasn't but nobody asked. They just assumed. The school was the one he had gone to himself and he knew at the time of the interview that, having been sexually abused himself at the school, he was returning to be an abuser himself. That was what he was planning to do. He got the post and was seen as such an excellent teacher, so committed to the boys. If there was extracurricular activity, he would be there doing it. In fact, his school holidays he would spend with the boys, often remarkably unsupervised; he would develop special relationships with several pupils and help out one or two single mums with their male children. He never had any adult male relationships with other staff in the school. So all these things should have given people a little question mark, but it didn't, and alongside of that he was abusing consistantly.

Donald recounted this experience to others around schools in Surrey in a presentation entitled 'Beyond Belief'. 'At the first conference we went to, a headmaster, a lovely bloke, told a story of a squandered teaching career only just because this guy, ultimately, was found in possession of child pornography. So that was his belief. He was a great teacher, got on really well with the kids. There was an allegation of abuse that was anonymous, and all they ever found was child pornography.

'And I said to him, So that's all they found, child pornography? So tell me, what use the child pornography had for him, and tell me what do people use child pornography for? And what should you assume is that person's interest? And can I help you to assume that it means he has a sexual interest in children? Is that the sort of person who should be associating with children every day, and is that the sort of person who should be offering private music tuition to pupils in the evening and at weekends? Do you really think that a squandered career is a tragedy for children? It's a tragedy for the man, but I think your school is well off without him. I think you need to learn that pornography is leading somewhere, and that sexual fantasy is a very powerful motivator for these things. You and I have sexual fantasies and we manage them. Child pornography is where some people's fantasy life is, and fantasy leads to behaviour.'

This seems to be a case of somebody who already had a sexual attraction to children that he backed up by the use of pornography. But I asked Donald whether pornography can lure a man into paedophilia.

'Pornography has a role of overcoming internal inhibitors, the conscience. The more one exposes oneself to this material, one desensitises oneself to any shock or horror of the content, and actually starts to potentially incorporate the images into one's own fantasy and actually imagine the undertaking of those acts, and for many they will start to romanticise these things. Once they're fixed, it's very difficult to unfix them. Once the man has developed a sexual fantasy towards children, and whatever he has put in there and if the world of the Internet has provided an appetite, it's very difficult to take away the potency of these things.

'We've seen a couple of guys here, interestingly, in recent times where they've started with adult pornography and moved into child pornography. What you do often with fantasy is take it to the fringe. What is the fringe of this? I wonder what that sadistic bondage stuff is, but it's adult, so it's just a little walk away; so you visit that bit and then, gosh, I wonder what the seventeen-year-olds are like. It says "teen bondage", so I wonder what it's like. And then what's the next level down you might go from there. So gradually it erodes, and they fantasise about those other things, so that where they started from is a different place from where one ends up. So the guy who was just looking at adult pornography stuff because he was away from his wife working on the continent ended up with three-year-olds being sadistically brutalised and raped. Eighteen months ago he wouldn't have dreamed of thinking he would be interested in that. But the process of desensitising, and whetting his appetite and being curious actually took him there. And you can't untake him.'

Donald took me through several 'models' that help to explain how a potential paedophile gets into offending. One simple model starts with *fantasy*, which is satisfied and developed by the next step, that of *masturbation* and ejaculation. This eventually leads to the identification of a real rather than a photographic or cyberspace *target.* A real little boy or girl is then *groomed* over a period of time, perhaps several years. DC Andy Murray had told me that a paedophile who liked ten-year-old girls might befriend a single mother when her daughter was six or seven and spend the next few years lining the little girl up for abuse at his preferred age. Donald said that some abusers have also been known to breed children for abuse. They play their part in creating new life with the intention from the outset of sexually abusing their own children at their preferred age. The last stage in this process of fantasy, masturbation, target and grooming is obviously the abuse itself.

Another model helped to explain the preconditions that lead to abuse, the first step being *motivation*. 'There has to be a wanting to do it. Sex offending is not an accident. Maybe lots of people are motivated. They have a sexual interest that motivates them towards rape or child sexual abuse, but they might never act on it. The reason they don't act on it is because the second precondition is *internal inhibitors.* Guilt, conscience; people get hurt by that kind of thing; I'm not the kind of person who has that kind of relationship; I believe in respect. So there are thoughts I want to put aside and I certainly won't act on them. I am not the kind of person who wants to cause damage.

'But some people overcome the internal inhibitors. Then you're into the world of cognitive distortions: they would say "all kids like sex, and when I was a child I enjoyed what happened to me, the sexual stuff that happened at school. So it's just entirely natural, red-blooded stuff, and I just think the laws are a bit wrong. We all know the law is wrong because they keep changing it, for God's sake. Different countries have different laws and different ages of consent." You filter out the bits you're not interested in, and you collect the bits that you are. They focus on all bits that support them, like adverts that portray children as little adults. They'll look on websites and talk to people who believe in paedophilia.'

Having dealt with his own conscience and justified it to himself, the offender still has a few hurdles to overcome, first of all the *external inhibitors.* He has to get round the parents, teachers, the environment surrounding the child that will restrict his offending.

Finally, having sorted out his own head and fooled or manipulated the adults around a child, the abuser has got one last inhibitor, the reluctance of the child, or *victim resistance*. One way or another, he has to bully, cajole or manipulate the child into collusion.

I asked Donald how treatment is structured during the residents' twelve-month stay at the Wolvercote. 'The first assessment on arrival is four weeks using the models for abuse. That four weeks is made up of sixty hours of group work, psychometric tests and homework assignments that builds up to an assessment of the resident's history and his risk. If he stays on for treatment, the modules he follows are in two-week blocks. These are rolling themed units that he revisits later.'

Fantasy and offending

'The offender needs to understand the role of fantasy in his offending. He needs to spend a lot of time talking about his sexual fantasies and how they developed. He must understand the relationship between fantasy and his behaviour, not just generic stuff but how he can remember that relationship. He needs to be helped to make a decision about that. We have to help men understand what is an acceptable sexual fantasy.

'In the group, they develop a fantasy under headings. So in a healthy sexual fantasy, we're talking about mutuality, respect, adults, consenting non-abusive stuff. They've got to figure out the parameters, then out of that develop the fantasy and actually start writing it down. It has to be a fantasy that works for them. We read those fantasies but they don't read each other's. We will help them with them. We will challenge them. Will the fantasy work for them? It's no good if it won't work. It might look good on paper, but it must work. The offender may be building too big a gulf between fantasy and the reality of the world he is going to embark on.'

I asked whether the final test of a successful fantasy is that the resident masturbates to the fantasy. 'It depends on what their masturbation habits are, really. We would assume that most men would be masturbating to ejaculation to a fantasy. They then have to give evidence, not through anything physical; we talk about it.

We would not discourage it. We would say if that's what you're going to be doing, we would encourage you to use appropriate and legal fantasies rather than illegal ones. We don't care whether a guy's doing it once a week or once a day, or three times a day, the important bit for him in terms of his pattern of life is that it's appropriate rather than inappropriate.

'The residents arrive at different times so that there is no chronological order to the modules. After their assessment, they are put into one of three groups, blue, green or yellow. They will stay in their group, so they work through the modules. In the course of a year, each module is repeated four times to revisit the area and develop it.'

Relationships and sexuality

A common factor for most of the residents is poor self-esteem and from that an inability to develop more 'normal' human relationships with adults. Mark Enfield told me he felt more at home with little boys than with adults. He was keen to stress that he sometimes did not have sex with his little boy friends: he just enjoyed their company. At the Wolvercote, the residents spend eight weeks looking at their personal relationships to try to identify what has gone wrong.

'This is looking at the history of the man's relationships. They talk about the friendships and family; what is the difference between a family member and a friend? All relationships: how many friends do people have, count that; what do you value from that person versus another person? What kind of relationships can children have? With whom? What kind of relationships can adults have? With whom? Many people haven't dwelt on that or looked at the variety for other people. They explore that in great detail and then try to figure out what they're going to do in the future, and where does sexuality fit into this thing called relationships; with whom will there be a sexual agenda? It's a module that everybody can benefit from. You don't have to be a sex offender to benefit from it. We often don't take time out to consider these things and actually make conscious decisions. We just fumble along, and these guys have fumbled in the wrong places.'

Offence pattern revue

During each of the modules, residents work individually with therapists and in groups, the latter being important because the resident can be challenged by other residents when revisiting their offence and telling their story. They are sitting with other men who have been in a similar situation and who can spot a lie or an excuse and identify areas of common error. 'We keep coming back to their cycle of offence. Over time, they will understand different things; they will be motivated to acknowledge different things and invest in where that's going to.'

Assertiveness and self-efficacy

'Self efficacy is in a sense a verifying of assertiveness. It's actually a belief in one's ability to engage meaningfully in an adult world. It's about confidence-building and low self-esteem. It's also dealing with human interactions. It supports the relationship bit because if you don't have a sense of oneself and respect for oneself, it's hard to develop meaningful adult relationships.'

It made sense that each of the steps along the treatment road from fantasy to abuse offered staff an opportunity to intervene. The development of legal fantasies was an obvious area to control. After fantasy came 'internal inhibitors', the conscience that stops a man going further. In order to strengthen their conscience, the inmates work in an area that helps them to understand how traumatic it must be for their victims. I was intrigued that this therapy involved role play, the paedophile adopting the part of the victim.

'If there was not only an intellectual awareness of the harm done to victims, but also an emotional response to the harm, then most men couldn't do the harm that they do. But whether it was a permanent absence of empathy and awareness or a transient one, we need to revisit and get people to touch their own feelings and to touch the feeling about other people and about what they have been like.

'The men have to essentially re-enact their offences where they play the part of the victim and another offender plays their part. They have to script it and re-enact it. We have rules about safety; this is in the realms of psycho-drama just to get people to feel what it was like.'

I remembered how Mark Enfield had told me that paedophiles in prison will use something as removed as a *News of the World* report as pornography, so I asked Donald whether the residents might 'get off' on these re-enactments.

'Yes . . . that's a dialogue we have with them all the time. It's a bit like the offence accounts they get into: are they getting sexually aroused by them? Do they find themselves sexualised by the staff members, and what are we going to do about that? We have to deal with those conflicts, but hopefully there is a sustained dialogue and one gets a sense over a period of time whether there is a genuine engagement or some kind of voyeurism is going on.'

I picked up on the reference to staff members; Donald told me that there was always a potential danger of residents being attracted to therapists in a sexual or emotional way, maybe because the residents were opening themselves up to someone who cared for them and talked to them with a kind of empathy. I thought that might be a positive step because they would at least be fantasising about adults, and Donald said that was true, but it was not fair on the resident staff. One of the house rules, signed in the form of a contract on entry to the clinic, was in fact that the resident would not have sexual fantasies involving staff.

I was very impressed with the thoroughness of the 'course' at the Wolvercote. Because paedophiles unloaded in detail their motivation, fantasies and way of working, it was clear that the clinic and its staff contained a huge resource of of expertise and information on paedophilia. What a shame that over-stretched resources are preventing them making their findings more available to other agencies that have to deal with paedophilia.

I still had some crucial questions to ask before leaving, the first addressing whether paedophilia is a growing area. I told Donald about Julian Levene. We had been seeing quite a lot of him as he reported to police stations and more recently to the Old Bailey to make his plea of not guilty. Despite his lawyers instructing him not to talk to me, he could not help himself. As he had ranted at me about female circumcision in the Muslim community being a horrific form of child sexual abuse, and how come the police were too scared to prosecute, I interrupted and asked him about paedophilia in a general way. He had looked at me, not wanting to be drawn, but in a sad, almost wistful voice said, 'You know, twenty-five years ago people didn't even know the word.'

Donald replied that he did not think there was enough evidence to say that this area is growing. 'But I do believe that moral standards and other things are shifting in such a way right now that I would find it hard to believe that there is not a climate for it to grow . . . Boundaries and clarity about appropriate relationships are getting quite lost, in particular in the world of the Internet and child pornography on the Internet. The Internet offers the facility for corrupting values. I know that when I was a child, we might have tittered over some magazine that one or two of us might find in dad's lock-up. I didn't have a problem with having done that and other kids doing it; it was a peer thing and amusing. You weren't very respectful, but it was fairly adult innocuous stuff. Now we're putting kids in bedrooms with access to material they have no business looking at. We don't know what it's going to do to them and how it's going to affect their social mores. My guess is that we're in a growth industry at this time, but I don't think it was growing up until the 90s.'

I asked Donald whether there were areas I had neglected to discuss or areas of concern within paedophilia that just aren't addressed. He told me about families and then surprised me by talking about women paedophiles.

'We're only convicting a fraction of child sex abusers. The scale of the problem is phenomenal. If we pretend the problem is Fred Bloggs, we're really missing the point. The bigger risk at home is from my neighbours or the teacher at school or the swimming coach. If I pretend the problem is the guy across the road who none of us like, then I'm not protecting my children. Let's be realistic about where the real risk is coming from, we know from Home Office research that 85% of children who are abused are abused in their own homes or in the homes of someone in whose care they're placed. So these are not strangers doing it. These are family, friends, professionals, and women are hardly on the map yet, and they ought to be because a significant percentage of victims will say they are sexually assaulted by a woman. Currently, I think there are nine convicted female sex offenders in the whole of the prison estate, so how are we protecting children from women?'

I was mystified by the discrepancy between these levels of abuse and conviction. Why do we not know more about women offenders? Like many people, I had assumed that women just don't do it. How are they getting away with it?

'They're getting away with it because it is far more likely that the child victim of an offender is not going to tell anybody because often it is all they have left. It's their mum or sister or aunt. Some of those victims are remarkably young, some of them are babies, and even if they said anything they're not considered competent to give evidence in a court. Then there's another population, moving through the ages, of adolescent males. Well, what kind of full-blooded adolescent male is going to make a fool of himself by complaining about the fact that his mum or stepmum or the woman next door has been sexually molesting him? He's supposed to celebrate sex when he's thirteen or fourteen. Then there's the babysitting scenario for another population. Male victims of females are of all victims the least likely to tell. If they don't tell, there's nothing much we can do. Often we're not in the realms of penetration so the evidence is difficult.'

Finally, I had to ask the big question. With all the experience and resources put into helping paedophiles to control their addiction, why didn't we just castrate them? Was this too simple or perhaps, despite their crimes, too inhumane for the state to endorse? Donald came up with a much better answer.

'There is some evidence that physical or chemical castration clearly has a level of effectiveness with some people in terms of reducing their capacity for sexual arousal. It doesn't take away the power of thought. It also assumes that sexual offending is all and entirely about sex, and very often it is not . . . Very often it's about intimacy, relationships. Whether or not there's the ability to have an erect penis at the time and to sexually penetrate with that penis is for many a secondary issue. So castration, chemical or physical, is not the answer for many sex offenders. Also, there are medical problems certainly with chemical castration, like breast development and osteoporosis. So there are ethical medical problems with it.

'A concern I have with it is there is a suggestion within the notion of castration that it's not the man's fault, it's his balls' fault, and if only he had them cut off it would stop him doing it. For many of them that is not going to happen, and for many of them they are abusive in lots of other ways apart from using an erect penis. There are several guys in the clinic that had been sexually offending while on anti-libidinal drugs. So if it didn't stop them doing it yesterday, I've no reason to believe that if I gave it to all twenty-five guys here, it's going to stop them doing it tomorrow. Also, if you give them the pill or the injection or cut them off, does that mean we don't have to worry about managing their behaviour in the future as if it was a medical problem all along? Nothing to do with their head or fantasy.'

I had come to the Wolvercote Clinic with a deep cynicism concerning any idea of treatment for some of the men I had met. When I left I was thoroughly convinced that the Wolvercote had many answers and offered an effective solution to help some abusers to control their abuse. The cost of the facility seemed irrelevant to me since it was directly comparable to the cost of putting offenders in prison, which, especially if the prison does not have a treatment programme, provides them with little help.

The Wolvercote is definitely protecting some children by treating a drop in the ocean of offenders. It is also advancing our understanding of the subject and acts effectively as a consultative group to advise professional organisations on spotting the clues to identifying worrying behaviour. But it seems to work only for men who want to be helped. Mark Enfield might have thrived at the Wolvercote and might still be alive today had he been given the opportunity. Julian Levene and some of the others were unfortunately so far down the road of persuading themselves that they were doing nothing wrong that they probably would not even consider entering somewhere like this.

27

CHILD SEX TOURISM

Bob McLachlan

When tourists travel to Brazil to have sex with children, we tell them we have special hotels for them – they are called jails.
Brazilian Tourist Board, 1996

Children are considered as commodities and products to be bought and sold and the same human species, we, the species with intelligence, are sexually abusing our own offspring.
Father Shay Cullen, Preda Foundation, the Philippines, 1996

If we accept a world where children can be bought and sold as if they are goods in a supermarket, then we forfeit the right to call ourselves civilised.
Ron O'Grady, Chairman, End Child Prostitution, Child Pornography and the Trafficking of Children for Sexual Purposes, 1996

In 1997, following intense lobbying, the UK Government enacted Part 2 of the Sex Offenders Act. For the first time, British subjects who sexually abused children in foreign countries could be prosecuted in English courts as if they had committed the offence in their own country. There are obvious evidential problems about prosecuting men at home for sexual abuse committed at the other side of the world, but this was a major step forward in warning those who travel abroad for sex with children – 'child sex tourists', – that their abuse would not be tolerated.

When the law was passed, I took up the task of finding out all I could about the apparent 'epidemic' and putting in place measures to catch those London paedophiles who travelled for sex with children. Some might say that what people do abroad is a matter for the law of the land where they go, but one commonly forgotten reason for worrying about what our paedophiles do abroad is that they come home again, bringing their abusive behaviour back to our children. So what did I learn when I began to delve into the darkness of child sex tourism?

Child prostitution, I prefer to call it the prostitution of children, and child sex tourism have become the subject of international concern and political and law enforcement action. Child prostitution is generally described as 'the act of obtaining, procuring or offering the services of a child or inducing a child to perform sexual acts for any form of compensation or reward, or any acts that are linked to that offence'. Child sex tourists are usually people from economically developed nations, predominantly but not exclusively Europe, the USA, Japan and Australasia, travelling to underdeveloped countries primarily in South East Asia (the Philippines, Thailand, Cambodia, etc.), Latin America (particularly Brazil) and the Caribbean as well as to central and eastern European countries such as Poland, Romania and Russia to purchase sex. There is unfortunately a scarcity of any information or database on child sex tourists, although the availability and abuse of children are not restricted to exploitation by preferential paedophiles. Other groups of exploiters have been identified from a number of professions, including the military, seamen and truckers, migrant workers, travelling business-men, expatriates, local clients, aid workers and the employers of domestic workers. The definition of child prostitution highlights how money plays an absolutely crucial role in the maintenance of child sex tourism so it is probably not surprising that the countries who seem to suffer our exported paedophiles are those with a history of a financially poor and vulnerable public.

Although child sex tourism is perceived as a recent phenomenon, partly stemming from the ease of air transport and the resulting increase in the number of tourists, the reality is somewhat different. The inclusion of sexual pleasure in foreign travel has a long history, the belief back in the eighteenth century being that unregulated sexuality was typical of non-Western societies. Unfortunately, such areas of the world are still viewed in this way.

Major international conventions emphasise that the commercial sexual exploitation of children constitutes a form of coercion and violence amounting to forced labour and a contemporary form of slavery. The United Nations Special Rapporteur on the sale of children defines commercial sexual exploitation as 'the act of engaging or offering the services of a child to perform sexual acts for money or other consideration with that person or any other person'. The stress of this and the above definition is that child prostitution is committed not by the child but by the person engaging or offering the services of that child. It thus follows that children do not enter into prostitution but are prostituted.

The dynamics of child sex tourism can be understood as a form of organised abuse occurring through the supporting functions of a number of interconnected elements, each involved either by necessity or by implication, by intention or otherwise; these include the offender, tour operators, organised crime and occasionally governments seeking to increase tourism. It has been said that the prevalence of sexual tourism in South East Asia is the historical result of military occupation and international economic exploitation.

The information available on child sex tourism is contained largely in descriptions of individual cases, mainly in the form of media reports as the number of offenders in jail is minimal and they are spread over various countries. Studies of child sex tourists have generally been conducted by asking victims about their assailants, a major difficulty being that there are only a few organisations that support prostituted children and few organisations that have experience of working with children who have been exposed to commercial sexual exploitation.

What is clear about tourists who travel abroad to abuse children sexually is that they delude themselves about what they are doing – somewhat like a paedophile does when he offends against children at home. The excuses used by these travellers to justify their actions generally include the search for new experiences, the abundant 'supply' of children increasing the temptation, affordability, the spurious alibi of exoticism based on the pretence that children in the country of destination are sexually mature at an early age, racial contempt, economic superiority and the perceived anonymity and impunity enjoyed by such offenders in a country other than their own. The emergence of the Internet, whose perils were explored in a previous chapter, as an uncensored forum for offenders where the desired locations of child sex tourists are advertised is merely technology catching up with the already established practice of offender self-support. Magazines including *Mankoff's Lusty Europe*, available in 1973, and the *Discreet Gentleman's Guide to the Pleasures of Europe*, available in 1975, both revealed where 'Lolita-eyed nymphets and 10 year old prostitutes' could be found.

A particularly abhorrent situation that exists when looking at the factors fuelling child sex tourism is the well-known preference for young female virgins that exists in many cultures. Some offenders believe that sex with virgins or pre-pubescent children is seen as proof or an enhancement of their virility, others believing that the abuse of younger children will protect them from Aids, even though it is known that young children are more susceptible to the virus. What is the obvious consequence of these mistaken beliefs? A downward spiral of the age of children who are exploited and made available to abusers.

Despite a lack of substantial information, I was able to discover from my enquiries that all 240 known sex tourists who had offended in Asia between 1989 and 1996 were male. The ages of the offenders ranged widely: 7% were between 20 and 30 years old, 18% between 30 and 40 years, 33% between 40 and 50 years, 24% from 50 to 60 years old, 15% 60 to 70 years, and 3% over 70. Some of the offenders were retired, and fifteen gave their employment as 'social or aid worker'; the largest group, however, was of teachers, followed by doctors, engineers, clergy and other professionals. The offenders were overwhelmingly employed in positions of trust towards children.

I then set about trying to determine whether the offenders who had been dealt with by my unit displayed the same characteristics. These were people who had not been prosecuted for offending against children abroad as their capture had occurred prior to the current law coming into force. I knew, however, that they had all travelled abroad and that they had either travelled specifically to victimise children sexually or did so while there. The child sex tourists dealt with by my unit were all male, 46% aged 40 to 50 years, 33% aged 50 to 60 and 20% 60 to 70 years. In both instances, the main age group identified was 40 to 50 years old. The sample of paedophiles dealt with by my unit included teachers (46%), a charity director and a social worker. Three-quarters of the men were earning a middle-range or above income, and all were single. Nearly half had been educated at university; some travelled on business (46%) or on holiday (86%). In addition, some offenders (40%) had previously been convicted, and 60% denied any sexual interest in children. Some belonged to paedophile organisations and some had leisure interests involving children. All the offenders had a sexual preference for boys aged between ten and sixteen years.

What is significant is that there are frequent similarities between tourist adult prostitute users and the abusers of prostituted children. Such abusers maintained the delusion that sex with the (child) prostitute was acceptable because they generally spent some considerable period of time, even days, with the child during the holiday in the informal setting of the holiday country. Quite simply, the offender deluded himself in order to believe that the time spent sexually exploiting the child was non-prostitute use, normal activity for the victim, not exploitative and a mutual sexual–emotional association. As the child is invariably the one who approaches the offender with the offer of sex – invalid consent – the situation provides the opportunity to offend against the child without having to utilise the grooming process, and to blame the child for the abuse. Because of this apparent 'normality' and the fact that the sexual behaviour has been instigated by the child, the child abuser distorts reality, believing that mutual attraction underpins the 'relationship' and that his ability – and willingness – to give the child money is no more than assisting social disadvantage.

These distortions have been found wherever paedophiles have to convince themselves that what they are doing is acceptable behaviour. Offenders do not in general experience any guilt; they lie by omission and disassociate their behaviour in the victim country from that normally subscribed to at home. The excuse of sex education and shifting responsibility for the abuse onto the child are also used to minimise the adult abuser's responsibility. In addition, it has been shown that abusers distort the actuality of the cultures visited, holding them to be more sexually 'open', 'natural' and 'free' than Western society. This allows them to deceive themselves about the meanings attached to sexual behaviour in the victim countries. Offenders fool themselves that any harm from adult–child sexual contact has previously been inflicted and that their own behaviour is therefore not abusive. Others construct a fiction in which the children they abuse both consent to and benefit from sexual contact with tourists. Added to all of this is the historical existence of a stereotypical assumption that all oriental women and children are sexually available and that sex with foreign children is no more than a 'colourful local' relationship, allowing offenders intellectually to leave their own social system. What they might not do at home, they are certainly more than prepared to do in another country.

So what do sex tourists actually say about their abusive behaviour? Bearing in mind the reality of sex tourism, I was horrified by the ramblings of one individual who posted an article on the Internet praising and rationalising sex tourism by using the spurious alibi of assisting disadvantaged prostitutes in third-world countries:

'Sex tourists aren't very popular. Discriminatory, prejudiced, stereotyped talk about this minority is all too common. And strangely enough, liberal intellectuals never object when this unpopular minority is being attacked. One of the discriminatory stereotypes one often hears about sex tourists: they are ugly, old, bald, fat men who only can get sexual satisfaction in third world countries. Suppose this is true, what's so bad about this? I think every enlightened intellectual ought to applaud fat old men going to Thailand every summer. This way, the inequality in the world is being reduced – and this is after all the ultimate goal of the progressive thinkers. Men who are unattractive because of their fatness, baldness, old age etcetera are sexually worse off than men who are young, handsome etcetera. This is a shameful form of inequality, and certainly not less of an injustice than the inequality in incomes that makes our western capitalist societies so outrageously unjust.

'Happily, the sexually disadvantaged have the opportunity to visit third world countries, where they can eliminate their disadvantaged position [and rape children]. One could say that sex tourism is the means towards the liberation of the sexual proletariat. It is incomprehensible why liberals would object to this important way of achieving equality.

'Sex tourists are often criticised because they "take advantage" of the third world prostitutes who sell their bodies because they are forced by poverty to do so. This is a strange criticism. Everybody who cares about the welfare of the third world hookers should hope that they get as many western customers as they can handle. If sex tourists stay away from third world countries, the only effect will be that the poor prostitutes in these countries, after losing the income from the sex tourists, will become even poorer. In fact, the sex tourists are giving a kind of foreign aid, and a very effective foreign aid to boot: for a change, the money won't disappear into the pockets of corrupt politicians and bureaucrats, and it isn't being spent on weapons or senseless prestige projects either; instead, it goes straight into the pockets of the poor population. Add to this the fact that in general sex tourists act rather feminist: most of them practice a private form of affirmative action (without any laws forcing them to do so!): they prefer female prostitutes to male prostitutes. This way the disadvantaged women in third world countries are given the opportunity to advance their economic position and catch up with the men.

'Sex tourists are also criticised because they don't pay the third world prostitutes enough for their services. Expressions like "exploitation" are not uncommon. In this view, sex tourism is not bad in itself, only the fact that the tourists don't pay more than the prostitutes ask them to pay is bad. This is another peculiar criticism. Prostitution is not the only service that is relatively cheap in third world countries: other services like hotels, restaurants, transportation etcetera are also relatively cheap. Still, nobody is mad at tourists because they pay taxi drivers or restaurant owners no more than the market price. Why then should tourists pay prostitutes more than the market price?

'A final objection to sex tourism: there are women in third world countries who are forced to prostitute themselves by threat of violence. But if one is to believe the reports in the western media, many women in the west are also forced to prostitute themselves by threat of violence. [There is no mention here about the violent "pimps" who often enslave the women and children – and take their money.] Those who agitate against sex tourism because of the violence some of the prostitutes suffer, ought to agitate against the whoremongers in the west as well. There is no reason to single out sex tourists for a special attack. On the contrary: when the whorewhoppers in the west decide to stop visiting prostitutes, the western prostitutes who lose their jobs can go on welfare, whereas for most prostitutes in the third world the only alternative is abject poverty.

'Furthermore, it's a rather strange idea to abolish an entire industry just because there are some criminals working in that industry. It seems easier and more reasonable to try to stop the abuse. Today there are lots of organisations who offer their own consumer labels, which guarantee the liberal consumer that their snacks (chocolate, coffee and the like) are made without child labour and other forms of capitalist exploitation. Why isn't there a progressive organisation that offers a consumer label for brothels in the third world? This way, the enlightened sex tourist will be guaranteed that the women [note the use of the plural here] of his choice prostitute themselves of their own free will.

'To sum up: the common objections to sex tourism are ground-less. Sex tourism is an important means towards achieving three liberal goals: 1) it promotes sexual equality; 2) it combats poverty in the third world; 3) it advances the economic position of women. The current irrational taboo on sex tourism restrains many liberal and other conventional thinking men from realising these praise-worthy goals during their holidays. So instead of preserving the taboo on sex tourism, all well meaning and enlightened intellectuals and other do-gooders should promote it enthusiastically'.

I think that just about confirms everything I said about the attitudes of men who travel abroad to victimise children sexually.

So what about women sex tourists? As we saw in an earlier chapter, because of the relatively small number of women reported as offending against children and because 'true' paedophilia is almost universally considered to be a male paraphilia, little information is available in the scientific literature. Some data, however, suggest that sexual abuse between women and children may be more widespread than is currently assumed, and female victims of abuse may develop sexual offending behaviour equivalent to their male counterparts. When such behaviour is discovered, it is generally widely reported in the media.

In terms of what academic research has discovered, it has been found that adult females abuse in 6–17% of cases with female victims and in 1–24% with males. Female offenders abuse more girls than boys, and it has been speculated that females commit between 3% and 13% of all sexual abuse. Some researchers have said that females are typically not the initiators of abuse but are coerced or persuaded by men, whereas others have found that the frequency of abuse by females was higher than they had anticipated and that women often acted alone and were not under the influence or in the company of male offenders. Still other investigators argue that the reported prevalence of female offending is an underestimate because of a general unwillingness to believe that women also commit sexually abusive acts: the abuse of children by women has been identified as the last taboo.

Practically nothing is known about the extent or number of women who travel for the purpose of having sex with children, although there is particular mention of female offenders, claimed to be mainly middle-aged Caucasian European women, in the tourist areas of Kenya, a similar picture being increasingly seen in the tourist regions of Asia. Anecdotal evidence exists that reveals the use by adult women of erection-inducing drugs on pre-pubertal male children. The repeated use of such drugs on a child will, I am told, permanently damage the child's body. This is grievous bodily harm by anyone's interpretation. I shudder to think that this might be happening at all, never mind infrequently. There is also the possibility that women who travel for the purposes of sex with children are more likely than their male counterparts to be robbed or tricked into parting with money by 'pimps' who have no intention of or do not want to run the risk of supplying a child for abuse. And obviously the woman is not in a position to complain.

Gene Abel, a highly respected American psychologist, summarises the psychology of a person who has a sexual interest in children by describing a perplexing world in which the adult who is attracted to children essentially has four alternatives to deal with his – and it usually is a man's – dilemma. First, the offender alters his perception of the 'inner world' through distorted cognitions and offending supportive beliefs. Second, in order to rationalise and justify his behaviour, he must remain isolated from others who do not share his beliefs. He can remain concealed within his own society or, in order to emerge from the isolation, he can attempt to alter society's view of sex between adults and children to mirror his own. A third, highly improbable, alternative is to alter his preferences so he no longer finds children arousing. A final alternative is to seek out a culture that supports child–adult sexual activities; this final option appears to be the chosen domain of the child sex tourist.

28

NAMING AND
SHAMING

Bob McLachlan

The exposure of paedophilia in the media and the continuing
scrutiny by journalists of how child protection professionals deal
with the issue is essential to keep this major social and criminal
problem high on everyone's agenda. In this way, as press and
television journalism reports on individual cases and child abuse
generally, the public's attitude can be heard and measured. And
attitudes will ultimately bring about the necessary change in the
political and law enforcement environment to improve our protection of our children. It is the public who change things, and the
major role of the media in this process cannot be overstated.

Unsurprisingly, the general public are frightened to death of
their children falling prey to a paedophile, and they want knowledge
to stop it happening. But how much of what is actually real are the
public told? Where do they find out about the actual risks, the
safeguards and the horror stories? In the main, this happens through
the media. And what the public read and hear, this diet of fact and
fiction, shapes their conscience and attitude to the problem of
paedophilia. Consequently, what is important is factual accuracy

rather than speculation. Real information about how to protect children rather than a fear of what most parents essentially see as an invisible threat.

What is important is explanation and education. It is patently obvious that a more aware society is a safer society, and awareness is achieved through education. As an example let us examine the much-reported phrase 'most children are abused by someone they know'. This is essentially accurate but terribly misleading. As we saw earlier, the technique of grooming, using gifts and generosity, is used by many paedophiles who are strangers to get close to children – and their parents – by becoming 'nice' men. It does not automatically follow, however, that because you know someone's face and have an insight into how they live you 'know' them.

When a paedophile injects himself into the life of a family, it should not automatically elevate him into the category of someone the child 'knows'. But that is how we tend to deal with the problem of child sexual abuse and abusers. We compartmentalise and generalise offenders to such a degree that we ignore or fail to recognise the fact that all offenders are different. They are a diverse population, yet we somehow paint out the spectre of the stranger and refer to him as someone 'known' to the child or family. It is dangerous to continue to do so when we know that there are men who move from family to vulnerable family and become the instant 'stepfather' or 'uncle'. We know that men with a sexual interest in children will try to become scoutmasters, first-aid instructors, swimming instructors, music teachers. These men too, by default, earn the title 'known'.

But if we are going to be able to design effective prevention and detection techniques, we must know precisely who we are dealing with. If what is suggested by the phrase 'most children are abused by someone they know' is that child sexual abuse is mainly committed by the biological nearest and dearest of the victimised children, I will argue heatedly that that is incorrect. The majority of abuse recorded among the criminal statistics tends to stem from the family or extended family environment, but, and this is a big but, as the majority of abuse is – for all the reasons we have discussed – unreported, it is likely that most of the instances of offences recorded in the thousands of photographs and videos that we recover is neither reported, recorded nor disclosed and is not a result of incestuous assault.

Although the majority of fathers, grandfathers, uncles, who abuse their offspring come to the notice of the child protection services, the clever, manipulative, careful offenders get away with it because the children do not tell and the evidence is scarce. As the excellent investigative journalist Nick Davies put it during his major investigation into child abuse – 'the most secret crime' – 'The sexual abuse of children is a special crime, not simply because of the damage it does to victims, not even because of the anger and fear it provokes in communities, but more particularly because it is so easy – easy to commit, easy to get away with.'

In addition, we will gain little benefit from hearing that a child is likely to be abused by someone he or she 'knows' without having an explanation for and answers to the obvious questions of, who will abuse my child, where, when, how? And, most importantly, how can I prevent it? What practical guidance I can provide from my search for such answers is outlined in the book's final chapter.

I have known many investigative journalists during my time with the Paedophile Unit. Without exception, the real-life investigative 'hack' bears little resemblance to his or her popular fictional counterpart. Peter Rose, Crime Editor of the *News of the World*, Mike Sullivan, Crime Editor of the *Sun*, Jeff Edwards of the *Mirror*, Chester Stern formerly of the *Mail on Sunday*, and Jeff Pickett and Ken Hyder, both freelance crime reporters, have helped me focus public, police and political attention on the subject of child sex abuse. Much of what we have tried to tempt the various editors with has found its way into print, and despite the tinkering that invariably occurs as a result of the subeditorial reshaping, most of what I have tried to say has been accurately reported. Unsurprisingly, individual newspapers report the subject of paedophilia from their own perspective, some of which is factual and some of which is provocative, which leads me to the subject of 'naming and shaming'.

Following the murder of Sarah Payne in July 2000, and in direct response to the personal pain of her parents and the public outrage that such a thing could happen, the *News of the World* began its campaign to identify every paedophile in the country. The campaign was, however, in my view, despite its obviously good intentions, potentially dangerous in the way it initially approached the subject of the public notification of the whereabouts of paedophiles. Naming and shaming in its rawest form does not work because it does not protect children from the paedophiles who have not yet been caught – the potentially most dangerous, clever ones, who might be living next door. On the other hand, the campaign was, despite its flaws, immensely valuable because it achieved a very important goal: to keep the threat and danger of paedophiles and paedophilia in the mind of every member of the public. And the public want something done about it. I doubt that there are many politicians and senior police and probation officers who can comfortably ignore the public call to deal with this problem.

The *News of the World* on 16th December 2001 ran the front-page headline 'Named Shamed – by order of Scotland Yard'. My intention when I had asked the newspaper to publish the photographs of four men who had sexually abused children was to ask the public for help in tracing them: each had each failed to comply with their requirement, as convicted sex offenders, to tell the police where they were living. But this is not naming and shaming. They were wanted men and I was setting up a perfectly legitimate media and police partnership to catch dangerous men who had chosen to go underground. They had not been forced to go underground by a naming and shaming campaign; they had effectively held up two fingers to the community – 'find me if you can' – and that was my intention.

But the majority of the commentators missed the point of the 'manhunt' and reverted back to discussions about the civil liberties aspects of naming and shaming as if the four wanted men were the victims of some unorthodox police practice. One commentator, John Prescott, then Deputy Prime Minister, saw through all the spin, political bias and 'human rights' jargon to say quite simply that this was no more than the tabloid alternative to *Crime Watch*

UK. He was right, I vowed to carry on doing it, and I did. And in my view the *News of the World* should be congratulated for helping rather than criticised.

So, when all is said and done, naming and shaming just produces a sea of unfamiliar, but strangely all too familiar, faces. It creates confusion by volume and does little to protect children. The understandable demand continues for the formation of and access, controlled or otherwise, to a 'register' of paedophiles to find out whether some pervert lives next door. But if I do discover that 'one of them' is living next door, what do I do next? Lock up my children so that he cannot get near them? Fine, but what about the children whom he does not live next door to, whom he might cross in the street on a day's shopping, or see on the beach, or meet on a sightseeing trip many miles away? And what about the paedophile who travels to my area in the same way? We can now thankfully stop convicted paedophiles from working with children or gaining access to children through social activities – but we cannot tether them to their homes. The answer instead seems to be to build up a range of strategies and practical tools to prevent paedophiles getting access to children.

Recognising that sex offenders vary immensely in their levels of compulsive behaviour, determination to maintain their lifestyle, risk to the community and desire to change their deviant behaviour, let us look at the options. The most obvious way of preventing reoffending is for the courts to recognise the serious nature of this behaviour and begin to sentence paedophiles to realistic lengths of time behind bars. Research has shown that the greatest danger period for re-offence is four years or more after being released from custody. A staggering 64% of untreated sex offenders go on to reoffend, and these are just the ones who are known because they are in the criminal justice system. Any believer in the value of treatment programmes knows that unless an offender is sentenced to a substantial term of imprisonment, long-term treatment cannot be accomplished; and if an offender is sentenced for only a short term, he will not be allowed to join a treatment programme.

We need too to be clear about what 'sex offender treatment'

seeks to do. As Chapters 25 and 26 describe, such treatment programmes seek to tackle and change the distorted patterns of thinking that allow offenders to rationalise their behaviour. Their aim is to counteract offenders' distorted beliefs, increase their awareness of the effects of their crimes on victims, get them to accept responsibility for the results of their actions and assist them to develop ways of controlling their deviant behaviour, preventing a relapse and avoiding high-risk situations. Treatment programmes also seek to tackle other factors that can contribute to sexual offending – the inability to control anger, the inability to express feelings and communicate effectively, problems in managing stress, alcohol and drug abuse, and deviant sexual arousal. There is never any mention of *cure*; the aim for all programmes is control, which can only be achieved if the offender wants to try and gain it.

Mandatory life sentences, or indeterminate, for men who abuse children is obviously one way of preventing re-offence. And for those who involve themselves with child pornography a substantial jail sentence should automatically follow – there can be no mitigation in these cases, unless, as we read before, you can 'compare it rather to a schoolboy collecting cigarette cards in olden times'. As I write, the most probable outcome for someone who possesses child pornography is a fine or non-custodial sentence. I am sure that this would change if every judge who was trying a case involving child pornography viewed the material that the paedophile was charged with possessing or trading. If judges have done this, the reality of what they have seen is strikingly apparent when they sum up the case.

How can a judge, a professional, arrive at a proper sentence for such offenders when he does not look at the exhibits in the trial? He should remember that the material in the paedophile's possession is evidence of a crime in action against a child, reflecting the paedophile's sexual interest in children, and needs to be assessed to determine the appropriate sentence. A defendant can plead his case at his trial and make excuses, but there is no-one to speak on behalf of the victimised children. The current message from the criminal justice system thus tends to support the offender's distorted thinking by suggesting that his action is not very serious.

Another option to tackle such crime is to subject every paedophile living in the community to constant, 24-hour-a-day police monitoring. The implications of this are obvious; a doubling or trebling of police resources and a reduction in the ability to deal with all the other crimes and incidents occurring. All offenders are, however, different, some being more dangerous than others, so a blanket 'watch over everyone' is just not feasible. This was recognised when the responsibility for managing sex offenders in the community became a reality with the passing of the Sex Offenders Act 1997, and since 2001 the police and probation service in the UK have been required by law to put in place measures to effectively assess and manage the risk posed by sex offenders living in the community.

The police and other agencies, working with clinical psychologists, have designed a means of assessing risk and predicting the harm that could be caused by re-offence, and managing the identified risk. The principal objective of risk assessment is to make a statement on how likely an offender is to be a sex abuser again, or to cause harm again. Risk refers to both the probability of further offences and their potential seriousness. Risk management is action taken to monitor a person's behaviour and attitudes, and to intervene in their life, to try to prevent them seriously harming others. This process requires an examination of each individual offender, allowing the police and probation service to instigate the appropriate response. In practice, this means that an offender assessed as being high risk will be subject to closer control and scrutiny (including on rare occasions notifying the local community) than a low-risk offender.

This can, however, only be effectively achieved when the police and probation services are 'in touch' with the paedophile who has registered his address and where lifestyle and associates are known. Obviously, in the case of the men whose photographs I gave to the *News of the World*, this was an impossibility.

Sex offender registration first began in California in the USA in 1947. The widespread use of public notification of the whereabouts of sex offenders in the American community later came about because of the sexual assault and murder of a seven-year-old girl in New Jersey, legislation known as 'Megan's Law', named after the child victim, being passed in every state of the USA in 1996. The legislation requires the police to release 'relevant and necessary information' about moderate to high-risk sex offenders living in the community to address public concerns and prevent the re-victimisation of children by 'registered' offenders.

Detective Bob Shilling of the Seattle Police Department is probably the USA's foremost expert on the methods and use of community notification about sex offenders. Over the past ten years, he has developed and refined systems and procedures for educating the public. His, and all other, police departments are also mandated by legislation to design effective programmes to monitor sex offenders and regulate their behaviour. Bob describes the USA's approach in the following way:

> *Few of us would question the need for sex offenders to be held accountable for their actions. Yet while holding them accountable, we must ensure that sex offender registration and community notification is not used as additional punishment. It is, and is meant to be, regulatory. Fair, responsible and non-inflammatory community notification is a reasonable consequence to the acts of the offender; furthermore, it allows citizens to take prudent and rational steps to protect themselves, their children, and their community from the sex offenders they know about as well as those they don't. The key component of effective community notification is community education. Community education meetings provide a forum for law enforcement to educate the community regarding sex offenders in general; to separate fact from myth; to emphasise the community's vested interest in the offenders' success; to create partnerships between law enforcement, probation, parole, residents, victim advocates, treatment providers, and other stakeholders; to make sure the community understands that vigilantism will not be tolerated in any way, shape or form; and to help the community understand that sex offenders always have and always will live in our neighbour-hoods. Effective community notification is 'community policing' at its best.*
>
> *Effective sex offender registration and community notification*

is just one component of society's commitment to reduce sexual abuse. The purpose of sex offender community notification is to notify neighbours when a moderate to high-risk sex offender is living in the community. It creates the opportunity for law enforcement to educate the community regarding the sex offender who is the subject of the notification; but more importantly, it provides the opportunity to educate them about sex offenders in general.

Most citizens have little understanding of sex offenders and the types of risky behaviours that should be considered warning signs. Many think that sex offenders jump out of the bushes and grab children. While some do, the vast majority of sex offenders are someone who is known by the victim, such as a family member, co-worker, classmate or neighbour. Sometimes it is a person in a position of trust and authority like a coach, counsellor, minister or doctor. Sex offender community notification provides an opportunity for law enforcement to remove the veil of secrecy from sex offenders. It is an opportunity to dispel myths, separate fact from fiction . . . [and] reduce fears.

The American experience is not about naming and shaming, nor is it a way of pointing to the front door of a paedophile's house. But it does recognise that although most people are not particularly happy that a sex offender is living in their community, they are glad they have the chance to know. Whether the 'American way' is suitable for the UK will undoubtedly be the subject of continued debate and differences of position, but the worst thing we could do would be to ignore how other countries deal with their problem of sex offender registration and public notification.

29

FINAL EDIT

Bob Long

After about fourteen months of filming, the time came for us to start editing the programmes. I had been commissioned to produce a series of four fifty-minute programmes, but I knew we were sitting on so much material and such gripping stories that we would be going for sixty minutes each. Such a decision involves more than the quantity or quality of the 'rushes', the original tapes. It is a kind of intuitive feel for the material and stories born out of experience, and it made me sure that the actual pacing and narrative flow would work better with a longer programme. I was confident that if I cut the series at sixty minutes and explained my reasoning, Jane Root, Controller of BBC2, would accept my judgement, although I also knew she could at any time simply tell me they had to be fifty minutes and it would be my problem to make the pacing work.

When we started the edit, it struck me that I had been a director/producer, series producer or executive producer for twenty years. I had looked after many hundreds, perhaps over a thousand, documentaries and had received a number of awards, including a BAFTA. But I knew this series was going to be the best thing I had worked on. It was certainly the most powerful. At least it felt like that at the start of the edit, but I was so close to the whole project that I had small niggling doubts that, because I was so immersed in the material, I had a false sense of its power and importance.

It was decided that, at a later date, another executive producer from the BBC would come in to the edit to advise. This would be an experienced producer who could look at the material with a fresh mind. It was not easy for me to accept a new face on the creative team on a project that had been my baby for nearly three years, especially somebody who might disagree fundamentally with the structure and overall vision of how the series would look and feel, but I understood that it was an essential intervention that I would have to swallow.

In the meantime, I had 1200 hours of original footage to sort out to produce four hours of programmes that had an engaging narrative and cohesion, and represented fairly the work of the Paedophile Unit. This was not actually as difficult as it seems. Many of our rushes recorded the start of investigations that would be the search of a house and the conviction of a paedophile with very little process that we could film in between. The best stories were, as always, the ones we could remember. After two days in a conference room with the filming team, we ended up with a structure for a four-part series. Operation Doorknock would run through three of the programmes, with other stories running as sub-narratives. Programme four would stand alone, telling the story of Mark Enfield in Southampton. Mark's very honest interview was possibly unique in television history and offered incredible insight into the mind of a lifelong paedophile. His suicide at the end was tragic but in all honesty 'made great TV'. I genuinely wish it had never happened but it did, after a life of damaging little boys. It was also interesting that, in a project that took around fifteen months to film, one whole episode was almost completely shot in one day.

After the four programmes had been roughly shaped into a 'first rough cut', I started to call in the other people who had to be involved with the final series. I invited our project's BBC lawyer to have a look. After seeing one programme, he immediately demanded we go for a drink. It had deeply disturbed him. He said he wanted to go straight home and hug his six-year-old daughter. The next day he called and said he was haunted by the programme he had seen.

So we had a real problem on our hands, not so much with legal considerations, with which he helped, but with the series being too powerful for general consumption. We would have to reduce the trauma of watching the programmes if we were ever going to be able to broadcast. At this stage Simon Ford was appointed as the additional executive producer, the outside pair of eyes. I quickly handled my ego as he turned out to be a valuable member of the edit crew. We had a few disagreements, but he had some very good ideas and was very helpful in seeing the project through the final stages, especially with the internal BBC line-up of hoops we have to jump through with a sensitive landmark series.

The BBC has a department entitled 'Editorial Policy', a kind of ethics police of the corporation. They keep an eye on all programmes to make sure we are complying with the codes of practice within the BBC's 'Producer Guidelines' agreement, but they often have to work outside the specifics of the guidelines and make their own judgements. Our series was a minefield of concerns including pornography, taste and decency and human rights issues. Sue Pennington from Editorial Policy helped us tread our way through the minefield while maintaining the integrity of the series.

With Operation Doorknock, involving Julian Levene, running through three of our programmes, we became dependent on the legal process for his trial. We could not broadcast before the end of the legal process, including sentencing, as this might influence a jury and invalidate the trial. Because there were 30,000 exhibits and each of the defendants had a separate barrister, the trial kept being postponed to give the lawyers a chance to prepare the defence.

We filmed all the court appearances at the Old Bailey from outside the court in the hope that we could talk to some of the defendants and simply to cover each stage of the proceedings. Julian approached me several times to talk about biased media, oppressive police and 'hypocritical post-imperialist puritanical England'.

Throughout the time we had been filming him, Levene had become obsessed with a personal campaign about the circumcision of young girls within the Islamic community in Britain. He repeatedly accused the police to their face of 'moral cowardice' for not pursuing investigations of 'severe and brutal child abuse' and 'butchery' because he said they were frightened of being accused of being racist if they were to investigate the Muslim community. The detectives shrugged this off most of the time, but Julian argued that in England there had not been one case brought to court since 1985, when it had officially been made illegal, yet in France there had been over seventy successful prosecutions in ten years. He certainly had a point, but this was also his way of making himself feel better about his own crimes against children. At one point he said to me, 'I'm talking about the moral high ground here.'

I was always trying to get Julian to do an interview for us on camera and would ask him every chance I had. He would never say no but always suggest that he would do it in the near future. I was not sure whether he was agreeing because he was sold on my argument that the series would not present the other side of things if nobody would dare to say it. Perhaps he was just concerned with my interest in him and thought I would lose that interest if he made it clear he would never willingly face the camera.

One freezing day in December we were waiting outside the Central Criminal Court for Julian to emerge from yet another hearing resulting in a delay. The other defendants had already left, trying to avoid our camera but providing us with the necessary shots of them coming out of the building. Julian was still inside and taking his time. His solicitor and barrister had already gone so it was unusual that he was remaining in the court. We had two cameras waiting and were bitterly cold. I told Clarissa, Juliette and Chloe that they should go back to New Scotland Yard while Ben and I waited for Julian. Eventually, and almost as an excuse to get indoors and warm up, I went into the Old Bailey to look for him.

It was lunchtime and the building was fairly deserted. I explored each floor looking for Levene and was about to give up when I saw a small man alone in a big empty hall. He was walking slowly, looking around like somebody with nowhere to go, obviously killing time. I called his name out and he stopped. He seemed quite pleased to see me. I suggested to him that if he could perhaps just leave the building, we could get our shot and poor Ben could get back to work and get warm. Understandably, Julian asked why on earth he should help us. I said that, however long it took, Ben would be outside waiting and there was only one exit Julian could use. But Julian decided to let Ben freeze, so I invited him for a cup of tea in the canteen. He immediately agreed and I phoned Ben on his mobile to give him a chance to go and get some lunch.

Julian and I sat over tea and talked about anything he wanted to. He was interested in me and why I had chosen a career in an industry that was in his eyes so dishonest and cowardly. We talked for hours, and he finally agreed that he would give me an interview in the next few weeks. He would contact me by phone to arrange it. I was not sure if he genuinely meant it, but as a gesture of goodwill I phoned Ben and stood him down. Julian was free to walk out of the court without being chased by a man with a camera.

I did not think much of this, but a few days later, on the Saturday just before Christmas, Julian called me and said he wanted to talk to me that evening. I was down on the south coast at the time but that did not concern him. He made it clear that if I was serious about an interview, I had better meet him that evening. I got the impression he was simply lonely and I was somebody who would talk to him or, even better, listen to him and while away a Saturday night when all over Britain people were doing something with their friends or family. I agreed and he set the time at 7 pm, the place a McDonalds restaurant in North West London.

McDonalds seemed like a good idea. We were both driving, and the one we were going to had a car park. But when I arrived early and saw that McDonalds was typically crowded with children, I began to feel uncomfortable. There were four or five little girls of an age that, from the pictures seized from his property, Julian seemed to favour. When he arrived, I told him I did not like McDonalds and suggested an Italian restaurant a few minutes' walk away. He had no problem with that and we spent a few hours in an empty restaurant with him talking and me listening.

For much of the conversation he did not mention his paedophilia. When he did, he referred to it almost as an academic who has studied the subject among others he was curious about. On a few occasions he was more personal and, with no cameras present, made his interests more clear. He was aggrieved that society was stuck in a Victorian and, again, 'puritanical' attitude towards children. He argued that children are very sexually aware and interested and said that sometimes they were the ones who wanted sex. He talked about an occasion on which a little girl was watching television with him and she lay on the sofa with her skirt up to her chest. He looked at me, man to man – or, more accurately, red-blooded man to red-blooded man – as if to say, 'What's a guy to do?' It was clearly her fault if he was then to 'tickle' her. It was the same 'she was gagging for it' argument men have used who have raped adult women: she was wearing a short skirt and a tight top and was obviously 'asking for it'; what's a red-blooded man going to do? It is a disgusting justification for the rape of adult women and shocking for the abuse of a small child. Not displaying any man-to-man approval, I held my own feelings back to let him talk.

For much of the evening, Julian talked about his other passions, particularly for Buddy Holly and Benny Hill, who were, according to him, the two great geniuses of the twentieth century. At times I found myself simply talking to another man in a restaurant about our different interests and found it strange that we were there for the reasons we were. Paedophiles are of course men (and women) like everybody else in most respects. Their sexual preference is often overriding, but beneath it they have other interests and concerns. As usual, I could not help feeling sorry for him. He gave me the impression that he was very lonely. We can tell so much just from people's eyes, and Julian's eyes seemed to have the dull sadness of a man who is fundamentally isolated. It occurred to me clearly for the first time that the price a paedophile pays for his 'hobby' is utter isolation. He can spend a lifetime without having normal relationships. Society hates and shuns him, and it must be difficult to trust other paedophiles. The only time he might feel anything like close to anybody is with a child, whom he always tries to harm. Even if that does not make him feel guilty, the relationship is short-lived because the child gets older and the attraction goes with age. By the time a paedophile gets to Julian's age, in his mid-fifties, he might have had a lifetime empty of genuine human companionship and the personal relationship narratives most of us have in our lives.

There I was again, feeling sorry for a man who had left a trail of destruction. The fundamental difference between Julian Levene and the other paedophile I had felt sorry for – Mark Enfield – is that Mark acknowledged the damage and was sickened by it whereas Julian was in denial. He accused us of being in denial of female circumcision and what he saw as the reality of the policemen we were working with. He believed we had been taken in by what he saw as simply the agents of an oppressive state. While I sat and worked my way through a plate of prawns, Julian told me that the colour blue, the colour of oppression, was being fed to us subliminally in all sorts of ways but especially through its use on television. By working for the BBC, I was obviously the unwitting agent of the oppressive state.

I eventually broached the subject of the interview. Levene gave me a slightly hurt look as he realised that I was there with him for professional reasons and that listening to him was what I did to get an interview. He agreed to meet me on the Friday after Christmas and named the hotel we should use as the venue. We parted in McDonalds car park and he left to spend Christmas with his aged mother.

We met at the hotel a week later and set up the interview. I started to ask Julian questions, hoping to draw him out and, as with Mark Enfield, try to get an insight into the mind of a paedophile. But he was not having it. We began what became a three-hour battle during which I asked increasingly direct questions and he managed to answer them while giving nothing away and admitting nothing. When I asked him why he had a sexual preference for young girls, he said he did not – he was interested in the subject of paedophilia only as an academic. He claimed it was an intellectual interest in a social phenomenon, as he was interested in many phenomena related to human relationships. He had warned me over lunch before the interview that he was expecting to go to prison and that he was hoping to be put on the paedophile treatment programme at Grendon Underwood. He believed that if he proudly admitted his ideas freely in our series, he would not be selected for the treatment because he would be considered a lost cause without remorse and hope for treatment to control his sexuality. I told him that, from what I understood about treatment units, he was more likely to be passed over if he was in complete denial than if he was without remorse. He played very safe.

By the time we got to the third hour of the interview, I was exhausted with my attempts to break through as he ran around my questions. I started to go for broke and ask the most simple and provocative questions. I asked him if he was a paedophile. He said he would not agree to be labelled a paedophile because, in the current social climate, the use of that word would be as good as owning up to child abduction, rape and murder. In frustration, I asked him how he felt about going to prison. The old arrogance returned and he patronisingly chided me for what he described as a 'cub reporter' question. I laughed and gave up. When the camera was switched off he apologised for being evasive, but he had too much to lose by being honest and frank.

Julian had been charged with rape and had made it clear that he would never plead guilty to the charge. For him, I believe, as a political paedophile, it was a political issue. In his mind he had never forced or 'hurt or harmed' any child. In a deal between lawyers at the Old Bailey a few weeks after the interview, he pleaded guilty to unlawful sexual intercourse. The police were disappointed that the Crown Prosecution Service agreed to the plea and dropped the rape charge, but they were consoled that unlawful sexual intercourse on a child under thirteen years of age carries a maximum potential sentence of life imprisonment, though privately they believed he would probably get less.

The other defendants in the case did not plead guilty to everything, so there would be a trial. In the meantime, we had been editing the series. Because our rushes were peppered with pornography all the way through, we were actually editing in New Scotland Yard – getting a small room in the building was one of the biggest achievements of the project. The programmes improved with each restructure, and what emerged was an incredible piece of television. As we viewed the nearly-final programmes, I had to pinch myself occasionally to remind myself that I was watching a documentary. Our narratives were working so well structurally and the people in the scenes were acting so naturally that the pro-grammes often felt like a superbly acted and delicately directed drama.

Everybody became curious about our project and wanted to see what we were up to. Rather than spend weeks showing them the four hours in our little editing room, we made up a fifteen-minute tester there to give them an idea of the whole series. We showed the short tape to the detectives in the Paedophile Unit and they really liked it. At their Christmas party, one of them approached a small group of us from the BBC and confessed that he was a bit drunk and that he was most definitely a 'man', but he had secretly cried when he'd seen the tape. I showed it to Jane Root, who said the series was clearly going to be brilliant and changed the title to *The Hunt for Britain's Paedophiles*. Nicola Moody, the commissioner for factual TV, said it was fantastic. The head of Editorial Policy viewed the whole series and said it was a valuable insight into paedophilia and the mind of paedophiles. Word got around and everybody wanted to see it.

Meanwhile Julian Levene and his legal representatives made a deal with the Crown Prosecution Service. The CPS dropped the rape charge in place of 'unlawful sexual intercourse with a girl under the age of thirteen'. This angered some of the police, but others were more philosophical and partially consoled by the idea that Levene could still get a life sentence. He pleaded guilty to one count of unlawful sexual intercourse with a girl under the age of thirteen, five indecent assaults on females unknown, one count of taking indecent photographs of a child and one count of conspiring to distribute indecent photographs of children.

In the same Doorknock trial Keith Romig pleaded guilty to one count of indecent assault on a girl under thirteen, one count of conspiracy to distribute indecent photographs of a child under the age of sixteen and one count of making an indecent photograph of a child under the age of sixteen. Leslie Baldwin (the man in the white dressing gown) pleaded guilty to four counts of indecent assault on a child under the age of sixteen, four counts of taking indecent photographs of a child under the age of sixteen, two counts of distributing indecent photographs of a child under the age of sixteen and one count of conspiring to distribute indecent photographs of children. Trevor Mellis, now aged eighty, pleaded guilty to three counts of taking indecent photographs of a child under the age of sixteen and one count of distributing indecent photographs of children to Keith Romig.

So that was that, the end of Operation Doorknock.

If you include the time it took for me to negotiate the access, I spent three years on the project. As an executive producer, I had been working on other series at the same time that were a valuable antidote to the subject of child abuse, but my overriding concern was for Operation David/The Hunt for Britain's Paedophiles. While we were filming pre-dawn raids on suspects' homes and every move that the Paedophile Unit made, there was a downturn in the demand for documentaries at the BBC. *Video Diaries* and *Video Nation*, which I had proudly pioneered, were no longer wanted, and the Community Programme Unit, with its own separate agenda and ethos, and decades of very successful provocative, radical and innovative programme-making behind it, was closed down. Like everybody who works for the BBC, I was immensely proud of the reputation of what is still considered throughout the world as the best, but I had joined Community Programmes because of its reputation for programmes of added value, and with its closure I decided to leave the BBC after the series had been completed and after an eleven-year exhausting, but hugely rewarding, adventure. I planned to return to operating as an independent producer with Long Shot Television, the revived name of my previous company.

Operation David, as we still called it, had been an incredible experience. Nobody in the history of television had, I believe, worked so closely with the police and been given so much access based on trust. We had set out to do a 'warts and all' observational documentary series, but the truth was that we could not find any warts. The Paedophile Unit may be a set apart from the rest of the Metropolitan Police, but what we saw was a diverse group of men and women committed to protecting children and motivated by a sense of social responsibility rather than by pay, excitement or career.

As to the series, I hoped the audience would also benefit from a genuine insight into a social problem that seems to be multiplying, especially with the popularity of the Internet. If they, the public, wanted the problem dealt with properly, they would have to accept that money has to be spent on increasing the resources of the Paedophile Unit to catch more 'baddies' as well as that arresting them and putting them in prison was only part of the solution. Initiatives like the Wolvercote Clinic, which teaches offenders to control their deeply antisocial and damaging sexuality, point to a bigger solution to the reduction of child sexual abuse in Britain. That costs money too, but no more than the cost of prison that releases men to continually re-offend.

When a 'landmark series' is broadcast, one of the effects is supposed to be that it deals so effectively with the subject that it knocks it off the screen for five years or so. Everybody feels it has 'been done' and commissioning editors are reluctant to return to it for some time. That is a shame because the issue will be just as big, if not bigger, in years to come. For those programme-makers who return to it, I should warn them to be careful. You cannot stare into the abyss without the abyss glaring back at you. We had been subjected to seeing photographs and videos of the very worst of human behaviour. Much worse than we could show in the series, or than I could describe here; much worse than most people could even begin to imagine.

Our overriding concern as programme-makers with the final editing of the series was how to get people to watch more than the first programme. We were worried that the audience would watch programme one but, even though they were gripped and believed it was important, they would rather not enter that world again by watching programme two. That's how I felt at the end of the project. It had been an amazing experience, I was gripped, it was important – but I would rather not do that again. I probably will, but I will be more ready for it next time.

30

PROTECTING OUR CHILDREN FROM PREDATORS

Bob McLachlan

Whenever cyberspace is used within a real and meaningful context, the boundaries between real and virtual are blurred. Furthermore, activities in cyberspace produce outputs for real life and vice versa.

Talamo and Ligorio, 2001

In 1993, 110,000 men in the British population had at some point had a conviction for a sexual offence against a child, these being only those known sex offenders living among us. The figures were, in order to estimate the probable impact that its new requirements might create, published shortly after the Sex Offenders Act 1997 was enacted, requiring convicted sex offenders to 'register' their address with the police. It was the first definitive calculation of the number of those sexually offending against children who had been processed through the criminal justice system in the UK. Since then various estimates have sought to assess the real number of paedophiles, not just of those with a conviction, in the community, one estimate suggesting that there may be as many as one million.

My own calculations, reached after analysing research of victim experience and offender accounts of their undiscovered abuse alongside the suggested ratios of the number of those victims becoming victimisers, gave a figure of nearer 230,000. But even this lower figure essentially means that for every offender we know about, there is probably another yet to be identified. So how can we recognise these men (and women) and what can parents do to assess those given access to their children?

You will remember that I used the term 'grooming' to describe the processes and strategies, the pattern of behaviour, that offenders use to target children, create opportunities to engage and interact with child victims in a sexual way, encourage secrecy about the contact, maintain the victims in their victim role and the abusive situation, and prevent disclosure of and after the abuse. Grooming is the offender's plan to make the victim less likely to resist and make others unaware of what he is doing or even likely to help him, without their knowledge, to abuse a child. A sort of process of infiltration.

Research studies examining the way in which paedophiles and other sex offenders use the grooming process reveal striking similarities and identify how offenders use strategies that are part of the positive aspects of normal, non-abusive adult–child relationships. In other words, paedophiles act perfectly normally in the way they interact with children, that is until the abuse takes place. The difference between a paedophile's pre-abuse attention and the attention shown by a caring adult is intention. Most paedophiles act alone with individual children. Putting to one side incestuous offenders, who by their very nature prefer their own children, most paedophiles prefer pretty, young, small, passive, quiet, trusting, lonely children who are lacking in confidence and physically alone or from broken homes.

It is said that offenders rarely abuse a child unknown to them, but research conducted by Kevin Browne and Jennifer Kilcoyne of Birmingham University and Michelle Elliott of the charity 'Kidscape' has found that a third of offenders assault strangers. The offenders generally had a gender preference: over half targetted girls, fewer than a quarter preferred boys, whereas just over a quarter targetted both boys and girls. Offenders believe that they possess a special 'skill' for identifying vulnerable children. Those who found child victims outside their immediate families frequented places where children were likely to go – schools, shopping centres, arcades, amusement parks and playgrounds.

The primary means of establishing sexual contact with a child were, after social contact had been manufactured by the offender, identified as accidental touches and child games that became increasingly sexual, establishing trust through friendship, overt approaches, showing the victims pornographic material, slowly desensitising the child into sexual activities, rewards and bribes, the misrepresentation of moral standards to convince the child that nothing was wrong, threats, fear and physical force. The most brutal and sadistic offenders were religious figures, fathers and men of high social status in 'paedophile rings'. Bribing child victims was one of the most widely used methods to gain access to sex. Compliance, co-operation and maintenance of the child's silence were achieved by not disclosing the 'special secret', by portraying the abuse as education or as a game, by suggesting that the child was to blame, or by threats and violence (a small number of offenders reporting that they used weapons to threaten the children). Offenders asked to produce a strategy manual on how to abuse a child added to this list invasion of privacy, sympathy, compliments, the targeting of damaged children with family problems, confiding and providing extra attention, using love as a bait, befriending parents and deceiving the child over his or her choice. Risk assessment was another crucial factor.

Offenders reported typically beginning offending at an early age, displaying sexually deviant behaviour from the age of eight years upwards. Their frequency of offending escalated with age, and offenders claimed on average five undetected sexual assaults for which they had never been caught. The average time undetected before arrest was six years. During this time, 70% had committed offences against between one and nine children, 23% against between 10 and 40 children and 7% against 41 to 450 children.

Fifteen per cent of the offenders admitted to at least one abusive incident in which they had sexually assaulted more than one child at the same time, and 8% of offenders were in contact with other offenders, planning group offending with one or more children. Offenders who sexually assaulted boys had an average of 282 victims, whereas those who assaulted girls had an average of 23 victims.

These few short paragraphs serve to remind us of some of the characteristics present in some paedophiles. The facts and figures do not for one moment suggest that there is a paedophile on every street corner, but they do tell us is that it is absolutely essential to create an environment around a child that will deter any opportunities for infiltration and manipulation by a paedophile intent on sexual abuse.

Many people and groups can provide excellent child-protection information. I am grateful to the National Center for Missing and Exploited Children for this real-world safety message; this is what our children should be encouraged to say to themselves:

1 I always check first with my parents or the person in charge before I go anywhere or get into a car, even with someone I know.

2 I always check first with my parents or a trusted adult before I accept anything from anyone, even from someone I know.

3 I always take a friend with me when I go places or play outside.

4 I know my name, address, telephone number and my parents' names.

5 I say no if someone tries to touch me or treat me in a way that makes me feel scared, uncomfortable or confused.

6 I know that I can tell my parents or a trusted adult if I feel scared, uncomfortable or confused.

7 It's Ok to say no and I know that there will always be someone who can help me.

8 I am strong, smart and have the right to be safe.

When dealing with the new-world technologies, there are important things to remember. Exploring the benefits of the Internet should be an enjoyable adventure for both children and adults – together. Parents' interest in what their children are learning and experiencing in cyberspace is the most effective instrument that can be found to protect them. We must encourage our children to tell us if they see things on the Internet that they know we would not like them to see. More particularly, we must ensure that children will tell if they have a bad experience while using the Internet, especially as we know that paedophiles using Internet chat rooms target where children are likely to be. Such luring of children has resulted in a number of prosecutions in the UK against the men and one woman who arranged to meet children in the real world. I am currently aware of twelve such cases (some involving more than one offender) targetting nine girls aged between twelve and fifteen years of age and one boy aged fourteen, the offences including abduction, indecent assault, unlawful sexual intercourse, buggery and taking indecent photographs of children. Similarly, the National Center for Missing and Exploited Children and the FBI in the USA tell us that girls aged between thirteen and seventeen are most at risk. They are targets for online luring and seduction since they usually have the means to travel and are able to meet online contacts offline without their parents finding out.

The need to protect children from predatory offenders online was recognised some time ago by, among others, a group known as the Internet Crime Forum, which was established to identify and quantify the problems associated with chat services on the Internet and to consider and evaluate potential means of addressing them. DS Steve Quick was a member of this forum, he and the team being responsible for providing these 'online' safety messages from the *Chat Wise, Street Wise* programme:

> 1 Don't give out personal details, photographs or any other information that could be used to identify you, such as information about your family, where you live or the school you go to.

2 Don't take other people at face value – they may not be what they seem.

3 Never arrange to meet someone you've only ever previously met on the Internet without first telling your parents, getting their permission and taking a responsible adult with you. The first meeting should always be in a public place.

4 Always stay in the public areas of chat where there are other people around.

5 Don't open an attachment or downloaded file unless you know and trust the person who has sent it.

6 Never respond directly to anything you find disturbing – save or print it, log off, and tell an adult.

In addition, we must ensure that material that is harmful or has a corrupting influence is kept off our children's computer screens. How do we prevent these influences entering our homes? First of all, parents should become Internet users too: how can you possibly supervise a child who is surfing the net or having real-time chat when you do not understand the concept, context or content of Internet use? In addition, the computer should be located in a room where you can see what your child is doing – you are not spying on them but 'taking care'. Showing an interest in what your child is encountering on the Internet will massively reduce the potential for some other person to show an interest – for all the wrong reasons – in what your child is doing online.

The following is a list of Internet resources that are there to protect you and your child. They contain information for real-world and virtual-world protection as well as the opportunity to obtain software to protect your child online. As a 'one-stop shop' of information does not exist, the list is substantial, and it also changes rapidly as experience grows. The various websites will provide important information as well as a good opportunity to become accustomed to navigating the Internet.

This list is not endorsed by the Metropolitan Police but I have found that these sites contain help and guidance.

Child safety in the 'real world' and safe surfing on the internet

Sites offering guides to parents

www.iwf.org.uk/safe/ – the Internet Watch Foundation's guide to safe use of the Internet. This will help you find the best advice on the net about its dangers for young users and how to avoid them.

www.kidsmart.org.uk – simple tips you need to know about staying safe online, a great directory of positive sites on the Internet, and a teachers' area with worksheets, posters and fun classroom activities.

www.childnet-int.org/ – Childnet is a non-profit organisation working around the world to help make the Internet a great place for children. This site gives details of the various projects they are running in the four key areas of Access, Awareness, Protection and Policy.

www.wiseuptothenet.org.uk/ – in March 2001 the Task Force on Child Protection on the Internet was established by the Home Office. It is a unique partnership of Government, industry, police and charitable organisations, working together to tackle the danger posed to children by online paedophiles. This website provides information to help parents advise their children on chatting safely online. As part of the campaign a booklet has been produced that provides additional tips and advice which can be downloaded from the site.

www.kidscape.org.uk/ – Kidscape is the registered charity committed to keeping children safe from harm or abuse. Kidscape focuses upon preventative policies – tactics to use *before* any abuse takes place. Kidscape has practical, easy-to-use material for children, parents, teachers, social workers, police and community workers. Kidscape works to keep children safe.

www.childline.org.uk/ – Childline is the UK's free 24-hour helpline for children and young people in trouble or danger.

www.nspcc.org.uk/ – NSPCC Helpline, Kids Zone Homepage, NSPCC home page.

http://safety.ngfl.gov.uk/ – provides advice and information in relation to all aspects of Internet safety for parents. Includes the Highway Code, the Safe and Sound Challenge and research on road and vehicle safety.

www.pin.org.uk/safety/safetyset.htm – Parents Information Network. There are lots of sets of 'Internet Safety Rules' available from all sorts of organisations, but the most effective way to protect your family is probably to develop your own code together. That will be something your children are far more likely to remember.

www.cyberangels.com/ – Internet child safety organisation that addresses pornography, hate sites, paedophiles and violence.

www.wirekids.org/ – online safety project dedicated to children and teens. Features safety information to online and offline projects.

www.consumer.gov.uk/consumer_web/safety.htm – The Consumer Gateway: produces a wide range of free child safety literature.

www.missingkids.co.uk – United Kingdom Missing Children Web Site.

www.missingpersons.org – a UK charity dedicated to helping missing persons and supporting their families.

www.missingkids.com/ – The (American) National Center for Missing and Exploited Children's online resource for information on missing children and child sexual exploitation.

www.chatdanger.com/ – Childnet International sponsored website giving advice to parents and children on teenage safety on the Internet, and giving advice on teenage safety in chat rooms.

www.safekids.com/ – tips, advice and suggestions to make your family's online experience fun and productive.

www.safe-and-sound.org.uk/ – child safety and first aid courses from safe-and-sound.org.uk

www.yahooligans.com/parents/ – the goal is to provide you with the information you need to make informed decisions about your family's web use.

www.webnovice.com/safe_surf.htm – shows you how to protect your children from Internet trash while still providing a rich resource for information and fun. Includes a handy agreement both parents and children can agree to for safer surfing.

Web browsers suitable for children

www.chibrow.com/ – designed to give parents control over their children's Internet use by allowing them to create a drop-down list of acceptable sites for their children.

www.green-park.co.uk/ – a safety website for children aged four to nine years.

www.surfmonkey.com/ – the Surf Monkey Kids Browser provides children with pre-screened, child-friendly websites and monitored chat rooms, etc. It has a kid-safe directory with information, links and entertainment.

www.education-world.com/ – browser geared towards educational purposes and curriculum with weekly features.

www.heynetwork.com/ – creates a closed community where friends and family can safely communicate, explore and make purchases. Is in English, French, and Spanish.

www.internet-safari.com/ – animated, secure browser with a jungle theme. Designed to filter sites and make the web safe to explore.

www.kiddonet.com/ – browser and play place for children.

www.email-connection.com/KWFINAL.html – animated browser that sets up an exclusive Internet neighbourhood of pre-approved sites. The software takes care of blocking the rest.

www.childrensinternet.com/ – parents can test drive browsers for children of all ages and check out the features that are included when you subscribe to the service.

www.webkeys.com/ – this service blocks adult content with a built-in V-chip and offers built-in links to sites for children.

www.yahooligans.com/ – provides a child-safe directory in tune with the school curriculum as well as updated features such as news, sports and joke pages.

Site-checking software

www.safesurf.com/filter/filter5.htm – Internet filtering solution.

www.netnanny.com/home.html – content filtering, blocking and monitoring software for children and organisations.

www.cyberpatrol.com/ – protect your children from inappropriate material.

www.solidoak.com/ – CYBERsitter allows parents to override blocked sites, add their own sites to block and specify allowable times to access the Internet, and maintains a detailed log of all Internet activity and violations.

Helplines

The British Association of Counselling – 0870 4435252
ChildLine – 0800 1111
Kidscape – 020 7730 3300
NSPCC – 0800 8005000

In 1999 I was speaking at a child protection conference in Cape Town, South Africa, that was opened by a message from President Nelson Mandela. He said:

> It is an honour to join you all in addressing the need to focus attention on sexual exploitation of children. Our children are our most treasured asset. They are not ours to be used and abused – but to be loved and nurtured. Their well being is ultimately the well being of an entire nation. Child sexual abuse is an abuse of power. It is not limited by race, ethnicity or economic boundaries. I urge you to open your hearts, minds and ears to the cries of our abused and exploited children.

The words of Nelson Mandela are wise words and tell us what to do – the rest is up to you.

POSTSCRIPT

I have dealt with the people we call paedophiles every day for the past ten years, but despite what you have read in this book, the majority of people you know are 'proper people', just like you and me.

Preventing child sexual abuse can be easy. It is about taking a bit more care and a bit more time to know what our children are doing and who they are with. It does not mean locking our children in a domestic prison for them to emerge when they are old enough to have missed the meaning of childhood. Nor should it mean that we alter how we behave in a perfectly natural way with the children who from time to time come into our lives who have no understanding or comprehension of the word 'paedophile'. We have become frightened to be seen caring for other people's children because we don't want to be suspected of being 'one of them'.

We are losing the reason for being human if we allow a small number of sexually deviant people to infect us by what they do. As I said at the end of the previous chapter, the rest is up to you.

BOB MCLACHLAN